D1645152

TRADUIRE FREUD

ANDRÉ BOURGUIGNON - PIERRE COTET
JEAN LAPLANCHE - FRANÇOIS ROBERT

Traduire
FREUD

PRESSES UNIVERSITAIRES DE FRANCE

ISBN 2 13 042342 6

Dépôt légal — 1re édition : 1989, mars

108, boulevard Saint-Germain, 75006 Paris

SOMMAIRE

Avertissement de l'éditeur 1

PREMIÈRE PARTIE – TRADUIRE FREUD
par André Bourguignon, Pierre Cotet, Jean Laplanche. 3

I – Situation des *Œuvres complètes de Freud / Psychanalyse (OCF.P)* 5
II – Principes généraux 9
III – Le style et son rendu 23
IV – Terminologie et conceptualisation 42
V – La mise en œuvre 63

DEUXIÈME PARTIE – TERMINOLOGIE RAISONNÉE
par Jean Laplanche 73

TROISIÈME PARTIE – GLOSSAIRE
par François Robert 153

I – Présentation du glossaire 155
II – Organisation du glossaire 160

Glossaire 167

Liste des principaux termes n'ayant pas leur entrée propre 367

Index des personnes et des personnages 377

Principales abréviations 381

AVERTISSEMENT DE L'ÉDITEUR

Le présent volume, hors série, est destiné à familiariser d'emblée le lecteur avec les principes de traduction adoptés pour les Œuvres complètes de Freud / Psychanalyse (OCF.P), *et à lui offrir un glossaire à entrées françaises, accompagné de la justification de la traduction des termes fondamentaux du lexique freudien. Ce glossaire n'est pas un nouveau vocabulaire de la psychanalyse à l'usage des psychanalystes, qui garderont sans doute le lexique auquel ils sont habitués, mais un vocabulaire strictement limité à l'appareil notionnel propre à Freud.*

Cet ouvrage n'est pas voué à la pérennité, car son contenu sera ultérieurement réparti entre le tome I et le tome XXI des OCF.P. *Dans le tome I figurera le texte relatif aux principes adoptés pour cette nouvelle traduction. La terminologie raisonnée justifiant les choix majeurs et le glossaire proprement dit seront insérés dans le tome XXI, le dernier à paraître.*

Les trois parties de cet ouvrage résultent d'une ample collaboration : elles prennent en compte les travaux des équipes de traducteurs et de la Commission de terminologie.*

Traduire Freud *a bénéficié des remarques et suggestions de Janine Altounian, qui a également relu avec Pierre Cotet les fiches terminologiques.*

La Terminologie raisonnée *et le* Glossaire *sont respectivement signés par Jean Laplanche, directeur scientifique et responsable de la terminologie, et François Robert, coresponsable de la terminologie et responsable des glossaire et index. Comme le lecteur s'en rendra compte à l'usage, ces deux parties sont interdépendantes, de sorte que François Robert a largement participé à la réflexion sur la terminologie et en particulier à la rédaction de certains articles, et Jean Laplanche à la discussion, à la mise au point et au mode de présentation du glossaire.*

* *Les noms des traducteurs figurent deux fois dans chaque volume, en tête (sous l'organigramme éditorial) et en fin (récapitulation des textes, titre par titre).*

La Commission de terminologie, *présidée par Jean Laplanche, réunit, à titre permanent ou provisoire (cf.* infra *p. 67), Janine Altounian, André Bourguignon, Pierre Cotet, Maurice Dayan, Denis Messier, Alain Rauzy, François Robert et Bertrand Vichyn.*

Première Partie

TRADUIRE FREUD

PAR

ANDRÉ BOURGUIGNON

PIERRE COTET

JEAN LAPLANCHE

I
SITUATION DES *ŒUVRES COMPLÈTES DE FREUD PSYCHANALYSE (OCF.P)*

Entre la parution de la première traduction française d'un texte de Freud (1913) et celle du premier volume des *Œuvres complètes*, il se sera écoulé soixante-quinze ans. Trois quarts de siècle pour que l'une des œuvres les plus importantes de notre temps commence à être présentée dans une version française aussi fidèle, rigoureuse et cohérente que possible.

Les problèmes posés par une telle traduction, qui a pour ambition d'être qualifiée de scientifique, et qui ne peut l'être que si elle aborde l'œuvre comme un ensemble, sont sans commune mesure avec ceux posés par la traduction d'un roman ou d'un traité de physique. Ils obligent à des options cohérentes et claires, que nous exposerons comme telles.

Pourquoi maintenant ? Une « chronique de la traduction de Freud en français » est hors de notre propos[1]. Il fut un temps, encore récent, où il paraissait de bon ton de déplorer l'absence d'Œuvres complètes de Freud, ou de s'en gausser, en accusant les querelles de chapelles, d'individus ou d'éditeurs. Notre point de vue, venant *a posteriori*, est tout différent, et il nous paraît utile de tirer, en quelques mots, la philosophie et les leçons de ce retard.

La raison la plus patente en fut le morcellement des droits de traduction entre trois éditeurs français. Obstacle réel, et qui ne put être surmonté, après maintes tentatives, que tout récemment et à l'initiative d'un seul. Mais un tel obstacle était, du moins en apparence, purement éditorial, dû au fait que le destin de l'œuvre freudienne avait d'emblée été confié, de façon morcelée, au coup par coup, à tel traducteur, à telle « collection », etc.

1. Cf. A. et O. Bourguignon, Singularité d'une histoire, *Revue française de Psychanalyse*, XLVII, 6, 1983, p. 1257-1279. Pour l'aspect proprement éditorial, cf. M. Prigent, interview à *L'Ane* (n° 34).

La difficulté à réaliser un projet unique ne passait pas seulement par le maître d'ouvrage, mais par le maître d'œuvre. En Angleterre, on le sait, c'est l'impulsion d'un homme, James Strachey, qui permit la publication de la première édition complète et de la seule édition critique à ce jour, dont on a honte de rappeler qu'elle n'est pas en langue allemande. Les mérites de James Strachey et de sa traduction sont immenses, malgré tous les reproches, partiellement justifiés, qu'on a pu lui faire. L'œuvre d'un seul reste un modèle, avec tout l'avantage de l'unité de style, de terminologie et de compréhension. Pratiquant la traduction de Freud depuis des décennies, nous devons affirmer que la consultation de Strachey, sur tel passage difficile, reste indispensable : même s'il aplatit parfois le sens, on ne le trouve pratiquement jamais en faute de contresens.

A cette « vulgate » du monde psychanalytique qu'est devenue la *Standard Edition*, avec tout le poids de dogmatisme et de vulgarisation qui s'attache aussi à ce terme, il n'était pas question de répondre par une réplique française. Un Strachey français, bénédictin plein d'abnégation, étant, par la force des choses, introuvable, il fallait nécessairement s'accommoder du morcellement, ou bien tenter un autre mode d'unité. La première « solution », celle d'Œuvres choisies qui soient une juxtaposition de traductions individuelles, fut mille fois proposée. C'est encore elle qui préside à telle nouvelle série de traductions. Refusant d'emblée ce qui nous paraissait n'être qu'un pis-aller, voire une défaite devant le défi posé par une grande œuvre de pensée, il nous restait à trouver dans l'unité d'une équipe, travaillant sans cesse de concert, plus qu'un substitut, un véritable équivalent, voire une solution plus riche et plus inspirée que le travail solitaire d'un individu. Nous dirons, à la fin de ce texte, comment fonctionne ce *e pluribus unum*.

Essayant d'analyser les obstacles sur ce long parcours historique, et de montrer en quoi leur surmontement fut fécond, nous ne pouvons passer sous silence un facteur essentiel : les tentatives renouvelées de mainmise sur les Œuvres complètes de Freud par des organismes psychanalytiques officiels. Cela était simplement inéluctable, si l'on se rappelle que Freud, autant qu'un auteur ou même un maître, s'est voulu le fondateur d'un mouvement organisé, hiérarchisé, pour lequel son œuvre jouât le même rôle de ciment que le texte sacré pour une Eglise. Sans cesse cités et invoqués, tels passages du texte, mais aussi les principaux « concepts », ont acquis valeur de points de repère intangibles dans une histoire qui a pris l'essor que l'on sait : celle du « Mouvement » psychanalytique. Il n'était que normal que cette Eglise voulût conserver la mainmise sur le destin du texte fondateur; même le dernier projet d'Œuvres complètes, celui qui se réalise aujourd'hui, eut à s'affranchir, non sans nécessaire pugnacité, de cette hypothèque[2]. Obstacle indispensable à franchir, pour arriver à ceci : le présent projet est définitivement et absolument indépendant de toute emprise institutionnelle, manifeste ou occulte. *Aucune* société, *aucun* groupe d'analystes n'y a le moindre droit de regard, et n'est même tenu au courant de nos travaux. Les conséquences, concernant la traduction elle-même, sont de grande portée. A aucun moment nous ne prenons en compte ce que le texte est devenu entre les mains de ses exégètes ou de ses praticiens, officieux ou non[3]; par contre, nous laissons la place la plus libre possible à la multiplicité des exégèses éventuelles. La composition de nos équipes de travail est d'ailleurs le témoin de cette prise de position anti-ecclésiale : la majorité d'entre nous sont des germanistes et des freudologues, une très petite minorité des analystes praticiens, eux-mêmes freudologues avant tout.

Pendant cette fort longue période de latence, les traductions n'ont cependant pas manqué, ni les commentaires. A partir de traductions de départ, outrageusement infidèles, parfois d'ailleurs

2. L'Association psychanalytique internationale et certaines Sociétés francophones sont ici en cause. Ne doutons pas cependant que, venant d'un autre bord, la volonté d'emprise aurait pu être la même. N'est-ce pas ce à quoi l'on assiste lorsqu'il s'agit de publier une autre œuvre qui se veut fondatrice, celle de J. Lacan ?

3. Lors d'une discussion récente (Congrès de l'Association psychanalytique internationale, Montréal, juillet 1987) un intervenant bien intentionné expliquait ainsi qu'il ne fallait pas traduire (en anglais) *Indifferenz* par « indifférence » mais par « neutralité », « car l'ambiguïté du mot "neutrality" le rend particulièrement apte à capturer la complexité unique de la position "humaniste" et objective de l'analyste » (Axel Hoffer, In other Words... can there be Translation without Interpretation, Intervention à la table ronde : « Problèmes de la traduction de Freud »...). On voit comment le besoin d'endoctriner la pratique psychanalytique selon un certain modèle justifie, sans remords, une modification de la littéralité freudienne.

cautionnées par Freud lui-même, mais qui avaient « le mérite d'exister », l'évolution se fit en deux directions complémentaires : une critique permanente, acérée, impitoyable, des versions existantes, ouvrant parfois des débats infinis, mais aussi aboutissant à des traductions de plus en plus parfaites, ou en tout cas raisonnées, affrontées à toutes les difficultés. Certains textes, généralement courts, ont fait l'objet d'innombrables traductions confidentielles ou « pirates ». Pour ne citer qu'un exemple, *Die Verneinung* a été traduite plus de dix fois! Notre seconde orientation fut l'attention portée aux problèmes posés par les concepts, dans leur expression linguistique propre, c'est-à-dire aux questions de terminologie, avec l'importance fondamentale qu'elles revêtent chez Freud.

L'oiseau de Minerve, a-t-on dit, ne prend son vol qu'à la tombée de la nuit; sans aspirer à la sagesse suprême, le présent projet entend faire son plein profit du fait de venir tard : tard dans l'histoire éditoriale, tard après des projets avortés, tard après avoir écarté des tentatives répétées de mainmise, tard aussi pour pouvoir profiter d'un capital inappréciable de commentaires, de discussions et de propositions partielles, souvent bien venues[4].

4. Le concept de plagiat n'a pas cours lorsqu'il s'agit de traduction ponctuelle. Une bonne solution, une trouvaille à propos de tel passage, devient le bien de tous. Pas question de feindre de l'ignorer, ou de tout faire pour dire les choses autrement.

II
PRINCIPES GÉNÉRAUX

Ce que nous énonçons ici *sous forme de principes* s'est en fait élaboré au contact quotidien de la traduction, pratiquée par certains d'entre nous, isolément mais surtout en équipe, depuis plus de trente ans. Les longues années de recherche et de réflexion communes ont rapproché nos traducteurs des chercheurs, et ont créé, entre les points de vue de la freudologie et de la germanistique, une véritable osmose. A travers des avatars, des discussions et des oscillations (où chacun pouvait se retrouver sur les positions de son contradicteur d'il y a quelques jours), elle s'est stabilisée en un point qu'il nous paraît nécessaire de situer d'abord, non pas en fonction de la seule traduction de Freud, mais par rapport à la théorie générale de la traduction.

Même s'il ne fut pas notre inspirateur, le livre d'Antoine Berman sur l'histoire de la traduction en Allemagne, *L'épreuve de l'étranger*, fournit des repères très utiles. A la lumière des discussions approfondies qui agitèrent l'Allemagne à l'époque « romantique », et quelles que soient les importantes différences entre Herder, Goethe, Schlegel, Novalis, Hölderlin, Humboldt ou Schleiermacher, ce qui ressort, d'une façon générale, c'est que « la théorie allemande » de la traduction se construit consciemment contre les traductions « à la française »[1].

Citons seulement, parmi tant d'autres, à propos des traducteurs français, tel passage de Schlegel :

« ... c'est comme s'ils désiraient que chaque étranger, chez eux, doive se conduire et s'habiller d'après leurs mœurs, ce qui entraîne qu'ils ne connaissent à proprement parler jamais d'étranger. »[2]

ou de Goethe :

« Le Français, tout comme il adapte à son gosier les mots étrangers, fait de même avec les sentiments, les pensées et même

1. A. Berman, *L'épreuve de l'étranger*, Paris, Gallimard, 1984, p. 62.
2. A. W. Schlegel, cité *in* Berman, p. 62.

les objets; il exige à tout prix pour chaque fruit étranger un équivalent qui ait poussé sur son propre terroir. »[3]

Et Berman de rappeler cette profession de foi, bien caractéristique d'une certaine « problématique française » que, de nos jours encore, ne désavouerait pas la grande majorité de nos traducteurs, et surtout de nos critiques : « S'il y a quelque mérite à traduire, ce ne peut être que celui de perfectionner, s'il est possible, son original, de l'embellir, de se l'approprier, de lui donner un air national et de naturaliser, en quelque sorte, cette plante étrangère. »[4]

On aura compris que notre propos n'est pas d'opposer, comme deux caractères *nationaux*, une traduction « à la française » et une traduction « à l'allemande » : il faudrait, dans ce cas, ranger Freud parmi les traducteurs « à la française » puisque, selon Jones « ... au lieu de transcrire laborieusement à partir de la langue étrangère, idiotismes et tout le reste, il lisait un passage, fermait le livre et se demandait comment un écrivain allemand aurait habillé les mêmes pensées »[5]. En revanche un Chateaubriand, traducteur de Milton, soutient sans réserves, tout au long de ses *Remarques* (que nous regrettons de ne pouvoir citer longuement) la conception inverse, celle à laquelle nous-mêmes nous nous rangeons : « Si je n'avais voulu donner qu'une traduction *élégante* du *Paradis perdu*, on m'accordera peut-être assez de connaissance de l'art pour qu'il ne m'eût pas été impossible d'atteindre la hauteur d'une traduction de cette nature; mais c'est une traduction littérale, dans toute la force du terme, que j'ai entreprise, une traduction qu'un enfant et un poète pourront suivre sur le texte, ligne à ligne, mot à mot, comme un dictionnaire ouvert sous leurs yeux. »[6]

3. Goethe, *Noten und Abhandlungen zu besserem Verständnis des west-östlichen Divans*, Hamburger Ausgabe, t. II, p. 255.

4. *Op. cit.*, p. 62, n. 2 : « La problématique française a été remarquablement résumée par Collardeau à la fin du XVIIIe siècle » (*in* Van der Meerschen, Traduction française, problèmes de fidélité et de qualité, dans *Traduzione-tradizione*, Lectures 4-5, Dedalo Libri, p. 68).

5. E. Jones, *The life and work of Sigmund Freud*, I, New York, Basic Books, 1953, p. 61, *notre* traduction. La traduction d'Anne Berman (Paris, PUF, 1958, p. 61) peut précisément être considérée comme typique de la méthode « à la française » ou « à la Freud ».

6. Chateaubriand, *Le Paradis perdu* de Milton, traduction nouvelle, 1836. *Remarques* du traducteur, reproduites *in* revue *Préfaces*, nº 7, avril-mai 1988, p. 112.

La traduction « à l'épreuve de l'étranger », est celle qui n'essaye nullement d'*apprivoiser* ou d'*acclimater* le texte, aux fins d'en donner une sorte d'analogue acceptable pour notre mentalité. Elle ne cesse de *séjourner* au plus près du texte, pour essayer d'en restituer au maximum les inflexions, les particularités stylistiques, sémantiques, conceptuelles.

Ajoutons encore ceci, qui déplace singulièrement la question en la situant au-delà des frontières nationales : les termes « ethnocentrique » ou « à l'épreuve de l'étranger » doivent être pris au sens le plus large; le mouvement de ramener-à-soi, ou, au contraire, de se-porter-vers-l'autre, ne vaut pas seulement pour le génie de chacune des langues en cause. Ramener à soi, c'est aussi ramener à ses propres idéologies, qu'elles soient culturelles, psychiatriques, voire... psychanalytiques. « L'étranger » n'est pas seulement celui de la langue allemande, mais celui que Freud dévoile : l'étrangeté de sa découverte et des mots qu'il emploie pour la dire. Ici nous nous devons de rendre hommage à Jacques Lacan, qui fut en France le pionnier de cette véritable redécouverte de Freud dans la littéralité de son texte. Par l'attention extrême portée à des termes comme *Trieb*, *Hilflosigkeit*, *Wunsch* ou *Nachträglichkeit*, par son commentaire renouvelé de certains passages où la lettre doit être scrutée avec précision, par sa critique acerbe des traductions acclimatisantes de Marie Bonaparte et Anne Berman, Lacan, sans avoir jamais imposé ni même proposé une solution pour tel problème *technique* déterminé, a assurément exercé son influence en faveur d'un mode de traduction où le souci de la textualité, du « signifiant », du « vocable », sert de boussole et de garde-fou, lorsque les prestiges de la « compréhension »[7] risquent de pousser le traducteur à commenter ou à gloser, non... à traduire.

L'expression même « épreuve de l'étranger » soulève la question essentielle pour le traducteur : « l'étranger » du texte à traduire[8] peut-il, doit-il, ne doit-il pas nécessairement se refléter

7. « Nous le répétons à nos élèves : "gardez-vous de comprendre" et laissez cette catégorie nauséeuse à Mrs Jaspers et consorts », in *Ecrits*, Paris, Seuil, 1966, p. 471.

8. Encore une fois, il ne s'agit pas seulement de « l'étranger » linguistique, national : un grand auteur est lui-même étranger dans sa propre langue et sa propre culture. Cf. Berman, *op. cit.*, p. 200-201.

dans une certaine *étrangeté* de la traduction ? Antoine Berman, qui discute longuement cette question à propos des positions ambiguës de Humboldt[9], aboutit à l'idée que « la traduction n'est pas un pis-aller, mais le mode d'existence par lequel une œuvre étrangère parvient jusqu'à nous en tant qu'étrangère. La bonne traduction maintient cette étrangeté en nous rendant l'œuvre accessible ». « Que la traduction qui "sent" la traduction soit par ailleurs considérée comme mauvaise, c'est là un contresens, qui méconnaît que l'écriture d'une traduction est un mode d'écriture irréductible : une écriture qui accueille dans sa langue propre l'écriture d'une autre langue, et qui ne peut, sous peine d'imposture, faire oublier qu'elle est cette opération. »[10]

La formule selon laquelle « une traduction qui ne sent pas du tout la traduction est forcément mauvaise »[11] doit cependant être complétée, selon nous, par des considérations plus dynamiques et de plus grande portée. La traduction qui, avec une fidélité sans faille au texte d'origine, se donne pour but de « s'approprier l'étranger », ne peut, si elle est réussie, laisser inchangée la langue « d'arrivée ». Les étrangetés indispensables, les inventions ou dérivations terminologiques, les hardiesses stylistiques finissent par modeler la langue de traduction; toute traduction d'un *grand* auteur, si elle s'astreint à l'exigence de se tenir sans cesse au contact de son altérité, contribue nécessairement à l'enrichissement et à l'assouplissement de sa propre langue. Les exemples historiques en seraient innombrables : dans une traduction qui réussit à s'imposer comme une œuvre, l'étrangeté d'aujourd'hui est ce qui, demain, sera admis de tous.

Nous posons donc d'emblée que le traducteur n'a pas droit à une moindre liberté créatrice à l'égard de sa propre langue que le penseur ou le poète. Sans forcer arbitrairement et sans nécessité la langue française, il s'emploie à en utiliser au maximum les ressources souvent insoupçonnées, aussi bien dans le recours aux multiples ressources stylistiques (difficilement réductibles au modèle d'Anatole France), constructions, alliances bizarres de termes, etc.,

9. *Op. cit.*, p. 246.
10. *Ibid.*, p. 249.
11. *Ibid.*, p. 247.

que dans la dérivation terminologique, ou dans la revivification de mots ou d'usages tombés à tort en déshérence[12].

Nous n'avons, à ce point, formulé que des déclarations liminaires, valables en général pour la traduction d'une grande œuvre de pensée, quel que soit son auteur et quelle que soit sa langue; mais les principes énoncés trouvent éminemment à s'appliquer à Freud, si particulière que soit son œuvre.

Il est nécessaire ici de prendre parti sur la question de la « germanité ». Assurément, Freud l'a lui-même revendiquée, en des propos d'allure ironique, par rapport à une francisation dont il s'est souvent gaussé. En 1925, il évoque dans son *Autoprésentation*, « l'entrée de la psychanalyse dans cette France si longtemps réfractaire » et répond par des sarcasmes à l'incompréhension de nos compatriotes d'alors : « Des objections d'une incroyable candeur se font entendre, comme celle selon laquelle la délicatesse française serait choquée par la pédanterie et la balourdise des dénominations psychanalytiques. (...) Un autre propos rend un son plus sérieux; même un professeur de psychologie à la Sorbonne ne l'a pas jugé indigne de lui : le *Génie latin* ne supporterait absolument pas la façon de penser de la psychanalyse. »[13] Qui oserait encore, de nos jours, condamner le « génie teutonique » de Freud (il ironise sur le terme, qu'il cite en français) pour faciliter la lecture et assurer le confort intellectuel des tenants du « génie latin » ?

Cependant, si notre conception de l' « étrangèreté » est valable, nous devons tenir compte tout autant — et peut-être davantage encore — de l'étrangèreté de Freud dans sa propre langue, que de l'étrangèreté de l'allemand par rapport au français. Ceci nous entraînerait fort loin concernant le rapport des langues entre elles, et l'insertion du penseur *dans* sa langue. Disons seulement que si, par essence, une langue ne saurait être traduite dans une autre (la traduction automatique n'est que la technique d'un « inter-

12. « J'ai employé, comme je l'ai dit encore, de vieux mots; j'en ai fait de nouveaux, pour rendre plus fidèlement le texte » (F. R. de Chateaubriand, *op. cit.*, p. 114).

13. *GW*, XIV, 88; *OCF.P*, XVII.

prétariat » sans âme), un « auteur de pensée »[14], se positionne dans sa langue, y effectue des *choix*, notamment conceptuels, qui rétrécissent la polysémie de son propre langage et autorisent, par là-même, la création d'équivalences structurales avec une autre langue, dans laquelle des choix *analogues* seront à opérer.

Ainsi en va-t-il de Freud. Sa langue n'est, pas plus que sa culture[15], la « pure » germanité (si tant est que celle-ci puisse être définie) ; elle est teintée de viennois, de yiddish, de français, de latin... mais aussi et surtout de ces autres « parler » que sont la technicité médicale, la sémiologie psychiatrique et, encore plus, la rationalité bien particulière qui imprègne la fin du XIXe siècle. Enfin et surtout, il faut le marquer avec toute la force nécessaire, cette langue est comme le vecteur obligé et soumis de la découverte psychanalytique, celle de l'inconscient et de la sexualité : étrangeté ou « étrangèreté » radicale, qui transcende d'emblée la différence empirique entre français et allemand. Notons, comme seul exemple, que si un terme comme celui d' « aimance », proposé par Pichon n'a finalement pas été adopté, c'est qu'il entendait « traduire » (en le désexualisant) non pas tel mot allemand aux obscures et romantiques résonances, mais le mot *latin* « libido ».

Telles seraient, bien vite résumées, les justifications de notre projet : traduire Freud en inventant, en façonnant pour lui, non pas on ne sait quel français « germanique », mais un « français freudien », utilisant toutes les ressources du français de *la même façon* que Freud utilise celles de l'allemand.

Une fidélité rigoureuse impose le double devoir d'*intégralité* et d'*exactitude*. Nos impératifs sont contraignants : le texte, tout le texte, rien que le texte.

Rendre *tout* le texte, c'est d'abord en restituer toutes les variantes, en suivant, en complétant au besoin, l'édition critique

14. A la différence d'un poète : moins celui-ci effectue de choix, plus il utilise l'ensemble des ressources latentes de sa langue, moins il est traduisible.

15. Cf. D. Anzieu, 1987, Influence comparée de la langue et de la culture françaises et germaniques sur l'auto-analyse de Freud (*Psychanal. Université*, 12, note 48 (octobre), 539) : « La culture d'appartenance de Freud est incontestablement germanique (de nombreux travaux ont montré qu'elle est également juive). Sa culture de référence est gréco-latine. »

de Strachey. Mais, « au ras » de la traduction, cela implique des tâches qui, pour élémentaires qu'elles paraissent, sont le plus souvent négligées et que nous définirons en détail dans les chapitres sur le style et sur la terminologie.

Rendre tout le texte, c'est vouloir *tout* traduire. Le danger qui guette ici est éventuellement celui de la « surtraduction » : entre toutes les nuances implicites possibles d'un mot, d'une expression, d'une phrase, vient le moment où il faut nécessairement choisir : un choix qui doit être guidé par celui de Freud lui-même. Les connotations à conserver sont *celles* sur lesquelles lui-même insiste et, éventuellement, *celles* qui insistent, à son insu, à travers toute l'œuvre. Il ne saurait être question de traduire une langue dans l'autre, mais de traduire Freud *(explicite* et *implicite)* d'une langue dans l'autre.

Rien que « le texte », c'est exclure toute contraction comme aussi toute dilution et tout commentaire. De quel droit aller plus vite que Freud à l'idée principale, délivrée par lui seulement au terme de sa genèse, ou hâter le déroulement d'un discours qui emprunte justement à la séance d'analyse son déroulement lent sinon tâtonnant ? De quel droit substituer l'explication à l'explicitation ? Strachey lui-même cède à ce penchant, parfois générateur de déformation. Or écoutons Freud :

« Je considère comme un abus de déformer dans la communication les traits d'une histoire de maladie pour quelque motif que ce soit, fût-ce le meilleur, étant donné qu'on est dans l'impossibilité de savoir quel aspect du cas un lecteur jugeant par lui-même ira prendre, et que l'on court ainsi le danger d'induire ce dernier en erreur. »[16] Nous nous efforçons de ne déformer dans et par notre traduction aucun élément du texte freudien. Autant les premiers traducteurs de Freud en français inspirent reconnaissance pour leur travail de pionniers, autant ils déconcertent par les libertés qu'ils prennent avec l'original, étiré ou resserré par eux en fonction de leurs besoins ou de leurs difficultés.

Ce n'est pas seulement dans le raisonnement et l'ordre des

16. Communication d'un cas de paranoïa contredisant la théorie psychanalytique, *GW*, X, 235-236; *OCF.P*, XIII, 307.

pensées que toute glose serait immixtion injustifiable, c'est aussi (peut-être surtout) dans le rendu des termes. Celui-ci, on le notera, va bien au-delà de ce qu'on nomme habituellement « terminologie » : c'est presque à chaque détour de phrase que Freud propose une véritable énigme condensée en mots. Mentionnons seulement, au chapitre VII de *A partir de l'histoire d'une névrose infantile* ce passage où Freud explique comment l' « Homme aux loups », se représentant le rôle sexuel de la femme pendant le coït, s'en tint à la « théorie cloacale ». Il se décide « pour l'intestin contre le vagin », ce qui lui fournit « le matériel pour l'identification avec la femme »; une identification, « *die später als Angst vor dem Darmtod auftrat* ». Serons-nous satisfaits de « qui devait ultérieurement se faire jour sous la forme de la mort survenant par suite de troubles [?] intestinaux », ou de « se manifesta comme angoisse de la mort par suite de maladie [?] intestinale » ? Nous nous en tenons au texte, dont nous constatons la force, la concision et la hardiesse : « qui plus tard apparut sous forme d'angoisse devant la mort intestinale »[17].

L'exactitude inclut le refus de l'enjolivement ou de la réparation. Nous ne nous représentons le traducteur de Freud qu'aimant le texte au service duquel il s'est mis comme Montaigne aimait Paris, « tendrement, jusques à ses verrues et à ses taches ». Freud commande à une grande variété de tournures, à un vocabulaire impressionnant par sa richesse. Si donc il répète une structure ou un mot, il convient de respecter ses répétitions. Elles ne le rendent pas moins grand. Les camoufler serait le rendre moins vrai. Ce qui compte c'est que le lecteur français puisse les enregistrer et les interpréter, ainsi que les négligences, les ambiguïtés ou — Freud confronté au freudisme! — les méprises d'écriture.

Les nombreuses *citations* de Freud provenant d'autres langues que l'allemand posent elles aussi un problème de fidélité.

Mettons à part celles que Freud lui-même ne traduit pas, et dont nous donnons une traduction en bas de page (à l'exception

17. A partir de l'histoire d'une névrose infantile, *GW*, XI, 111; ancienne traduction PUF, p. 384-385, traduction Gallimard, p. 232; *OCF.P*, XIII, 76.

de quelques locutions latines courantes), pour nous centrer sur celles que Freud retraduit ou dont il cite une traduction allemande. La question du trilinguisme, ou de la retraduction est ici d'une grande acuité : on connaît le cas du « souvenir d'enfance de Léonard » où la traduction de Freud (de l'italien en allemand) est fautive. On connaît d'autres occurrences non moins intéressantes : celle notamment *(Psychologie des masses et analyse du moi)* où Freud utilise une traduction discutable de Le Bon, rendant le mot foule par *Masse*, alors qu'il traduit d'autre part, de l'anglais de McDougall, le mot *group* (aux connotations bien différentes du français « foule ») par le même terme allemand *Masse*; tout cela pour développer finalement un raisonnement personnel, « freudien », sur ce concept de *Masse* qui n'est au départ qu'un hybride de deux traductions erronées... Dans tous ces cas, dans d'autres similaires encore, la seule solution est de retraduire le texte allemand (la « traduction ») de Freud, et de donner en note les textes originaux indispensables.

« En note », ... ? Serait-ce à dire que l'exactitude et la fidélité ne pourraient se passer de la glose, du justificatif et du commentaire ? Affirmons nettement le contraire : le lecteur ne trouvera pas, consignée dans d'innombrables notes, la trace narcissique de nos états d'âme. Notre choix étant fait, nous faisons grâce au lecteur du débat intérieur, et nous lui faisons confiance pour nous suivre, dans le cadre d'une cohérence de l'ensemble, qui fournit, du texte, un véritable « tenant lieu »[18].

La langue comme objet de l'auteur, ou : ce qu'il convient de ne pas traduire

Il est cependant une situation précise, où la traduction ne peut se passer du commentaire explicatif. Allons à l'exemple le plus schématique : soit à traduire en français une grammaire allemande rédigée en allemand. Seront, bien évidemment, à

18. C'est ainsi que nous rendons librement — en reprenant un terme introduit par Lacan dans un autre contexte — le précepte de Goethe selon lequel la traduction ne doit pas « remplacer » l'original mais « valoir en son lieu ». Cf. n. 3, *ibid.*, p. 256.

traduire les phrases énonçant les règles, celles qui, par exemple, prescrivent de placer le verbe en fin de proposition; mais, par définition, les phrases données en exemple resteront non traduites. Tout au plus le traducteur en donnera-t-il un décalque juxtalinéaire absolu, respectant les formes et l'ordre des mots allemands.

La langue allemande (mais pas seulement elle) est souvent *objet* de Freud, et ceci de multiples façons. A chaque fois nous devrons nous rappeler que la traduction trouve ici une limite absolue. Il ne s'agit pas de la soi-disant inévitable « trahison » : si l'auteur allemand, Freud en l'occurrence, présente son *objet* dans le texte et réfléchit sur lui, cet objet ne peut être reproduit que tel quel par le traducteur, à condition, évidemment, que le lecteur se voie donner accès par un commentaire à la combinatoire de la langue allemande, à ses sonorités, à ses sens, aux jeux qu'elle favorise, etc.

Ce n'est pas dire autre chose que de parler de textes (ou de passages) métalinguistiques. Lorsque Freud s'exprime ainsi : « leurs plaintes [*Klagen*] sont des plaintes portées contre [*Anklagen*] conformément au vieux sens du mot »[19], cette dernière réflexion porte évidemment sur le *mot allemand* : « *Anklagen* », et non pas sur sa traduction française. Il en va de même, dans le texte fameux *Das Unheimliche*, pour toutes les considérations concernant le double sens du terme *heimlich*. Il serait donc absurde de ne pas transcrire celui-ci comme tel, terme allemand objet de la réflexion freudienne.

Par souci démonstratif, nous venons de nous donner la partie belle, et sur des exemples limités. En réalité une immense partie de l'œuvre freudienne porte sur la langue elle-même. Non pas seulement dans les cas où elle est directement prise comme objet, mais lorsqu'elle devient *matériau* indispensable à la psychanalyse, dans tous ses aspects cliniques notamment : l'analyse du rêve, l'analyse de cas, l'analyse du trait d'esprit passent — non pas exclusivement, comme le veut Lacan mais — en bonne partie par les voies des associations, chaînes et ponts verbaux. La frontière est d'ailleurs marquée nettement par Freud, à propos du

19. *OCF.P*, XIII, 267.

trait d'esprit : dans le « trait d'esprit de pensée » la formulation verbale est accessoire et le trait d'esprit peut être traduit sans perte de l'effet comique. En revanche, le « trait d'esprit de mots » est inséparable de l'expression allemande; même si le traducteur a le bonheur de lui trouver un équivalent français, les voies de connexion seront nécessairement différentes...

Que dire, alors, du rêve ? Souvenons-nous que Freud, non sans quelque raison, conseillait à son premier traducteur anglo-saxon de remplacer les exemples de l'édition allemande par d'autres, des rêves faits, racontés et analysés en anglais.

Dans tous ces cas, dans bien d'autres encore, la règle de *ne pas traduire* ira de pair avec cette autre : donner au lecteur les éléments essentiels à la compréhension de l'objet « clinique » allemand. Ainsi le mot allemand *Herr* est-il indispensable pour comprendre le mécanisme de l'oubli du nom qui passe par la chaîne *Her*zégovine[20], de même dans le cas d'un nom propre — en principe intraduisible mais jouant ici par sa signification comme nom commun — la traduction de *Wolf*, nom du précepteur de l' « Homme aux loups », doit être donnée en note.

Il ne s'agit pas là d'échec de la traduction mais d'une limite objective : si l'auteur d'un traité de géométrie parle *du* triangle, son traducteur ne se proposera pas la tâche absurde de traduire... la figure même du triangle lui-même, mais seulement de donner accès, en français, aux mêmes expériences que celles décrites par l'article original.

Finalement, il faut cependant aller plus loin, instruits par l'expérience analytique. Le langage est *à la fois* instrument modelé, forgé, utilisé par Freud, et non sans maîtrise — et aussi l'un des matériaux privilégiés où se déploie la psychanalyse comme méthode d'exploration de l'inconscient. Comme tout serait simple si ces deux aspects ne se recouvraient si souvent; si la création conceptuelle de Freud n'était pas mue par le langage au moins autant qu'elle ne le maîtrise; si, à l'inverse, les démons conceptuels ne venaient s'insérer jusque dans la clinique, le rêve ou le trait d'esprit.

20. Le mécanisme psychique..., *GW*, I, 517-527; *OCF.P*, III.

Ces moments où Freud, autant qu'artisan du langage, en est plus ou moins le jouet, c'est surtout dans tel texte ou passage considéré isolément, hors du contexte général, qu'ils se laissent repérer. C'est ici la revanche du « contexte local », non pas tant comme sens spontanément accessible que comme répétitions, conjonctions, jeux inattendus des signifiants verbaux. A ceux-ci, également, nous avons été attentifs, et nous avons tenté — lorsque c'était possible — de les restituer[21].

Plutôt donc que nous lamenter sur le problème de l' « intraduisibilité » en général et sur l'incompatibilité des « génies » des langues, nous soulignerons que l'œuvre de Freud a profondément renouvelé ce problème, en nous imposant à la fois le devoir de traduire sans capituler, et, dans certains cas, le devoir de ne pas traduire mais de donner directement accès — par des notes explicatives — aux mécanismes langagiers mis en œuvre par l'inconscient. La découverte psychanalytique nous montre que c'est *au sein du texte* de Freud lui-même que passe la limite, souvent parfaitement traçable, de la traduisibilité : entre ce qui, des contenus psychiques, transite par le sens d'une part et par la « lettre » d'autre part.

Nous terminerons sur la question de l'interprétation. Se targuer du fait que toute traduction est « lecture » et toute « lecture », « interprétation », aboutit trop souvent à justifier n'importe quel relativisme. A un récent congrès, nous entendîmes soutenir, à partir de cette thèse, l'idée qu'il était absurde de mettre en chantier une nouvelle traduction anglaise de Freud : Strachey étant une interprétation de Freud, on ne pourrait lui substituer qu'une *autre* interprétation, ni plus ni moins arbitraire que la précédente. De fil en aiguille, on en arriverait à proposer, à côté du Freud ipéiste, un Freud kleinien, un lacanien, etc. Au risque de soutenir un absolutisme démodé (ou, au contraire, étrangement neuf !),

21. Un exemple parmi des milliers : lorsque dans son article sur les « souvenirs-couverture » *(Deckerinnerungen)*, Freud évoque la table où le *couvert* était mis *(der gedeckte Tisch)* pour recevoir des fruits, nous jugeons indispensable de faire participer le lecteur à cette résonance latente et inattendue entre le terme théorique et l'exemple concret sur lequel la démonstration s'appuie, résonance que d'ailleurs ne pouvait rendre l'option « souvenir-*écran* ».

répétons que notre ambition est de proposer, en français, un Freud... freudien. L'interprétation, le commentaire, les débats exégétiques sont un temps préalable *indispensable* à la traduction si celle-ci veut rendre au maximum la polysémie du texte, notamment en ses passages les plus volontiers triturés, tirés en tous sens. Or le temps de la traduction est un temps de décision : non pas en faveur d'*une* option interprétative, mais pour un texte qui laisse, au lecteur français, une liberté comparable à celle du lecteur allemand.

C'est, par exemple, le cas lorsque Freud, à propos de l' « Homme aux loups » et de sa position à l'égard de la castration, s'exprime ainsi : « Lorsque j'ai dit qu'il la rejeta, la première signification de cette expression est qu'il n'en voulut rien savoir au sens du refoulement » (*OCF.P*, XIII, 82). Passage qui supporte deux interprétations opposées ; l'une, courante, où « rejeter », « ne rien vouloir savoir » et « refouler » feraient partie de la même attitude psychique ; l'autre, celle de Lacan, selon laquelle refouler c'est encore savoir (« savoir au sens du refoulement »), tandis que rejeter (« forclore ») serait le non-savoir radical[22]. La moindre inflexion de notre traduction suffirait à faire pencher la balance dans un sens ou dans l'autre. Bien plus, l'ignorance du débat d'idées qui a fait rage autour de ce passage peut amener le traducteur qui croit « comprendre » à sauter la difficulté.

Il en va de même pour le si fameux *wo Es war, soll Ich werden.* C'est un véritable détournement que d'en proposer des « traductions » selon Lacan, selon l'*ego-psychology*, etc. La seule traduction acceptable est la plus freudienne possible, celle qui *connaît*, *respecte* et *restitue* toute la richesse et l'ambiguïté de la formule, laissant ainsi aux exégètes le loisir de continuer à commenter tout leur content[23].

22. *Ecrits*, Paris, Seuil, 1966, p. 386.

23. Lacan qui a plusieurs fois commenté ce passage n'en a pas donné *une* traduction, qui opterait entre « le moi » et « le sujet ». Il a, au contraire, indiqué au cours d'une minutieuse analyse (*Ecrits*, p. 416-418), d'une part que telle des formules qu'il pouvait proposer allait « contre les principes d'économie significative qui doivent dominer une traduction », d'autre part que l'essentiel était « d'analyser si et comment le *je* et le *moi* se distinguent et se recouvrent dans chaque sujet particulier ». Notre propre traduction tente de laisser jouer cette distinction *et* ce recouvrement : « Où ça était, je (moi) dois (doit) devenir. »

Restituer Freud à Freud, c'est donc proposer un Freud *ouvert* aux interprétations, et non pas *fermé* au nom de telle idéologie.

Ici se rejoignent les deux points essentiels développés dans notre introduction : l'*indépendance* à l'égard de toute interprétation liée à une « école » — l'heureuse conjoncture, pour la présente traduction, de venir *tard*, et de profiter de l'expérience du débat d'idées, si riche en France depuis des décennies. Un tel débat tend malheureusement à s'appauvrir lorsque les dogmatismes reprennent le dessus et ne veulent plus lâcher « leur » Freud. On comprend le trouble qui s'empare de certains milieux, confrontés non plus à leurs confortables certitudes, mais à un Freud « tout nu », un Freud, oserions-nous dire, déshabillé de tous les oripeaux dont il avait été affublé : vêtements rigides ou sophistiqués des idéologies, prêts-à-porter paresseux de la traduction « ethnocentrique »[24].

24. Un exemple d'« ethnocentrisme » : la note de Marie Bonaparte, p. 8 de sa traduction de *L'avenir d'une illusion* : « Nous traduirons le plus souvent par la suite le mot culture par celui de civilisation, ce dernier rendant mieux pour le public français la notion que Freud entend par culture. »

III
LE STYLE ET SON RENDU

Freud est à l'évidence un écrivain, révéré comme tel par les plus grands ou les plus experts[1]. Le répertoire de ses qualités littéraires est d'une extrême richesse : immédiateté d'une langue sans afféterie, rigueur démonstrative, éloquence, aisance, force dramatique, adéquation de l'expression à la pensée, densité, lyrisme (affleurant dans les élans d'enthousiasme pour la psychanalyse comme dans l'amertume née de l'incompréhension ou de l'injustice), plasticité, variété; la plasticité concerne à la fois les « tableaux de genre » émaillant les textes les plus austères, les évocations à la Keller ou à la Conrad-Ferdinand Meyer[2] de personnages, de situations et de paysages, la présentation des réalités de l'âme, qui se concrétisent et se mettent en mouvement avec un dynamisme tenant parfois de l'univers filmique; la variété concerne tous les degrés d'une vaste échelle allant de la liberté de ton, voire du relâchement du causeur ou de l'improvisateur à la solennité du législateur qui pèse chaque mot et confère à une pensée élaborée dans ses moindres inflexions le prestige d'une sorte de poésie gnomique.

Le jeu des définitions ne tourne pas court. Freud est le philosophe et didacticien de la *Métapsychologie*, — le dialecticien de la *Psychologie des masses*, — le conférencier réel ou imaginaire des *Leçons* et des *Nouvelles leçons*, — l'essayiste élargissant l'essai sur Léonard de Vinci jusqu'à la monographie, — l'orateur des *Actuelles sur la guerre et la mort*, — le débatteur qui interpelle

1. Alfred Döblin, Albert Einstein, Hermann Hesse, Walter Jens, Rudolf Kayser, Claude Lévi-Strauss, Thomas Mann, Ludwig Marcuse, Alexander Mitscherlich, Viktor von Weizsäcker, Stefan Zweig (liste non exhaustive !).

2. *a* / Dans la lettre à Fließ du 20 juin 1898 se trouve la première étude consacrée à une œuvre littéraire, le récit de C.-F. Meyer, *Die Richterin (La justicière)*.

b / Répondant en 1906 à une enquête de Hugo Heller sur la lecture et invité à donner les titres de « dix bons livres », Freud ne cite que deux œuvres allemandes, *Die Leute von Seldwyla (Les gens de Seldwyla)*, un recueil de nouvelles de G. Keller, et *Huttens letzte Tage (Les derniers jours de Hutten)*, une suite de tableaux historiques, en vers, de C.-F. Meyer (cf. *NB*, p. 662-664).

ses lecteurs comme ses adversaires et retrouve le mouvement d'une réunion publique dans certains passages de *Totem et tabou* ou de l'*Analyse d'une hystérie*, — le polémiste des *Contributions à l'histoire du mouvement psychanalytique*, — le procureur qui règle ses comptes avec Adler, Janet, Jung..., — le panégyriste de Charcot, — le biographe ou l'exégète de Moïse, — le mémorialiste de lui-même *(Autoprésentation)*, — le préfacier d'au moins 15 œuvres de confrères, — le linguiste de *L'Inquiétant*, — le poète des heures de grâce offertes par la nature *(Passagèreté)*, le roman *(Gradiva)* ou la comédie shakespearienne *(Le motif du choix des coffrets)*, — le chroniqueur de ses propres rêves ou de ses méprises, enclin à l'aveu et à la confidence, — le dialoguiste sachant faire parler aussi bien le « petit Hans » que le docte « interlocuteur impartial » de l' « Analyse profane », — le conteur des *Souvenirs-couverture*, — le feuilletonniste de la Vienne bourgeoise, avec ses rues, ses demeures, ses escaliers, ses alcôves..., — le miniaturiste décrivant le « bloc magique » comme pour un catalogue de raretés, — l'humoriste qui est porté aux traits d'esprit et analyse ceux des autres, exerce sa verve sur lui-même ou sa fiancée et imagine dans *Une difficulté de la psychanalyse* la Psychanalyse admonestant le moi, — le maître de l'aphorisme, de toutes les formes d'images, comparaisons ou métaphores, du parallèle, de la citation (qu'il exploite) et de l'exergue (qu'il s'approprie)[3]. Encore n'avons-nous pas dénombré ici tous les visages de Freud ni fait référence à la totalité de sa production. Mais il n'est pas nécessaire de pousser plus avant pour découvrir ce qu'a d'exceptionnel un talent littéraire aussi multiforme. Si Freud a « du style », il n'a pas UN style. Peut-être a-t-il tous les styles. C'est pourquoi il peut se réclamer de Lessing, tandis que Walter Jens le compare à Kassner et à Kraus, Thomas Mann à Schopenhauer, Stefan Zweig à Stendhal et que nous-mêmes — témoignage d'artisans après celui des hommes de lettres — avons parfois retrouvé en le traduisant la

3. Sur Freud écrivain, voir Walter Muschg (Freud als Schriftsteller, in *Die Zerstörung der deutschen Literatur*, 3e éd., Bern, Francke, 1958, p. 303-347), traduit in *La psychanalyse*, Paris, PUF, 1959, p. 69-108, précédé de J. Schotte, Introduction à la lecture de Freud écrivain, p. 51-68, et suivi de notes de J. Schotte, p. 108-124.

ferveur logicienne et l'élégance toute janséniste des écrits esthétiques de Schiller.

Si nous considérons du point de vue du style non plus l'ensemble de ses œuvres mais l'une ou l'autre d'entre elles, la même variété se révèle. Faisons l'expérience dans le cadre du volume XIII sur la *Métapsychologie* et « L'Homme aux loups ». Dans la *Métapsychologie* il s'agit, nous l'avons dit, d'un style didactique, à visée démonstrative. Les phrases sont relativement courtes, et précises. Freud semble penser tout haut et nous inviter à suivre les méandres de sa réflexion. Chaque texte débute par des définitions; puis viennent des hypothèses posées souvent sous la forme d'interrogations, et bientôt discutées; toutes les objections sont envisagées jusqu'à ce que tombe la réponse à la question, appuyée sur des preuves généralement empruntées à l'expérience psychanalytique. Tous les textes métapsychologiques, sans doute les plus révélateurs du style scientifique de Freud, se fondent sur la méthode de raisonnement hypothético-déductive; mais on note de l'un à l'autre, selon l'objet traité, une certaine spécificité stylistique. *Deuil et mélancolie* est plus clinique que le *Complément métapsychologique* et *L'inconscient* est plus vivant, parfois descriptif et anecdotique. Quant à la seconde partie de *Vue d'ensemble des névroses de transfert*, elle tient un peu du roman de science-fiction. L'imagination s'y donne libre cours. La préhistoire s'anime, nous voyons vivre nos lointains ancêtres. Mais à la fin l'esprit critique se ressaisit.

« L'Homme aux loups » présente une palette stylistique encore plus riche. Là encore, par endroits, un roman, policier cette fois. Freud scrute les mystères du passé le plus reculé de son patient, enquête sur la fameuse scène originaire, reconstruit la réalité morceau par morceau avec la tactique d'un Sherlock Holmes de la psychanalyse, d'un détective de l'âme.

Dans les chapitres où il fonde les thèses qu'il a élaborées à partir de cette histoire d'une névrose infantile, il développe avec fougue sa rhétorique argumentative.

Quand il restitue les rêves de Serguéi Constantinovitch Pankejeff, ressuscite ses parents, sa sœur, la Nania, les filles de service, le porteur d'eau, évoque à ses divers échelons sociaux la vie domestique dans une riche propriété de la Russie méridionale (occasion de tant de « tableaux de genre » : « La jeune fille à même le sol, occupée à frotter celui-ci, à genoux, les *nates* saillantes, le dos à l'horizontale », *OCF.P*, XIII, 90), insiste sur la torpeur d'une journée d'été et suggère l'intimité du couple parental faisant la sieste en légers vêtements blancs (blancs aussi les loups et les arbres, « enveloppés dans les fils des chenilles », *OCF.P*, XIII, 68), Freud se laisse aller fugitivement au plaisir d'écrire une prose à la Tchekhov.

Autre forme de style : un humour très particulier, qui résulte de la gravité quasi solennelle attachée à des personnages, des situations, des paroles qui, en d'autres circonstances, prêteraient à rire : « l'Homme aux loups » contraint d'expirer à la vue des estropiés ou de « penser à la Sainte Trinité aussi souvent qu'il voyait réunis sur la route trois petits tas d'excréments » et torturé par la question de savoir si « le Christ avait chié ». Freud rapporte sérieusement, scientifiquement, des paroles qu'il aurait ailleurs rangées parmi les « traits d'esprit ». Il joue sur les mots (*Durchfall* = échec à l'examen et diarrhée : double danger pour le candidat) et avec les mots (chier sur Dieu / chier quelque chose pour Dieu[4], — Grouscha la bonne d'enfants et « Grouscha » la poire).

Freud va plus loin, rompt parfois dans « L'Homme aux loups » avec l'écriture traditionnelle et atteint à une sorte de sur-réalisme qui naît là-même où la psyché se noue au soma. Il argumente sur l'urine, les excréments, les intestins, les parties génitales, le bas-ventre, le coït. Il mêle l'anatomique et le physiologique au raisonnement philosophique. Ce côtoiement de la trivialité possible et de la spéculation est radicalement déstabilisant, et d'abord en allemand. Les autres « styles » de « L'Homme aux loups » ne posent pas d'insurmontables problèmes de traduction; il s'agit de rendre leur variété, d'accepter l'hétéroclite de leur coexistence et d'intégrer toujours, quel que soit le niveau de langue, la terminologie fondamentale, dont Freud ne se départit évidemment jamais. Mais lorsque ce même Freud transforme des instances

4. « *Auf Gott scheißen* », « *Gott etwas scheißen* », *GW*, XII, 116.

en personnages, mélange la vie du corps et celle de l'âme, lorsqu'il déroge aux convenances et fait scandale pour mieux faire éclater sa vérité[5], il faut rendre son audace avec audace.

Examinons de près un passage (dernier paragraphe de la p. 116, *GW*, XII). La première phrase reste dans le registre médical et clinique : muqueuse intestinale, muqueuse vaginale, mais utilise déjà une alliance de mots singulière : colonne d'excrément. La suivante associe les affects à la physiologie; elle s'ouvre par une expression : *Das Hergeben des Kots zu Gunsten (aus Liebe zu) einer anderen Person*, aussi inattendue pour le germanophone que peut l'être pour le francophone la traduction proposée dans les *OCF.P* (XIII, 81-82) : « L'abandon de l'excrément en faveur (pour l'amour) d'une autre personne devient, quant à lui, le prototype de la castration, c'est le premier cas de renoncement à un morceau du corps propre pour gagner la faveur d'une autre personne aimée. » Nous voilà préparés à l'apparition du concept dont Freud va parler dans les deux phrases suivantes, qu'il faut ici donner d'abord en allemand : « *Die sonst narzißtische Liebe zu seinem Penis entbehrt also nicht eines Beitrages von seiten der Analerotik. Der Kot, das Kind, der Penis ergeben also eine Einheit, einen unbewußten Begriff — sit venia verbo —, den des vom Körper abtrennbaren Kleinen.* » Soit : « L'amour par ailleurs narcissique que l'on porte à son pénis ne va donc pas sans une contribution de la part de l'érotisme anal. L'excrément, l'enfant, le pénis donnent donc une unité, un concept inconscient — *sit venia verbo* — celui du "petit", séparable du corps. » Par les trois mots latins, Freud s'excuse en quelque sorte de sa hardiesse d'expression, reflet de sa hardiesse de pensée. Pourquoi tenterait-on d'adoucir la crudité de la juxtaposition des trois sujets (*der* Kot, *das* Kind, *der* Penis, trois définis singuliers) en remplaçant l'excrément par les « fèces » ou le « bol fécal », alors que ces deux termes parcourent le contexte et que Freud les utilise quand il le veut et quand il en a besoin, mais justement pas ici ? Pourquoi traduirait-on *des... Kleinen* par « de la petite chose », alors que ce génitif de *das Kleine* peut également signifier le petit enfant, *das Kind* — polysémie implicite, qui est la visée propre de la démons-

5. Cf. J. Altounian, *infra*, p. 71.

tration freudienne ? Traduire « *das Kleine* » par « la petite chose » serait refuser au lecteur français la possibilité de comprendre dans ses termes mêmes le sens de l'équation freudienne : « L'excrément, l'enfant, le pénis, donnent [...] une unité. » Ne serait-ce pas aussi avoir honte d'un Freud abrupt ?

Un dernier exemple de hardiesse appelant celle du traducteur. Dans le dernier chapitre de « L'Homme aux loups », Freud parle du cannibalisme (*GW*, XII, 141 ; *OCF.P*, XIII, 103) : « Il apparaît chez notre patient, par régression à partir d'un stade plus élevé, dans l'angoisse : être mangé par le loup. » Le texte allemand se poursuit : « *Diese Angst mußten wir uns ja übersetzen : vom Vater koitiert zu werden.* » Ce qu'un de nos prédécesseurs rend par : « Nous fûmes obligés de traduire cette peur de la façon suivante : la peur de servir au coït du père. »[6] Nous ne souscrivons pas à cette traduction qui bouleverse l'ordre des mots allemands, omet le *uns*, omet le *ja*, édulcore le « *vom Vater koitiert zu werden* » et frustre du parallélisme des deux syntagmes verbaux : être mangé, être coïté. Nous proposons : « Cette angoisse, il fallait bien que nous nous la traduisions : être coïté par le père. » Le problème est ici d'ordre purement syntaxique, la terminologie n'intervenant qu'à propos du terme « angoisse ». L'unité de deux réalités différentes est rendue par l'identité syntaxique. C'est un style que nous traduisons, sachant qu'il est d'un homme.

Style affirmé dès les premiers écrits de Freud, qui ne s'est jamais limité à un « allemand de médecin ». Il a 28 ans lorsque Bernfeld attribue le succès de l'étude « De la coca » à ses qualités artistiques, 29 ans lorsque Brücke, soutenant dans un rapport sa candidature au titre de *Dozent* note qu'il « possède le don de décrire sa recherche avec élégance et précision »[7].

Dons reconnus par les contemporains et par la postérité. En 1930, Freud reçoit le « Prix Goethe de la ville de Francfort-sur-le-Main », en 1964, la « *Deutsche Akademie für Sprache und Dichtung* » de Darmstadt (Académie allemande pour la langue

6. In *Cinq psychanalyses*, Paris, PUF, p. 407.
7. Cité par Marthe Robert, *La révolution psychanalytique*, Payot, 1964, t. I, p. 77.

et la création littéraire) institue le « Prix Sigmund Freud pour la prose scientifique »[8].

Si le Prix fondé en mémoire de Freud ne prête pas à équivoque (il ne retient d'ailleurs guère l'intérêt du public), le Prix décerné à Freud a créé un malentendu et entretient une légende. « Freud, c'est Goethe! Il faut traduire Freud comme on traduit Goethe! » Comme s'il n'y avait qu'un Goethe! Ici encore il convient de puiser aux textes. Le document essentiel est une lettre d'Alfons Paquet, secrétaire du comité qui depuis 1927 attribuait tous les ans ce Prix de 10 000 DM. C'est Paquet qui avait eu l'idée de proposer la « nomination » de Freud; il s'était heurté à une certaine résistance au sein du comité et avait bénéficié lors de la dernière séance de l'aide énergique de Döblin, romancier, médecin et psychiatre. Il écrit à Freud le 26 juillet 1930 :

> « Le règlement prévoit que le Prix soit attribué à une personnalité dont l'action créatrice est digne d'un hommage dédié à la mémoire de Goethe. [...] Le directoire souhaite [...] en vous le conférant, manifester en quelle haute estime il tient les bouleversements opérés par les nouvelles formes de recherche créées par vous sur les forces qui modèlent notre temps. » Suivent, littéralement reproduits, les termes mêmes de l'hommage officiel figurant sur le « diplôme » : « Par une méthode relevant rigoureusement des sciences de la nature, en même temps que par une interprétation hardie des paraboles forgées par des poètes, votre recherche ouvre un accès aux forces de pulsion de l'âme et par là crée la possibilité de comprendre à leur racine l'apparition et l'édification de nombreuses formes de culture et de guérir des maladies dont

8. Cette fondation a pour objectif, selon les termes de ses statuts, la « promotion d'un genre » : la « prose savante ». L'Académie de Darmstadt estime que ce genre à la fois littéraire et scientifique n'est en Allemagne « en comparaison des autres littératures européennes » « ni dûment estimé — par les créateurs comme par les usagers — ni par conséquent suffisamment développé ». Les 24 lauréats couronnés de 1964 à 1987 sont un germaniste (Emil Staiger), deux historiens, trois historiens de l'art, de la littérature et du théâtre, un juriste, un pédagogue, deux philologues, un politologue, un physicien (Werner Heisenberg), deux romanistes, trois théologiens, un zoologiste — et six philosophes de renom : Hanna Ahrendt, Ernst Bloch, Jürgen Habermas, Hans-Georg Gadamus, Hans Blumenberg, Odo Marquard.

jusqu'à présent l'art médical n'avait pas la clé. Mais votre psychologie a fouillé et enrichi non seulement la science médicale, mais également le monde de représentation des artistes et des chargés d'âme, des historiens et des éducateurs. Par-delà les dangers de l'autodissection monomaniaque et toutes les différences d'orientation spirituelles, votre œuvre a fourni le fondement d'une compréhension des peuples meilleure et renouvelée. De même que, selon votre propre communication, les tout premiers débuts de vos études scientifiques remontent à une lecture publique de l'essai de Goethe « La nature », de même en dernier lieu le trait en quelque sorte méphistophélique, favorisé par votre mode de recherche, amenant à déchirer sans ménagement tous les voiles, est l'inséparable compagnon de l'insatiabilité faustienne et du respect faustien des puissances de création plastique qui sommeillent dans l'inconscient. L'hommage qui vous est réservé concerne à part égale le savant tout comme l'écrivain et le combattant qui, à notre époque agitée de questions brûlantes, est là comme une référence à l'un des côtés les plus vivants de l'être goethéen » (*GW*, XIV, 545 et 546, en note).

Le Prix ainsi défini est tout autre chose et beaucoup plus qu'un prix littéraire[9]. Il relie Freud au Goethe écrivain certes, mais aussi (et surtout) au Goethe évocateur des « Mères », au savant, au « citoyen du monde ». Le Freud qui s'est retrouvé avec étonnement et émotion dans la lettre de Paquet — en substance : d'où savez-vous tout cela ? On n'a jamais encore détecté avec autant de clarté mes intentions secrètes... (*GW*, XIV, 546) — est essentiellement le chercheur, « l'incomparable explorateur des passions

9. Les statuts du Prix prévoient que les lauréats constituent une « élite de l'esprit », travaillent et créent « dans l'esprit de Goethe ». Les trois premiers furent le poète Stefan George, Albert Schweitzer et le philosophe Leopold Ziegler. Après 1930 le choix du directoire s'est porté, certes, sur des dramaturges, historiens, poètes ou romanciers, mais également sur l'architecte Walter Gropius, les chimistes Carl Bosch et Richard Kuhn, le musicien Hans Pfitzner, le philosophe Karl Jaspers, les physiciens Max Planck et Carl v. Weizsäcker, le sculpteur Georg Kolbe (cf. Willi Emrich, *Die Träger des Goethe-preises der Stadt Frankfurt-am-Main von 1927 bis 1961*, Verlag August Osterrieth, 1963). Le lauréat 1988 est le metteur en scène Peter Stein.

humaines » (*OCF.P*, XIII, 130) selon une expression des « Actuelles sur la guerre et la mort ».

En fait, les dons littéraires de Freud, sur lesquels nous avons tant insisté, sont la source d'une contradiction surmontée progressivement, mais peut-être jamais totalement. Si Freud retrouve avec admiration et envie la démarche même de la psychanalyse dans un poème de Goethe (la *Dédicace* de *Faust*, *A la lune*) ou dans une scène de Schnitzler *(La Ronde)*, il déplore de n'être ni poète ni dramaturge. Et romancier ? Selon une confidence de Steckel à Wittels, il aurait souhaité le devenir « pour léguer au monde ce que ses patients lui ont raconté »[10]. Il sait par ailleurs qu'en assurant la survie, y compris littéraire, à Dora, au petit Hans, à l'Homme aux loups, à l'Homme aux rats et au Président Schreber, il enrichit la famille de la comédie humaine à l'égal des plus grands romanciers.

Un passage des *Etudes sur l'hystérie* permet de faire le point. « Je suis moi-même encore singulièrement frappé par le fait que les histoires de malades que j'écris se lisent comme des nouvelles et sont pour ainsi dire privées de l'empreinte-de-gravité de la science », la « présentation des processus animiques » est « celle que l'on a l'habitude d'obtenir du poète ». Mais Freud ne tire de cette constatation aucun titre de gloire littéraire. Il s'excuse ou se console en poursuivant : « De ce résultat, la nature de l'objet est manifestement responsable, bien plutôt que ma prédilection personnelle » (*GW*, I, 227). En réalité, Freud, qui détient toutes les ressources de l'écrivain, se soucie peu de l'être ou l'est comme par surcroît. Dans la mesure où cohabitent en lui l'artiste et le savant, comme en Léonard de Vinci, qui selon lui ne parvient pas à les accorder et en Goethe — encore ! — qui réussit à les faire coexister[11], c'est le savant qui l'emporte. Ne fait-il pas dire à l'interlocuteur impartial de la *Question de l'analyse profane* : « N'essayez pas de me faire prendre de la littérature pour de la science » (*GW*, XIV, 225; *OCF.P*, XVIII). N'écrit-il pas à Lou Andreas Salomé : « En dépit de toutes les phrases, je ne suis pas un artiste »[12] ?

10. Cité par Walter Schönau, *Sigmund Freuds Prosa*, Stuttgart, J. B. Metzlersche Verlagsbuchhandlung, 1968, p. 12.
11. Cf. *Ansprache im Frankfurter Goethe-Haus*, *GW*, XIV, 543-552 ; *OCF.P*, XVIII.
12. Cité par W. Schönau, *op. cit.*, p. 12.

Il n'est pas rare qu'il ait pour seul objectif de se faire comprendre et dédaigne toute recherche formelle. Son écriture devient alors en quelque sorte instrumentale (au sens où Barthes parlait de l'instrumentalité de celle de Camus[13]) sans pour autant être jamais blanche ou neutre.

On peut se contenter de deux exemples. D'abord une phrase extraite de l'essai « Du bien-fondé à séparer de la neurasthénie un complexe de symptômes déterminé sous le nom de névrose d'angoisse » : « *Ein solcher Angstanfall besteht entweder einzig aus dem Angstgefühle ohne jede assoziierte Vorstellung oder mit der naheliegenden Deutung der Lebensvernichtung, des "Schlagtreffens", des drohenden Wahnsinns, oder aber dem Angstgefühl ist irgendwelche Parästhesie beigemengt (ähnlich der hysterischen Aura), oder endlich mit der Angstempfindung ist eine Störung irgend einer oder mehrerer Körperfunktionen, der Atmung, Herztätigkeit, der vasomotorischen Innervation, der Drüsentätigkeit verbunden* » (*GW*, I, 318). Freud, qui envisage pour les accès d'angoisse quatre cas de figure, change par deux fois la construction en cours de phrase, sous-entend ou plutôt omet *aus dem Angstgefühl*, ne permet pas au lecteur de comprendre d'emblée à quoi se rapporte le circonstanciel *mit* et crée une équivoque entre un fallacieux *ohne jede Vorstellung... oder mit...* et le *entweder..., oder...* conforme à la logique de la langue. Soit : « Un tel accès d'angoisse consiste ou bien uniquement dans le sentiment d'angoisse sans aucune représentation associée, ou bien accompagné de l'interprétation, à portée de la main, de l'anéantissement de la vie, de l' "attaque", de la folie menaçante, ou bien alors au sentiment d'angoisse est adjointe une quelconque paresthésie (semblable à l'aura hystérique) ou bien enfin à la sensation d'angoisse est lié un trouble d'une quelconque ou de plusieurs fonctions corporelles, de la respiration, de l'activité cardiaque, de l'innervation vaso-motrice, de l'activité glandulaire » (*OCF.P*, III). Cette phrase ne trahit chez Freud aucun souci de « bien écrire ». Le cas n'est pas exceptionnel, et ces sortes de défaillances faisaient souffrir Freud lui-même. Ecrivant à Fließ le 21 septembre 1899 alors qu'il corrige les épreuves de son *Ecrit sur le rêve*, il lui confie : « ... les phrases

13. Cf. Philippe Roger, *Roland Barthes, roman*, Editions Grasset & Fasquelle, 1986, p. 269.

contournées, se pavanant sur des mots non directs, louchant vers la pensée, [...] ont gravement offensé en moi un idéal. » L'autre exemple sera bref. Nous l'empruntons à *L'avenir d'une illusion*, de 1927 : « *Wir würden uns nicht entschließen können, eine für uns so gleichgiltige Tatsache anzunehmen, wie daß Walfische Junge gebären anstatt Eier anzulegen, wenn sie nicht besser erweisbar wäre* » (*GW*, XIV, 349). Soit : « Nous ne pourrions nous résoudre à admettre un fait qui nous est à ce point indifférent, comme par exemple que les baleines enfantent des petits au lieu de pondre des œufs, s'il n'était pas mieux démontrable » (*OCF.P*, XVIII). Lignes brochées à la diable, qui nous disent non pas certes l'indifférence de Freud au style (voire à la rigueur de l'expression), mais une indifférence momentanée. Dans presque toutes les œuvres se trouvent de tels exemples — des longs, des brefs; dans presque toutes se rencontrent des notes arides, d'autant plus embrouillées dans leur syntaxe et relâchées dans leur style qu'elles sont plus développées. Quant aux répétitions de mots, elles ne se justifient pas toujours par l'insistance ou l'ardeur à convaincre. Pensons, sans vouloir trop allonger la liste de telles références, aux 7 *Kultur* (dont 3 en composition + 1 *kulturell* en 14 lignes des *Actuelles* (*GW*, X, 336, *OCF.P*, XIII, 138), aux 4 *Kind* + 1 *kindlich* en 9 lignes de la « Préface à : *Jeunesse à l'abandon* » (*GW*, XIV, 566, *OCF.P*, XVII) ou à cette phrase de « L'Homme aux loups » (*GW*, XII, 30) : « *An dem Sohn selbst habe ich bei mehrjähriger Beobachtung keinen Stimmungswandel beobachten können* », qu'il n'y a aucune raison de ne pas traduire par « Chez le fils lui-même, je n'ai pu, l'observant durant plusieurs années, observer aucun changement d'humeur » (*OCF.P*, XIII, p. 6). Enfin, tel broncherait devant certaines tournures grammaticalement peu orthodoxes dans leurs ellipses, telles que le *Was wollen Sie mir wohl sagen? Ob ich meine...* des *Conférences d'introduction* (*GW*, XI, 37) ou le *Man kann es bezweifeln, ob und in welchem Maße...* de *L'avenir d'une illusion* (*GW*, XIV, 330). Et tel autre, en faisant la somme des « défauts » de Freud et en exagérant ses complications syntaxiques, insinuerait qu'il écrit comme Kant. Par accident et par intermittence, peut-être. Mais Thomas Mann a déjà proclamé que le plus souvent la langue de Freud égale celle de Schopenhauer.

D'un côté donc un écrivain en puissance qui est souvent un écrivain puissant, mais ne met pas ses merveilleuses qualités littéraires au service de la littérature. De l'autre un chercheur, un explorateur de l'âme, qui connaît l'écrivain qui est en lui, ne l'étouffe pas, le mobilise au besoin, mais le maintient sous la dépendance de sa pensée. Il n'y a pas là dichotomie, mais accord, accommodement, hiérarchisation. D'où il résulte une constante, consciente et essentielle cohabitation de deux Freud, avec suprématie de l'un sur l'autre. Oui, Freud est à l'évidence un écrivain, mais un écrivain au service exclusif d'un penseur, seul autonome. S'il admirait tant Lessing, c'était pour avoir su « soumettre son art à sa pensée »[14].

Disposer de tant de styles pourrait être un don empoisonné. Freud aurait-il une écriture kaléidoscopique ? Serait-il un écrivain caméléon ? Non, car ce qu'il écrit, c'est ce qu'il a à dire. (« Ici parle quelqu'un qui a quelque chose à dire », Döblin.) Ses mots sont sa pensée. Pour lui, « le langage est très exactement ce qu'il exprime »[15]. Et son lexique, qui pénètre et nourrit chaque ligne de son œuvre en assure l'unité, l'unité littéraire aussi, l'unité littéraire d'abord. Philosophe, essayiste, poète ou conteur ou autre encore, Freud ne « fait » jamais que du Freud. C'est ce lexique, dont nul ne peut contester l'originalité, l'unicité, qui rend sa parole originale, unique, fût-ce dans la note la plus hâtive ou le billet le plus anodin. D'où la nécessité de le prendre en compte de la façon la plus rigoureuse — ce qui l'érige en terminologie. Globalement, le propos de Freud est didactique, scientifique, alors même qu'il porte la marque d'un plaisir esthétique. C'est pourquoi notre traduction ne renonce absolument pas à être littéraire, mais subordonne toute autre ambition à celle de rendre, dans le respect de l'unité « pensée-mots », la pensée de Freud « jusque dans la résonance de chaque résonance » (Rilke) et le style de Freud jusque dans son éventuel refus du style. En réalité nous rendons le style par le fait même que nous rendons

14. Cité par Marthe Robert, *op. cit.*, t. II, p. 239.

15. Cf. Georges-Arthur Goldschmidt, « La maîtrise de Handke (...) résulte de ce que le langage est très exactement ce qu'il exprime », in *De l'un à l'autre ou l'auteur et les traducteurs*, p. 175.

la pensée. C'est être à la double écoute du signifié et du signifiant — indissolubles. C'est se mettre exactement à l'école de Goethe (ô Prix de la ville de Francfort!) qui rappelle dans les *Paralipomena* de son *Faust* que la teneur, la substance, le contenu, apporte avec soi sa forme, que la forme ne se présente jamais sans son contenu[16]. C'est être, estimons-nous, fidèle à Freud. Comment distinguerait-on forme et fond s'agissant d'une œuvre qui tend à prouver que corps et âme ne peuvent être dissociés[17] ?

Nous tenons donc compte de la variété des styles, selon le texte et le moment. Mais cette variété s'impose de par Freud lui-même, et ce n'est jamais un parti pris du traducteur que de rendre plus « littérairement » tel texte, plus philosophiquement tel autre.

Nous entrerons maintenant dans quelque détail pour préciser notre conception du rendu stylistique et syntaxique. Elle résulte du principe déjà énoncé : le texte, tout le texte, rien que le texte. Nous accomplissons avec minutie toute une série de tâches évidentes et élémentaires qui, à l'usage, ne s'en révèlent pas moins novatrices. Nous concrétisons les directionnels et les locatifs (*sich auf den Standpunkt stellen* [*GW*, X, 265] : « se ranger au point de vue » [*OCF.P*, XIII, 206], et non « s'y tenir » *(auf dem Standpunkt bleiben)*. *Die auf einen falschen Weg (in die Körperinnervation) gedrängte Erregung* [*GW*, I, 64] : « l'excitation poussée sur une fausse voie (l'innervation corporelle) » [*OCF.P*, III]). Nous prenons en compte les suffixes et valorisons, par exemple, le *-ung* (*der Einfluß* : « l'influence » et *die Beeinflußung* : « l'influence exercée »; *mit dieser Wendung* : « en prenant ce tournant »; *die Erfahrung* : (parfois) « l'expérience [que j'ai] faite »). Nous différencions le sens des préverbes : *anziehen*, *ausziehen*, *überziehen*, *auseinanderziehen* concentrés en quelques lignes (*GW*, X, 300) donnent en français « mettre », « retirer », « enfiler », « étirer » (*OCF.P*, XIII, 238-239); le fameux *von ihr* [*der Mutter*] *zur sexuellen Frühreife emporgeküßt* (*GW*, XIII, 204) devient « élevé par ses baisers jusqu'à une maturité sexuelle précoce » (*OCF.P*, X). Nous diversifions les nuances des mots composés, à l'intérieur desquels déterminant et déterminé n'ont pas toujours le même rapport ni le même poids

16. « *Gehalt bringt die Form mit ; Form ist nie ohne Gehalt.* »
17. Voir la note 5, p. 27.

(cf. *infra*, p. 56 sq.). Nous intégrons au français, quoi qu'il en coûte, la réserve d'un *doch* ou d'un *aber*, l'accélération d'un *zwar* ou d'un *nämlich*, les scrupules d'un *denn* ou d'un *nun*, l'insistance d'un *auch*, d'un *ja* ou d'un *überhaupt*. Nous considérons que les fréquentes et souvent longues citations empruntées par Freud à des langues étrangères, français compris, sont des parties intégrantes de son texte. En tant que telles, nous les (re)traduisons (cf. *supra*, p. 16-17).

« Rien que le texte » exclut tout étirement comme tout rétrécissement. Nous nous interdisons de tronquer un long développement qui exigera du lecteur un effort de pénétration, de mutiler les amples phrases à la fois sinueuses et solidement charpentées qui nous tiennent en haleine et établissent entre le texte et nous la même « attention en égal suspens » qu'entre l'analysé et l'analyste. La phrase à tiroir reproduite p. 32 n'est qu'un avatar malencontreux et finalement très rare de la période freudienne, qui respire, et dont nous préservons jalousement le souffle. S'il faut, ici encore, se borner à un exemple, reportons-nous aux *Leçons d'introduction* : « *Gerade das, was sie ihm also bloß leise andeuten möchte, weil sie es eigentlich ihm überhaupt verschweigen sollte, daß sie nämlich schon vor der Wahl ganz die Seine sei und ihn liebe, das läßt der Dichter mit bewundernswertem psychologischem Feingefühl, in dem Versprechen sich offen durchdrängen und weiß durch diesen Kunstgriff die unerträgliche Ungewißheit des Liebenden sowie die gleichgestimmte Spannung des Zuhörers über den Ausgang der Wahl zu beruhigen* » (*GW*, XI, 32). Il faut tenter, selon le conseil de Gide, de « plier » la signification de la phrase « à son nombre » : « Cela même auquel elle voudrait ne faire qu'une légère allusion, parce qu'à la vérité elle devrait absolument le lui taire, à savoir que dès avant le choix elle est tout entière sienne et l'aime, cela le poète le laisse, avec une admirable délicatesse psychologique, transparaître ouvertement dans la méprise d'élocution et s'entend par ce procédé à calmer l'insupportable incertitude de l'amant tout comme, à l'unisson de celle-ci, la tension du spectateur quant à l'issue du choix » (*OCF.P*, XIV).

Nous ne touchons pas aux parenthèses. Nous respectons les *daß* et toutes les conjonctions de subordination dont Freud balise sa pensée. Stopper par deux points fallacieux un raisonnement qui progresse grâce à ces relais serait trahir.

Ainsi se trouve posée la question de la lourdeur du style freudien. Elle relève par accident de la « lourdeur germanique », elle exprime le plus souvent l'insistance de qui argumente avec passion et veut entraîner l'adhésion. Nous ne cherchons pas à « faire léger » à tout prix (ce qui serait tomber dans la « romanisation » honnie de Freud)[18]. Par ailleurs nous n'oublions pas, malgré tout, que certaines de nos exigences de traducteurs vont dans le sens d'une lourdeur qui peut se surajouter à l'éventuelle lourdeur de Freud lui-même : celles relatives à la terminologie (voir plus loin), aux infinitifs et participes substantivés (même si nous limitons au maximum les « le fait de... » et « ce qui est... »), aux verbes de modalité : mieux vaut encore lester d'un « forcément » ou d'un « nécessairement » le verbe « devoir » que laisser la place à une équivoque entre le sens de *müssen* et celui de *sollen.* Nous assumons donc quelque lourdeur supplémentaire si elle est indispensable à rendre la moindre inflexion de pensée, et en contrepartie, nous n'excluons pas une tournure ou un enchaînement moins pesants que ceux de l'allemand. Lorsque, parlant de la résistance opposée par ses adversaires à la psychanalyse, Freud écrit : « ... *wozu eine Vermeidung der Nachprüfung die beste Technik schien* » (*GW*, XII, 31) et que nous traduisons : « ce pour quoi la meilleure technique semblait être d'éviter d'en faire l'examen » (*OCF.P*, XIII, 7), nous l' « allégeons » (non sans quelques scrupules) en transformant les deux premiers substantifs en verbes. Allégement aussi quand nous rendons « *den... Meister der Neuropathologie, zu dessen Schülern der Verfasser sich zählt* » (*GW*, I) par « le maître de la neuropathologie, qui eut l'auteur au nombre de ses élèves » (*OCF.P*, III). Nous refusons le vain mot à mot qui ahane, mais nous ne proposons pas des traductions qui puissent se lire sans arrêter un instant la réflexion ni susciter l'interrogation, voire le désarroi.

Tout comme la structure des phrases, la ponctuation peut éventuellement servir de prétexte à pratiquer une traduction approximative et infidèle. Assurément, nous n'ignorons pas que

18. Cf. notamment La correspondance entre Freud et Laforgue, 1923-1937, traduit de l'allemand par J. Altounian, A. et O. Bourguignon, P. Cotet et A. Rauzy, in *Nouvelle Revue de Psychanalyse*, XV, Gallimard, printemps 1977.

sa fonction est différente en allemand et en français : plus subordonnée aux unités syntaxiques dans l'un, plus liée au sens, à la rhétorique, au prononcé de la phrase, dans l'autre; une telle modification vient spontanément sous notre plume, reste qu'il ne saurait être question, pour autant, de modifier la scansion des périodes de Freud, ni de les couper (comme si le français ignorait l'existence des phrases proustiennes...). De même la ponctuation peut avoir valeur d'interprétation et son absence créer une ambiguïté : nous y avons été particulièrement attentifs, dans le texte freudien et dans son rendu scrupuleusement conforme.

L'exactitude inclut en particulier le respect des répétitions. La répétition est d'ailleurs chez Freud une figure de style, qu'il s'agisse, comme le montre bien Roustang[19], de la concaténation, du chiasme, de l'inclusion ou du « péricentre », consistant à « répéter au centre d'un paragraphe un ou plusieurs mots qui se trouvaient à la périphérie d'un paragraphe précédent ». Freud n'attend pas de nous une élégance d'emprunt par abolition, même partielle, de ses répétitions. Au lecteur de se demander pourquoi, par exemple, dans *Les névropsychoses-de-défense*, *Vorstellung* revient 7 fois en 7 lignes, dont 5 fois sous la forme de *Zwangsvorstellung* (*GW*, I, 67; *OCF.P*, III). Au lecteur encore de s'interroger, comme le traducteur, sur certains pluriels, certains pronoms (à quoi se réfère cet *il*, cet *elle*), certains déterminatifs (pourquoi ce défini, cet indéfini ?), sur la logique de certains temps (pourquoi ce heurt du présent et du passé à l'intérieur d'une même phrase ?), de certains modes verbaux (pourquoi ce chevauchement des discours direct et indirect ?). Nous n'avons pas à frustrer le lecteur de son étonnement ni à trancher pour lui, sauf dans les cas plutôt rares où est en jeu la spécificité de l'allemand. Encore ne faisons-nous droit qu'avec parcimonie à la valeur possessive ou démonstrative du *der*, *die*, *das* (*der Vater :* « mon père »), que nous rendons le plus souvent par le défini français. Nous n'avons pas non plus à imposer au lecteur le *on* passe-partout des traducteurs du XIXe siècle et des pédagogues, là où Freud, au demeurant nullement avare du *man* (7 *man* en 23 lignes des *Actuelles*, *GW*, X, 325-326, *OCF.P*,

19. François Roustang, ... *Elle ne le lâche plus*, Editions de Minuit, 1980, p. 24.

XIII, 128) recourt au passif. Tel contexte de *A partir de l'histoire d'une névrose infantile* interdit sous peine de contresens de traduire *geboren werden* autrement que par un passif (être mis au monde). Didier Anzieu prend l'exemple de *Ein Kind wird geschlagen* (*Un enfant est battu*) dont la traduction par *On bat un enfant* « dénote plus le sadisme que le masochisme visé par l'expression freudienne »[20]. Nous distinguons rigoureusement le passif personnel (*er wird vertreten* = il est représenté) et le « sujet / verbe *sein* / participe attribut » (J. Fourquet) (*er ist vertreten :* « il se trouve représenté »).

Nous nous appliquons, sans fanatisme, dans les limites imposées par le français et le souci déjà évoqué d'équilibrer les lourdeurs, de rendre un verbe par un verbe, un substantif par un substantif. Nous respectons, sans être pour autant des novateurs, l'originalité de toutes les images, comparaisons et métaphores de Freud (« Avec le névrosé on est comme dans un paysage préhistorique, par ex. dans le Jura. Les grands sauriens s'ébattent encore et les prêles sont hautes comme des palmiers » (*GW*, XVII, 151 ; *OCF.P*, XX)).

Il nous reste à exposer notre conception du rendu syntaxique. Là encore, notre style vise au maximum à donner l'image la plus fidèle possible de celui de Freud. On nous chercherait, certes, une querelle élémentaire en nous rappelant que la structure de la proposition, voire de la phrase, n'est pas la même en français et en allemand. Cette lapalissade devient cependant un alibi lorsqu'elle encourage à recomposer complètement l'ordre des groupes verbaux, l'enchaînement des raisons, la coordination des propositions, dans l'illusion de faire « français » alors qu'on se donne simplement la liberté de « dire les choses autrement ». Le problème du passage d'une syntaxe à une autre porte avant tout sur l'ordre des mots, la construction, essentiellement dans la subordonnée et dans la qualificative, que Freud privilégie et déroule avec ampleur. Or les difficultés se rencontrent au temps d'appréhension globale de la phrase plus qu'à celui de la traduction. L'allégation des génies irréductibles de l'allemand et du

20. Cf. D. Anzieu, 1987, Influence comparée de la langue et de la culture françaises et germaniques sur l'auto-analyse de Freud (*Psychanal. Université*, 12, note 48 (octobre), p. 529).

français tourne trop souvent au mythe. Le français à l'époque moderne s'est, sous l'influence conjuguée d'un polyglottisme généralisé et des traductions, considérablement assoupli. Il devient possible de conserver sans trop d'efforts ni d'accidents sinon la totalité (place du verbe exige!), du moins l'essentiel de la construction allemande. C'est sans doute en abandonnant trop vite que Edwin et Willa Muir, les traducteurs anglais de Kafka, déplorent : « L'ordre des mots chez Kafka est sobre et sans faille; non seulement il exprime sa pensée, mais il est incorporé à celle-ci. C'est seulement dans cet ordre qu'il pouvait dire ce qu'il avait à dire. Et pourtant il faut déranger ce bel ordre. Il faut démanteler l'édifice originel de la phrase et le reconstruire. »[21] A chaque page nous éprouvons que Freud lui aussi ne pouvait dire ce qu'il avait à dire que dans l'ordre qu'il adopte. Nous ne dérangeons cet ordre, nous ne modifions cet édifice qu'en cas d'absolue nécessité, quand il s'agit d'éviter un gauchissement du sens ou un viol du français. Notre fidélité syntaxique à l'allemand de Freud requiert parfois un certain forçage du français, mais pour extrême, voire extrémiste qu'elle soit, elle n'est jamais « violante ». Elle nous conduit à prendre en compte à la fois le « laisser-aller des pensées non voulues » et le « travail d'attention et de notation »[22]. Elle nous permet de sauver maints débuts de phrase en recourant le moins possible aux « étais », ces béquilles. Freud a, comme Fontane[23] qu'il aimait et citait, le sens de l'attaque, le don de concentrer dans les premiers mots d'un chapitre, d'une phrase, l'essentiel d'une pensée qu'il s'apprête à expliciter. Le respect de la structure stylistique, de l'ordre des mots, de la nature des divers compléments est pour le traducteur aussi impératif que le respect du sens.

21. R. Brower, *On translation*, New York, Oxford University Press, 1966. Cf. aussi P. Cotet et A. Rauzy, *infra*, p. 71.

22. F. Roustang, *op. cit.*, p. 44. Roustang cite (p. 32) la lettre de Freud à Fließ du 7 juillet 1898, à propos de *L'interprétation du rêve* : « Elle a été entièrement transcrite de l'inconscient, selon le principe célèbre d'Itzig, le cavalier du dimanche. "Itzig, vers où chevauches-tu ? — Est-ce que je sais, interroge le cheval" » (notre traduction).

23. Freud cite en particulier trois romans de Fontane, *Effi Briest* dans les *Leçons d'introduction* et le *Malaise dans la culture*, *L'Adultera* et *Avant la tempête* dans la *Psychopathologie de la vie quotidienne*. Rencontrant, entre autres, un exemple de « construction adjuvante » dans *Effi Briest* et un d' « opération manquée » dans *L'Adultera*, il note la difficulté pour le chercheur de « trouver quelque chose de nouveau qu'un poète n'aurait pas su avant lui ».

Il assure, de façon certes asymptotique, la préservation du message freudien. Soit l'exemple de cette phrase tirée de « L'homme aux loups », dans laquelle Freud se félicite d'avoir su « *in die Beschreibung so frühe Phasen und so tiefe Schichten einzuführen* » (*GW*, XII, 138), c'est-à-dire « introduire dans la description des phases aussi précoces et des strates aussi profondes de la vie d'âme » (*OCF.P*, XIII, 100-101). Les mots *phases* et *strates* sont en allemand compléments directs d'objet; il importe qu'ils conservent leur statut en français. Un souci d'élégance a pu faire traduire : « introduire à la description de phases si précoces et de couches si profondes » (Gallimard, p. 252) ou encore : « la description de phases aussi précoces et de stratifications aussi profondes » (PUF, 1954, p. 405). *Phases* et *strates* n'apparaissent alors plus comme objets de la recherche. En allemand elles ne sont pas compléments de *description*, mais du verbe qui les soumet à la description, c'est-à-dire à la démarche du chercheur, les porte sous les projecteurs de la pensée. Le style de Freud rend le dynamisme de l'investigation analytique. Seule la fidélité syntaxique permet le même rendu.

Nous pouvons nous référer ici à François Roustang qui montre combien le « raisonnement » de Freud, son mode de persuader et de convaincre, s'appuie sur une entrée en scène concertée, organisée, des principaux concepts. Ce que Roustang dénomme « parataxe » n'est autre que la place donnée aux mots indépendamment des liaisons nécessaires à la « syntaxe »[24], place qu'il convient de respecter au maximum, faute de quoi « l'écriture de Freud perd toute sa vigueur et même tout son sens ».

Si nous espérons finalement pouvoir coller au texte sans jargonner, nous sommes conscients d'offrir au lecteur francophone une prose parfois un peu raboteuse. Loin d'en éprouver de la honte ou seulement de la gêne, nous estimons sceller par là notre fidélité à Freud. Son œuvre continue en effet d'être reçue ou perçue par le public cultivé germanique lui-même comme originale au double sens de l'innovation créatrice et d'une certaine bizarrerie. Il existe un idiome freudien (cf. p. 14 et 45) dont la rugosité intermittente de notre version française restitue un des éléments spécifiques.

24. F. Roustang, *op. cit.*, notamment p. 34-35.

IV
TERMINOLOGIE ET CONCEPTUALISATION

Toute grande œuvre de pensée joue son destin sur les concepts qu'elle crée, et les mots qu'elle singularise pour les désigner ou les cerner. Tel auteur qui privilégie le jugement et la relation par rapport au concept se déterminera, finalement, grâce à ce dernier. Même une pensée de la mobilité devra, *volens nolens*, poser le concept du « mouvant ». Ainsi sont léguées à la mémoire et à la réflexion des générations « l'idée » platonicienne, les quatre « causes » d'Aristote, la « vision en Dieu » de Malebranche ou la « sélection naturelle » de Darwin. Concepts épinglés par le « signifiant » verbal et grâce à lui, non sans quelque danger de fixisme, et auxquels il importe, pour le lecteur mais *non* pour le traducteur, de savoir redonner un certain jeu.

Cette priorité donnée à la terminologie dans la traduction de l'œuvre, est-elle valable seulement pour l'œuvre de pensée ? Bien des traducteurs et théoriciens de la traduction ne le pensent pas : ainsi Benjamin, pour lequel c'est dans le « mot pour mot » *(Wörtlichkeit)* et non dans la « proposition » que se joue la traduction de la grande poésie; ainsi Chouraqui, traducteur inspiré de la Bible, attentif avant tout au vocable et à ses résonances. Mais la grande œuvre de pensée ne rejoint-elle pas ici la grande *Dichtung* ?

Freud créateur d'un appareil conceptuel et d'un code linguistique

Que Freud soit à ranger dans cette tradition, c'est trop peu dire; il est un immense créateur de concepts et de vocables, surpassant probablement tout autre par la richesse, la variété, mais aussi par la finesse et la maîtrise des distinctions. Pour reprendre l'expression familière de Lacan, l'usage des mots n'est jamais chez lui « dégoulinant »[1].

1. *Ecrits*, Paris, Seuil, 1966, p. 672.

La langue allemande, cela est notoire, favorise une telle profusion de substantifs, sinon de substances : la dérivation des noms à partir des verbes, des adjectifs, voire des adverbes *(das « Außen », das « Draußen »)*, ainsi que la formation de mots composés, y sont d'une liberté extrême. Posons pourtant d'emblée que la soi-disant irréductibilité des langues l'une à l'autre n'est pas ici seule en cause. On montrerait — nous montrerons rapidement — d'une part que l'usage freudien porte à son maximum cette possibilité de la langue allemande mais, d'autre part, que le français n'est pas sans ressources pour la création de concepts, même si ces ressources restent parfois inexploitées et comme atrophiées.

Dire que l'allemand est spontanément porté à utiliser le substantif dérivé du verbe (sous sa forme infinitive, ou avec la désinence en *-ung*), c'est négliger le fait que, si certaines de ces formes sont attestées et d'usage courant, d'autres font figure de créations — créations sinon dans la forme du moins dans la fréquence et l'usage systématique qui en est fait. Un exemple simple serait celui de la *Verleugnung*, qui n'apparaît d'abord, comme incidemment, que sous la forme d'un verbe à côté d'autres (*leugnen* notamment), mais qui, rapidement, prend sa valeur de concept majeur, voire central[2]. Un autre cas classique est le terme de *Regung*, auquel Freud réserve une place de choix, qui fut à peine remarqué par Strachey, et que Laplanche et Pontalis ont traduit en 1964 par « motion ». Un terme qui sera très peu employé par la suite, par les psychanalystes français : mais pas davantage que ne l'est celui de *Regung* par les Allemands ! Freud n'a probablement pas réussi à persuader ses disciples de l'utilité de ce concept, mais le traducteur n'a pas à le gommer pour cette simple raison !

Les voies freudiennes de la conceptualisation sont multiples. Leur origine est quasiment unique : l'usage de la langue, le plus souvent la langue commune, plus rarement la langue d'autres disciplines scientifiques. Très rares sont les emprunts directs à une langue étrangère, car on ne peut considérer comme tels les termes de racine romane intégrés depuis toujours à la langue allemande : *Organisation* ou même *Phantasie*. Si l'on excepte les

2. Voir sur ce point : *Vocabulaire de la psychanalyse*, Paris, PUF, 1967, art. « Déni ».

mots admis dans le langage médical (*dementia praecox*, *coïtus interruptus*, etc.) à peine quelques termes latins sonnent « étranger » dans la langue de Freud : *Libido*, *Narzissmus*, *Auto-erotismus*, ou encore *Noxen*...

Parmi les voies de la dérivation se situe donc au premier plan le passage du verbe au substantif. Transformation si courante en allemand qu'elle risque de rester méconnue dans sa signification. Tel est le cas pour « l'étayage » *(Anlehnung)* qui ne fut redécouvert, comme concept fondamental, que par le *Vocabulaire de la psychanalyse* en 1967. Le terme, jusqu'alors, n'était recensé, dans les Index des *Gesammelte Werke*, que sous sa forme terminale : *Anlehnungstypus der Objektwahl* (« type par étayage du choix d'objet »). La traduction « officielle » de la *Standard Edition*, en *anaclisis*, ne fit qu'aggraver cette occultation. Son tort est en effet de rendre indécelable, par un terme artificiellement forgé, la genèse progressive de la notion à partir de la langue commune (*Anlehnung :* « appui », « soutien »). Le mot, en effet, vient d'abord sous la plume de Freud, une seule fois et comme par hasard (1905), parmi d'autres expressions voisines, pour désigner comment la sexualité est « associée » *(vergesellschaftet)*, « reliée » *(verbunden)* aux fonctions d'autoconservation[3]. Puis la notion ressort, sous des formes grammaticalement variées : verbe *(sich lehnen an)*, locution comprenant le substantif et utilisée de façon bien spécifique (*in Anlehnung an :* « en étayage sur »). Enfin, dans les années 1914-1915 elle est définitivement retenue et soulignée par Freud, prenant ainsi son indépendance conceptuelle[4].

Exemple très riche, puisqu'il montre l'enracinement dans l'usage de la langue, la sélection entre plusieurs termes possibles, le passage au concept à travers une forme substantive, l'entrée dans un groupe syntaxique bien particulier, enfin la formation de mots composés. Exemple démonstratif encore, en ce qu'il met en évidence une conceptualisation qui n'est ni concertée ni systématique (à la différence de *Verdrängung*) mais en grande partie

3. *GW*, V, 82, *OCFP*, VI.
4. Cf. *Vocabulaire de la psychanalyse*, Paris, PUF, 1967, articles : « Etayage », « Choix d'objet par étayage », « Anaclitique ».

latente, perceptible seulement dans son produit le plus achevé (*Anlehnungstypus*). Exemple instructif enfin, car il montre la fonction du traducteur et de la langue *étrangère* pour déceler ce mouvement, trop familier au lecteur (voire au freudologue) allemand pour qu'il y porte attention.

Les moyens pour forger des substantifs sont nombreux en allemand, et Freud les utilise tous : suffixes et préfixes (*die Bewußtheit*), la composition avec des auxiliaires (*das Bewußtwerden*), des prépositions ou adverbes (*das Nachdrängen, ein « Nichtkönnen »*), ou encore utilisation combinée de différents procédés (*das Ungeschehenmachen, ein Nichtwissenwollen*).

Insensiblement, nous voici arrivés à la fabrication de mots composés, si commode en allemand (voir Heidegger), mais tout spécialement exploitée par Freud, et, pourrait-on dire, jusqu'à l'excès : ils sont des milliers dans sa langue, du plus simple au plus complexe, du plus courant au plus étrange (*Schmerzunlust, Sehnsuchtangst, Vorstellungsinhalt der Triebrepräsentanz, Zufallshandlung, Vorwurfshandlung*, etc.).

Enumérons encore, nous réservant d'en traiter plus en détail à propos de cas concrets : la reviviscence du sens par décomposition étymologique (les termes en *Ver*, que nous abordons dans notre terminologie raisonnée), l'apparentement étymologique permettant de créer des séries (termes en *Bild* ou en *Bildung*, en *Drang* ou en *drängen*, famille de *Hilfe* et *Hilflosigkeit*, etc.), le dédoublement des doublets romano-germaniques et enfin la conjugaison de tous ces procédés.

Le traducteur face à la terminologie freudienne

Une terminologie qui s'affirme sans cesse comme monde conceptuel, au point que le « freudien » peut presque être considéré comme un idiome de l'allemand, mais, *en même temps*, une terminologie qui prend racine dans l'usage quotidien de la langue et qui en émane, c'est à ce point de jonction entre vocabulaire commun et terminologie scientifique que se pose l'essentiel du problème pour le traducteur « freudologue ». Le rapport de Freud à la langue courante *(Sprachgebrauch)* ne saurait en effet être invoqué en faveur d'un aplatissement de la traduction, qui devrait soi-disant se couler dans les locutions toutes faites du français. L'*usage*, comme son nom l'indique, dégrade et amortit les résonances des mots, « tire vers le bas » métaphores et métonymies : c'est la « *cata*chrèse » des anciens auteurs. Tout le travail de Freud va à l'inverse : remontée de sens, « *ana*sémie » (selon le terme forgé par N. Abraham[5]). Or, le mouvement de dégradation se réitère sans cesse, et déjà pour le lecteur allemand de Freud, qui est, au sens littéral du mot, son « usager ». C'est donc une anasémie nouvelle qui peut et doit être opérée parallèlement dans la traduction française, à partir de dégradations elles-mêmes parallèles. Le seul fait de traduire au plus près des signifiants « anasémise » ceux-ci : c'est là le bénéfice intrinsèque d'une telle approche, et pour le traducteur, et pour le lecteur français qui rencontre un texte plus anguleux, moins usé que ne fait le lecteur allemand.

Pour autant nous n'ignorons pas ce qui est élémentaire pour tout traducteur, que les vocabulaires, les codes des différentes langues, ne se recouvrent pas terme à terme. Les systèmes terminologiques sont organisés de façon très différente, même entre les différentes langues indo-européennes; nous savons bien, pour reprendre cet exemple classique, que notre mouton français est *sheep* dans le pré du Britannique et *mutton* dans son assiette. Cette référence au contexte, et par là au sens de la phrase, est b-a ba de la traduction. Il ne s'oppose d'ailleurs pas au procédé de traduction dit « automatique », une machine étant parfaitement capable de déterminer le contexte local, celui de la phrase en question, et d'opérer le choix entre *sheep* et *mutton*.

C'est avec cette question de *contexte*, néanmoins, que commence la difficulté chez Freud. Elle se situe selon deux lignes, deux continuums, qui ne sont pas d'ailleurs sans relation l'un avec l'autre. Le premier continuum serait une ligne où s'étageraient les types d'usage, du plus concret au plus abstrait, du vocabulaire courant jusqu'à la métapsychologie. Mais c'est précisément ce continuum le long duquel s'opère souvent la création

5. *L'écorce et le noyau*, Paris, Aubier-Montaigne, 1978.

conceptuelle de Freud. La seconde série de contextes irait de la phrase, en passant par la page, puis au texte isolé, jusqu'aux écrits d'une même époque, et enfin jusqu'à l'ensemble de l'œuvre dans sa diachronie.

Or ces deux séries vont de pair, puisque le contexte « local » peut imposer tel choix pour tel mot du langage courant, alors que le terme à visée scientifique ou philosophique ne peut se comprendre qu'en référence à l'ensemble de l'œuvre, voire à son évolution. Le long de cette double série :

contexte général -------- contexte local
termes « conceptuels » -------- termes d'usage courant,

le choix du point de décision, donc de rupture, incombe au traducteur freudologue. Prenons deux exemples.

1 / Le terme de *Verdrängung* est normalement traduit par « refoulement ». Or Freud a déclaré (*Inhibition, symptôme et angoisse*, appendice A *c*) que, pendant toute une période de son œuvre, il avait utilisé *Verdrängung*, « au sens » de *Abwehr*. Serait-ce là une raison, dans les contextes que vise Freud, pour traduire *Verdrängung* par « défense » ? Ne serait-ce pas là empêcher le lecteur de s'apercevoir du *changement de sens*, souligné par Freud, *et qui ne s'apprécie que grâce à la continuité du mot* ? Pour extrême et paradoxal que soit cet exemple, il indique déjà ce dont on doit se méfier : la référence au pur contexte local, la fidélité au seul « sens » supposé, et, *last but not least*, l'opinion de Freud lui-même sur ce qu'il dit, ou a dit.

2 / Le terme *Übertragung* est universellement traduit par « transfert ». Pas de problème, d'autant que le mot français de « transfert » est rencontré par Freud chez Bernheim, et traduit par lui en *Übertragung*. Jusque-là tout va bien. Une petite exception nous alerte pourtant : on trouve dans certains textes (*Sur l'étiologie de l'hystérie*, 1896) une comparaison entre la propagation de la maladie psychique (par la séduction), et « la transmission d'une maladie » infectieuse, dénommée normalement : *eine Übertragung der Krankheit*. Soit, dira-t-on, il s'agit là d'un usage non métapsychologique, et, de plus, dans un texte archaïque; on voit ici comment nos deux continuums (technique / non technique; texte local / texte général)

se retrouvent dans une même complicité, pour nous inciter, comme tout naturellement, à varier les traductions d'un même mot. Ceci ne serait qu'un exemple limité, pour lequel suffirait une note en bas de page, si Freud, en pleine période de maturité, alors que le concept de transfert est pleinement développé, ne consacrait tout un texte (*Psychanalyse et télépathie*, 1921) au problème de la *Gedankenübertragung*. Ce terme, on le traduit normalement, couramment, lorsqu'il s'agit d'occultisme, par « transmission de pensée ». Mais comment le traducteur pourrait-il se résigner à ne pas rétablir la continuité avec l'*Übertragung* de la cure ? Comment pourrait-il traduire l'affirmation centrale de cet article, *es gibt Gedankenübertragung*, autrement que comme « il y a du transfert de pensée » ? Ceci fût-ce au prix d'un certain forçage de la langue française.

Résumons-nous : la décision terminologique peut aboutir à privilégier soit le contexte plus ou moins local (pour un terme courant) soit le contexte général (pour un terme qui « fait concept »), mais ce qui importe c'est que cette *décision elle-même* soit prise par un traducteur *connaissant* parfaitement l'œuvre dans son ensemble, la genèse des concepts, voire la réflexion incessante de Freud lui-même sur sa propre terminologie. Si des traducteurs se donnent la liberté de traduire, indistinctement et dans le désordre, *Angst*, *Grausen* ou *Schreck* par peur, angoisse, effroi ou horreur, c'est qu'ils ignorent tout de l'application constante apportée par Freud à délimiter ces termes (et quelques autres : *Furcht*, *Grauen*, *Scheu*, *Abscheu*, *Entsetzen*, etc.).

Tout cela implique l'inadéquation, l'échec, voire la trahison de toute traduction « au coup par coup », qui considère tel livre, tel article ou tel groupe d'articles comme une unité autonome, susceptible d'être considérée sans référence constante à ce fondement lexicographique de la langue freudienne que seule l'ensemble de l'œuvre permet de dégager.

Tel fut le défaut majeur, tel est encore le défaut des traductions de Freud publiées isolément et sans coordination, où chaque traducteur entend imprimer un « style », qui n'est, au mieux, que le reflet de sa propre habileté, au pire celui de son ignorance des autres textes.

Nos principes généraux, pour l'établissement de *règles terminologiques* (donc, d'un glossaire raisonné) sont :

a / Permettre au maximum au lecteur français de retrouver les identités, les continuités, les différences ou les oppositions des termes freudiens.

b / En cas de doute, se fier davantage à la lettre, au mot, au « signifiant », qu'à des différences ou à des identités supposées de sens[6].

c / Faire toujours valoir les droits du contexte freudien général à l'égard de l'œuvre isolée, et les droits du contexte de tel article à l'égard du contexte local (page ou phrase isolée).

Parmi les *multiples problèmes* qui se sont posés à notre équipe terminologique, nous indiquerons les principaux, qui d'ailleurs s'entrecroisent.

A / *Marquer le plus possible l'identité*, la répétition, donc l'évolution de sens d'un terme, par l'utilisation d'une traduction française univoque, la mieux adaptée possible.

L'intégration de cette terminologie à notre travail implique le repérage de chaque mot qui « fait concept ». Pour plusieurs centaines de termes, créés et utilisés par Freud, nous avons, « peseurs éternels d'acceptions » (V. Hugo), fixé une équivalence entre le vocable allemand et sa traduction française. Souvent il s'agit d'une traduction unique, avec néanmoins des exceptions bien précisées; dans d'autres cas, nous avons fixé une « fourchette » de traductions possibles, selon les types d'usage, métapsychologique ou clinique par exemple. Une fois trouvée, non sans tâtonnements et repentirs, l'équivalence française, il faut s'y tenir. L'impératif est ici l'intertextuel, spécificité et justification de ces *Œuvres complètes*. Jamais encore n'avait été mise en chantier une intégrale de Freud en français. Or il ne suffit pas de trouver dans notre langue le mot ou les combinaisons de mots capables de rendre chaque *Verlesen* dans *Le trait d'esprit*, chaque *Kultur* (avec

6. Cf. Lacan qui, par exemple, maintient fermement la différence freudienne *Ichideal* (idéal du moi) *Ideal-Ich* (moi-idéal) : même si « l'on n'arrive pas pour autant à distinguer leur emploi dans ce texte, [ce] qui devrait plutôt inquiéter — l'usage du signifiant n'étant pas, que l'on sache, chez Freud dégoulinant même pour un peu », *Ecrits*, *op. cit.*, p. 672.

les multiples combinaisons où il apparaît) dans *Actuelles sur la guerre et la mort*, il faut pouvoir rendre par ce même mot chaque *darstellen* de *L'interprétation du rêve*, chaque *Verlesen* des *Leçons d'introduction*, chaque *Kultur* de *L'avenir d'une illusion* ou du *Malaise*, faute de quoi l'évolution de la pensée freudienne échapperait au lecteur français. Celui-ci doit être en mesure de suivre à travers toute l'œuvre le cheminement d'un concept, d'en repérer l'émergence ou la disparition, de juger de sa permanence ou de sa fugitivité, de détecter ses avatars. Le traducteur d'un texte isolé peut ne pas s'émouvoir de l'occurrence du même terme à deux tomes de distance. Nous, si ! Il peut négliger le manque en français d'un adjectif correspondant au substantif, ou le fait que tel mot français soit déjà réservé pour la traduction d'un autre mot allemand. Nous, non !

Cette priorité donnée à la terminologie conceptuelle, qui traverse l'œuvre d'un texte à l'autre, ne nous fait pas oublier le vocabulaire concret, ni le lexique « intratextuel ». Dans *Communication d'un cas de paranoïa*, les verbes ou les infinitifs substantivés *Klopfen* (frapper, frappement), *Pochen* (battre, battement), *Ticken* (avoir un déclic) parcourent l'essai comme un leitmotiv, appliqués à une cloison, un appareil photographique, un divan, une porte, une pendule, jusqu'au moment où il est question « de battement ou de frappement au niveau du clitoris »[7]. Que resterait-il de la démonstration de Freud sans une totale cohérence lexicale de la traduction ? Il en va de même, dans ce texte, pour l'alternance significative *Beisammensein* (réunion) et *Zusammenkunft* (rencontre) d'autant que le coït parental est, dans une œuvre contemporaine, « L'Homme aux loups », associé au *Beisammensein*.

B / *Marquer le mieux possible la continuité des séries* de termes apparentés par leur forme (radical ou préfixe) dans la langue allemande. Il nous paraît élémentaire que le lecteur puisse déduire du texte français la relation manifeste en allemand entre *entwickeln (développer)* et *Entwicklung (développement)* entre *kennen* (connaître), *Kenntnis* (connaissance), *Erkenntnis* (connaissance prise) et *Anerkennung* (reconnaissance), comme aussi saisir la nuance entre *Drohung* (menace) et *Androhung* (menace proférée). Mais des cas

7. *GW*, X, 244; *OCF.P*, XIII, 315.

bien plus complexes se présentent, où il faut décider selon que cet apparentement est, ou non, marqué par Freud lui-même, selon qu'il est plus ou moins artificiel, selon enfin les possibilités et les limites du champ terminologique français.

Freud, on le sait, fait un sort commun à tout un groupe d'opérations marquées du préfixe *ver*, afin de désigner des actions dévoyées de leur but initial ou conscient (*verlesen*, *verschreiben*, etc.). Il faut évidemment trouver une tournure française commune (avec le mot « méprise » : « méprise de lecture », « méprise d'écriture », etc.) pour rendre cette famille, essentielle à la « psychopathologie de la vie quotidienne ». Le cas, cependant, se complique avec le forçage que Freud opère lui-même sur la langue allemande, soit en rattachant à cette série des verbes pour lesquels la forme simple n'existe plus aujourd'hui *(verlieren)*, soit en jouant sur la polysémie (*versprechen :* « promettre », *sich versprechen :* se méprendre en parlant).

Dans d'autres cas, ce n'est plus par le préfixe mais par le radical que les termes sont apparentés : ainsi pour *Druck* : « pression », *unterdrücken*, *Unterdrückung* : « réprimer », « répression ». Ainsi encore pour les termes formés sur *Hilfe* : aide. Leur série *(helfen, Hilfe, hilfreich, hilflos, Hilflosigkeit)* apparaît comme si essentielle et si constante dès les origines, dans le tissu de la pensée freudienne, que l'unité d'un même radical, « aide », s'imposait en français, fût-ce au prix d'une néologisation modérée : « désaide ».

C / *Marquer les oppositions*, chaque fois qu'un couple ou un groupe de termes se propose ou insiste. Ici se pose toute la question des « *homonymes* » et des « *synonymes* », à propos desquels on nous permettra un développement général.

Nommons, selon l'usage courant, « synonymes » des termes différents ayant le même sens, « homonymes » des termes identiques pourvus de sens et d'usages différents. Ces définitions ne préjugent pas de l'existence effective, dans une langue, de termes répondant vraiment à ces définitions.

Existe-t-il de *vrais homonymes* ? On peut, non sans vraisemblance, le soutenir. Ainsi, en français, le mot « étalon », selon qu'il s'applique à l'élevage animal ou à la mesure de quantités : l'étymologie confirme, d'une certaine façon, qu'il s'agit là de deux vocables distincts; les dictionnaires les attestent d'ailleurs, en les rangeant sous deux rubriques, et non comme deux « sens » d'un même mot. A un niveau différent, nous désignerons comme *quasi-homonymes* des termes ayant deux (ou plusieurs) sens apparentés mais nettement distincts. Ainsi pour le mot « homme », désignant en français tantôt l'être humain, tantôt l'individu masculin. Le test est ici que le traducteur (du français en allemand) peut à chaque instant et sans difficulté décider s'il doit traduire par *Mensch* ou par *Mann*. Dans une troisième catégorie, on trouverait enfin les *faux homonymes*, termes dont les sens divers sont profondément apparentés, ou, pour parler autrement, dont la subdivision en différents « sens », la diffraction, n'est que l'effet de la nécessité de transposer le terme dans *telle* langue étrangère déterminée. Ainsi pour *Bedeutung* : le français hésite à chaque fois entre « signification » et « importance », une question que ne se pose pas, en revanche, le lecteur anglais pour qui le mot *significance* recouvre assez exactement la totalité de *Bedeutung*.

Nos distinctions, de plus, risquent de se trouver brouillées à l'usage : les « vrais homonymes », lorsqu'ils sont repris dans le trait d'esprit ou le rêve, peuvent fonctionner comme « ponts verbaux » (un étalon, cheval de haras, se condensant avec l'étalon-or). De même, les « quasi-homonymes » retrouvent parfois leur unité. Cela peut se produire spontanément : la proposition « Dieu créa l'homme » ne permet pas de décider s'il s'agit du *Mensch* ou du *Mann*[8]. Mais tel penseur peut lui-même décider de réunifier plusieurs sens que la langue usuelle distingue sans difficulté, pour créer un concept original : c'est ce que fait explicitement Hegel avec *aufheben* (indistinctement, chez lui : soulever, supprimer et conserver[9]. Enfin les « faux homonymes » sont une des croix du tra-

8. Evidemment, chaque langue véhicule son idéologie; ici, le français est « machiste ».

9. Hegel s'explique en détail sur la fusion qu'il opère, au nom de la « pensée spéculative » entre ces deux sens opposés que distingue le langage courant : « conserver » *(aufbewahren)* et « faire cesser » *(aufhören lassen)*, in *Wissenschaft der Logik*, Lasson, Meiner Verlag, Leipzig, 1932, p. 93-94. Freud, pour sa part, n'adopte pas ce sens antithétique du mot *aufheben*. Son usage, qu'on pourrait dire antidialectique (et qui ne va pas dans le même sens que son propre article : *Du sens opposé des mots originaires*, *GW*, VIII, *OCF.P*, X, se trouve confirmé par une grammaire aussi autorisée que celle de Duden pour laquelle il s'agit là, non pas d'un seul mais de « trois mots distincts, enracinés dans trois champs

ducteur. Lorsque cela est possible, la meilleure solution est de trouver un terme français possédant la même duplicité : *Erfolg* en allemand et chez Freud a le double « sens », souvent indécidable, de résultat et de résultat favorable; dans la présente traduction nous avons choisi le terme de « succès » qui, lui aussi, a les deux sens, si l'on consent à remettre en honneur un usage qui n'est tombé que depuis peu en désuétude.

Les « *synonymes* » posent d'immenses problèmes, dont certains sont spécifiques de la langue allemande. Celle-ci, en effet, possède nombre de « doublets », terme par lequel nous choisissons de désigner deux mots, l'un d'origine germanique, l'autre d'origine romane, qui sont traditionnellement rendus par un seul mot français : *Vorgang* et *Prozess*, *Gegenstand* et *Objekt*, *Gesellschaft* et *Sozietät*.

Existe-t-il de *vrais synonymes* ? La réponse, en toute rigueur, est négative. L'usager réagit nécessairement de façon quelque peu différente à deux mots dont la texture, les apparentements, l'étymologie ne sont pas semblables. A ceci s'ajoute un autre élément, capital chez l'auteur d'une œuvre de pensée : celui-ci peut *choisir* de négliger la différence, mais il peut, au contraire, l'élargir de façon à lui donner valeur de nuance ou d'opposition conceptuelle. Ainsi, Freud emploie sans cesse l'un pour l'autre, au sens de « conscience morale », *sittliches Gewissen* et *moralisches Gewissen*, alors qu'un Hegel différencie le doublet *Moralität / Sittlichkeit* pour en faire un des ressorts de sa *Phénoménologie de l'esprit*[10]. Ce choix, de plus, peut être délibéré ou latent et, dans ce dernier cas, repéré seulement par le commentateur attentif. Parfois même, la différence est déniée par l'auteur, mais confirmée par son usage : Freud donne ouvertement *seelisch* et *psychisch* comme équivalents; pourtant, pour une catégorie aussi importante que celle de la réalité, il ne parlera jamais de *seelische Realität*, toujours de

sémantiques distincts, qui normalement n'entrent pas en concurrence et, justement pour cette raison, peuvent exister côte à côte dans la langue sans se gêner », P. Grebe et coll., *Duden. Die Grammatik*, Bibliographisches Institut, 1972, Mannheim/Wien/Zürich, Duden Verlag, Band 4, p. 460.

10. Cf. *La phénoménologie de l'esprit*, trad. Jean Hyppolite, Paris, Aubier-Montaigne, 1939, I, p. 289-290, n. 5. Soulignons ces options, en sens inverse dans l'usage d'une même langue : pour *aufheben*, Hegel fusionnait là où Freud sépare; pour *moralisch-sittlich*, Hegel fait un sort à une différence que Freud néglige d'utiliser.

psychische Realität. Mais surtout, nous sommes absolument obligés de sauvegarder la continuité du terme *Seele,* car elle est le fil directeur permettant à Freud de montrer comment les « processus d'âme » conscients et inconscients se trouvent projetés en une représentation « métaphysique » de l'âme, et de proposer à la psychanalyse la tâche inverse de « transposer la métaphysique en métapsychologie », ou de « replacer dans l'âme humaine ce que l'animisme enseigne sur la nature des choses ». L'étrange alliance de mots de la métapsychologie, *der Seelenapparat,* « l'appareil d'âme », porte la trace de ce double mouvement.

Cet exemple *seelisch/psychisch* illustre bien le caractère complémentaire de ces deux problèmes auxquels le traducteur de Freud est sans cesse confronté : marquer les *continuités* et marquer les *différences,* bien évidemment lorsqu'il s'agit de termes essentiels à la pensée de l'auteur.

Quelle sera donc notre ligne de conduite face aux doublets et synonymes ?

a / Lorsque la langue d'arrivée (le français) possède elle-même deux termes, le traducteur en répartira aisément l'usage, sans se soucier plus avant des intentions de l'auteur. Ainsi « procès » peut aisément être réservé à *Prozess,* « processus » à *Vorgang.*

b / Lorsque la (pseudo-)synonymie est inscrite dans la *langue allemande,* mais que l'auteur ne lui fait pas un sort particulier, et si l'usage français ne *peut* recouvrir l'usage allemand, nous ne nous sentons ni l'obligation ni le droit de réformer le français en le germanisant. Ainsi en va-t-il pour *Weib* et *Frau* (dont les usages sont d'ailleurs fort difficiles à codifier) que nous traduisons selon les règles communes (selon le contexte local : femme, dame, épouse, madame, etc.). Ainsi en va-t-il, mais un peu différemment, pour le doublet *Körper/Leib.* Le premier, toujours traduit par « corps »; le second, selon les contextes, par « corps » ou par « ventre ».

c / Lorsque le freudologue repère que la « synonymie » a été élargie par Freud, pour lui conférer (explicitement ou non) valeur de distinction conceptuelle, nous marquons systématiquement la différence; soit par l'usage coordonné de deux ou plusieurs termes français, soit, dans de rares cas sans recours, par le marquage d'un astérisque[11]. Parmi des dizaines d'exemples citons-en deux :

— *Unterschied* et *Verschiedenheit*. Le terme « marqué » par Freud est manifestement *Unterschied*; l'apogée de ce marquage est l'usage du terme pour désigner la différence des sexes, dont on sait que, selon lui, elle est définitivement *binaire*, signifiée par la présence ou l'absence du pénis. Par définition, une expression comme « *Verschiedenheit der Geschlechter* » ne saurait se trouver dans le texte freudien. Mais en réalité, ce couple *Unterschied-Verschiedenheit* parcourt toute l'œuvre, depuis des textes bien antérieurs à la théorie de la castration. Nous avons donc pris l'option de rendre toujours *Unterschied* par « différence » (ou une expression apparentée), et *Verschiedenheit* par « diversité » ou « distinction ».

— *Sexual-* et *Geschlechts- :* notamment dans les mots composés. L'usage commun voulait ici qu'on traduisît uniformément par « sexuel ». C'était là, à notre sens, abolir l'essentiel de la théorie freudienne : d'un côté l'*élargissement de la sexualité (die Sexualität - das Sexuale)* à tout un champ immense que le vulgaire considère comme non-sexuel (en général : tout ce qui n'est pas génital), d'autre part le marquage de la différence *des deux sexes*, masculin et féminin (*Geschlechtsunterschied :* « différence sexuée »), comme une opposition sans troisième terme. Pour le dire sans ambages, un terme comme *orale Geschlechtlichkeit* serait une absurdité, qui ne saurait venir sous la plume de Freud. D'où notre option : d'un côté pour la série en « sexuel », de l'autre pour les termes « sexué » ou « des sexes ».

A l'issue de ces développements (A) sur l'unicité de traduction des termes conceptuels, (B) sur les séries de termes apparentés, et (C) sur les homonymies et synonymies, une remarque capitale s'impose : il ne saurait être question, pour nous, de calquer le français sur l'allemand, et d'ignorer que les polysémies, les apparentements, les usages sont par essence différents d'une langue à

11. *Objekt :* objet; *Gegenstand :* objet*.
Sache : chose; *Ding :* chose*.
vertreten : représenter; *repräsentieren :* représenter*.

l'autre. Pour prendre une comparaison, nous sommes dans la situation d'un tapissier qui doit recouvrir, avec des rouleaux de papier peint d'une certaine largeur, un panneau de cloison dont la dimension n'est pas un multiple de celle des lés. De plus le papier peint est à motifs, exigeant aussi des « raccords » dans le sens vertical. Il serait simplement impossible, pour l'artisan, de faire fabriquer un papier aux dimensions du panneau — d'autant qu'il ne s'accorderait pas aux mesures des autres panneaux de la pièce. Tout l'art du tapissier est de faire passer les coupures et les raccordements dans les emplacements les moins visibles. De même pour le traducteur freudologue : il ne forge pas un français germanique, mais s'entend à pratiquer les ruptures du signifiant et du signifié là où elles sont le moins gênantes, dans le cas précis de l'œuvre *freudienne*. Soit les termes allemands apparentés à *Drang* et à *Druck*, pour lesquels le français dispose de plusieurs radicaux : presser, pousser, fouler... Un parallélisme absolu ne saurait être établi entre les séries : pousser, repousser, etc. *(Drang)*, et pression, répression, oppression, etc. *(Druck)*. Dans les séries elles-mêmes des nuances et glissements de sens se produisent; bref, si le *Drang des Triebes* est bien la « poussée de la pulsion », la *Verdrängung* ne saurait être traduite en « repoussement »; c'est ici que la bascule sur le radical « fouler » propose une issue convenable, avec le terme de « refoulement », depuis longtemps avalisé. Cet *art* du traducteur[12], art du compromis assurément, ne saurait être assimilé à l'acceptation d'une défaite : nous affirmons que, dans chaque cas, comme pour le tapissier, il existe une *meilleure solution possible*. Ce qui ne signifie pas que nous prétendions l'avoir toujours trouvée; mais, assurément, toujours nous y avons visé. Coupures dans les séries, coupures entre sens « conceptuel », sens « clinique » et sens « courant » nécessitent qu'on s'y affronte en gardant à l'esprit l'œuvre à la fois dans son entier et dans tous ses détails, et non pas, incorrigible myopie, le nez à quinze centimètres de la traduction « locale ».

12. Sur l'opposition entre la « tâche du traducteur » (selon l'expression de W. Benjamin) et la liberté du commentateur, voir plus loin le « post-scriptum » à l'article « angoisse » de la terminologie raisonnée.

D / Pour s'orienter dans la nébuleuse des *mots composés* freudiens, un retour à la langue d'origine et aux règles de compositions est indispensable.

a / Le premier cas, relativement simple, est celui qui ressortit plus ou moins à l'apposition. Celle-ci peut souder deux substantifs, parfois avec trait d'union, mais le plus souvent sans (*Menschentier*). Le premier des deux substantifs peut parfois être réduit à une partie de son radical, ce qui rend délicate la distinction d'avec un adjectif (*Psychoneurose* est-il *Psychose* + *Neurose* ou bien *psychische Neurose ?*). Il est en principe aisé de « coller » à l'apposition et de choisir l'ordre des mots. Le plus souvent il s'inverse, selon la règle, de l'allemand au français : *Menschentier* = « animal-homme », *Deckerinnerung* = souvenir-couverture, *der Vorstellungsanteil* = « la part-représentation » (de tel processus). Rarement l'ordre des mots français doit conserver l'ordre allemand (*Psychoneurose* = « psychonévrose »).

b / Relativement simple aussi, la détermination d'un substantif par une préposition[13] (*das Über-Ich*, « le sur-moi »; *die Unterart :* « la sous-espèce »), ou par un adjectif : c'est le cas dit des noms composés agglutinés (*Aktual-*, *Genital-*, *Ideal-*, *Partial-*, *Sexual-*, etc.). Dans certaines occurrences, cependant (par exemple dans la série des noms composés avec *Real-*) le déterminant a valeur d'adjectif *substantivé*, et le mot composé doit donc être traduit comme un composé de substantifs (*Realangst :* « angoisse de réel » et non pas « angoisse réelle »). Enfin des termes singuliers comme *Grossindividuen* semblent composés sur le modèle de *Grossvater*, et sont à traduire, dans leur particularité, en « grand-individus ».

c / La composition de deux, voire de trois[14] substantifs, offre

13. Les composés français avec non-, pour traduire les termes allemands en *un-*, méritent une remarque : le trait d'union est indispensable, même si le prétendu « bon usage » orthographique le réprouve, pour distinguer des phrases au sens aussi distinct que :

c'est un objet reconnu et non identifié, et
c'est un objet bizarre et non-identifié.

Dans le premier cas, « non » signifie « non pas » et porte sur le verbe. Dans le second cas, il inverse le sens de l'adjectif. La prononciation fait d'ailleurs la différence : pas de liaison entre « non » et « identifié » dans le premier cas, liaison dans le second.

14. Ex. : *Sacherinnerungsspur* = trace mnésique de chose.

presque une infinité de variétés, dans laquelle il peut être commode de distinguer plusieurs figures :

1 – Conjonction de deux « vrais » substantifs, le premier dans l'ordre allemand, venant en règle générale, qualifier le second, un peu comme un adjectif :

Triebanspruch : revendication pulsionnelle;
Liebesleben : vie amoureuse;

etc.

Pourtant, cette notion de « qualification » trouve vite ses limites selon les termes envisagés : *Todestrieb* n'est pas à traduire par « pulsion mortelle » mais par « pulsion de mort ».

2 – Modification d'un substantif dérivé d'un verbe (le plus souvent dérivation en *-ung*) par un autre substantif. C'est là le cas le plus fréquent. Une connaissance approfondie de l'œuvre peut permettre alors, le plus souvent, de décider si le premier substantif peut être mis en relation grammaticale avec le second lorsqu'on le reconvertit en verbe. C'est là ce qu'on peut nommer des *noms composés à lien verbal*; le premier terme peut y être

— *sujet* du verbe :

Realitätsforderung : c'est la réalité qui exige;

— complément d'objet direct du verbe :

Objektwahl : c'est l'objet qui *est* choisi;

— complément d'objet indirect du verbe :

Übertragungsneigung : l'individu penche *au* transfert.

Mais bien souvent, alors même que le second terme est dérivé d'un verbe, la *relation* entre les deux termes n'est pas verbale, mais qualificative. Ainsi, dans *Vorwurfshandlung* (« action à reproche »), *Handlung* ne saurait être reconverti en verbe (agir) composant, avec *Vorwurf* (reproche), un syntagme verbal.

3 – Enfin, et pour compliquer les choses, Freud ne s'astreint pas, pour un même déterminé, au même type de liaison avec son déterminant. Ainsi pour *Schranke* (barrière) : *Inzestschranke* est la

barrière opposée *à* l'inceste, tandis que *Ekelschranke* est la barrière opposée *par* le dégoût. Dans certains cas l'ambiguïté joue même pour un seul et unique mot composé, dont les deux termes sont identiques alors que le lien implicite est différent : dans le terme *Angstbereitschaft*, *Angst* est tantôt *ce à quoi* on se prépare (« apprêtement à l'angoisse ») tantôt *ce qui* permet de se tenir prêt au danger (« apprêtement d'angoisse » ou « apprêtement par l'angoisse »).

C'est dire que le terminologiste devra obéir à un double souci : repérer avec précision *la* ou, le plus souvent, *les* relations existant entre les deux termes, mais, d'autre part, opter pour une traduction qui sauvegarde la valeur polysémique et parfois ambiguë du lien de composition. Son choix ira donc, selon les cas :

— à la forme *adjectivale* :

Triebstörung : trouble pulsionnel;

— à la conjonction *de*, qui sera le plus souvent employée sous la forme *indéfinie* :

Todestrieb = pulsion de mort;

parfois sous la forme définie :

Lebenserhaltung : conservation de la vie,
Vatermord : meurtre du père;

— à la conjonction *à*, fort utile dans nombre de cas :

Zielhandlung : « action à but »;

— à d'autres types de conjonctions ou de locutions conjonctives, si nécessaire :

Vatersehnsucht : « désirance pour le père »;
Vaterverliebtheit : « état amoureux envers le père ».

Terminons sur ceci : la conjonction *de*, sous sa forme *indéfinie*, recouvre un très grand nombre de cas si l'on veut bien tenir compte de sa polysémie, puisqu'elle peut traduire (tout comme le mot composé allemand) les rapports les plus variés : appartenance, qualité, matière, espèce, provenance, etc. Elle sera donc très souvent préférée à tout autre lien qui substituerait l'interprétation, fût-elle plausible, à la traduction[15].

4 – Autre point connexe, la traduction des mots composés pose la question de leur *accord* avec un verbe ou un adjectif, cet accord devant être compris par le lecteur comme rapporté au terme principal, déterminé (le second dans l'ordre en allemand, le premier en français). A vrai dire, le problème est souvent plus artificiel que réel. Le français sait parfaitement comment se fait cet accord, notamment avec la préposition « de » : la « fraise de culture savoureuse » n'a jamais laissé croire à quiconque que c'est la « culture » qui devait être « dégustée ». La question ne se pose que dans d'assez rares occurrences, notamment, quand la conjonction inclut l'article défini, et lorsque ni le genre ni le nombre ne permettent de trancher. Dans ce petit nombre de cas, un point opportunément placé invite le lecteur à lire d'une traite le mot composé : « le contenu·du·rêve manifeste » (c'est le contenu qui est manifeste, non le rêve). Nous préservons ainsi l'unité du concept : « contenu·du·rêve ».

E / Quelques mots pour expliquer, d'une façon générale, notre emploi de *néologismes*, qui seront, dans chaque cas particulier, justifiés dans notre « terminologie raisonnée ». Le plus souvent, il ne s'agit de notre part que d'*usages* néologisants et/ou archaïsants, et non de créations absolues. Il est rare qu'un des termes que nous proposons ainsi ne trouve son antécédent dans un inventaire plus ou moins ancien de notre langue. Parfois nous rénovons le sens ou la polysémie ancienne d'un mot, pour l'élargir à l'usage freudien (*Erfolg* — « succès »), parfois nous croyons inventer un vocable mais nous n'avons fait que le retrouver, en lui donnant un sens à peine élargi : le joli terme de « passagèreté » désignait, chez Buffon, l'action des oiseaux qui passent d'un pays dans un autre. Parfois nous osons une dérivation à partir d'un adjectif, d'un verbe ou d'un autre substantif, ce qui n'a rien de contraire aux lois de notre langue : « sur-net », « conscienscialité », « l'aimer et le haïr », etc. De même, la composition de termes avec le pré-

15. Le débat fastidieux sur la *Vorstellungsrepräsentanz* prend une autre dimension, non plus grammaticale mais théorique, si l'on traduit, comme il convient, par « représentance de représentation », et non par : « représentance de *la* représentation ».

fixe « rétro » (qui rend exactement l'allemand *zurück-*) est constamment admise, et la langue française s'est enrichie, sans que nul n'en prenne ombrage, de « rétropédaler » (1907), « rétroviseur » (1920), « rétrofusée » (1960), « rétroprojecteur » (1967). Nous ne voyons donc pas pourquoi notre « rétrofantasier » ferait scandale.

Parfois enfin, bien rarement, nous créons vraiment un mot, lorsqu'il nous paraît que sa place est d'avance marquée, indispensable. Mais, dans ce cas, nous ne procédons jamais par implantation d'un terme étranger (allemand : le *Dasein* des heideggeriens; grec : la *cathexis* chère à Strachey, etc.), toujours par une dérivation qui nous semble conforme au génie de notre langue. A ceux qui critiqueront notre « désaide »[16], avant de l'adopter, nous rappellerons le « désêtre » de Lacan et nous conseillerons la lecture de Gide, si inventif, notamment dans son *Journal* : « Je n'eusse pas désécrit de toute la journée... », « Il s'est fait beau pour ce revoir... », « ... cette affreuse vieillissure », etc.

Toute langue s'enrichit et s'assouplit. Ne croyons pas que les seuls fauteurs en soient les artistes, les poètes ou les savants : le responsable majeur de cet enrichissement est le choc et la confrontation des langues, et les principaux artisans en sont les traducteurs. L'un d'entre nous a exhumé un exemple extraordinaire. Il s'agit de la préface à la 2e édition de la traduction française de Darwin : *De l'origine des espèces*. La traductrice s'y lamente d'avoir dû adopter, malgré ses scrupules, l'affreux néologisme... « sélection ». « En abandonnant le mot élection (écrit-elle) nous avons fait, nous l'avouons, à l'opinion du grand nombre, un sacrifice au sujet duquel notre conscience n'est pas très tranquille. »

L'innovation terminologique a pris de nos jours un essor démultiplié par l'évolution culturelle mondiale. Nous ne visons pas ici les termes adoptés, sans règle ni nécessité, d'une langue étrangère (le trop fameux : franglais), mais les innovations techniques, scientifiques, philosophiques imposées par notre temps. Un exemple en serait la traduction française des philosophes allemands, de Hegel à Heidegger. L'attention au langage, à ses

16. Parfaitement en accord avec le verbe *désaidier* de l'ancien français. Le cavalier désaidié est celui qui, ayant perdu ses aides (selle, rênes, étriers, etc.), est désarçonné.

résonances cachées, à ses étymologies, à ses résurgences, est un phénomène moderne, dans lequel la psychanalyse elle-même a joué un rôle fondamental.

Que le traducteur de Freud n'ait donc pas honte, à l'opposé de la traductrice de Darwin, et qu'il s'arme de détermination et de hardiesse. La langue française s'est déjà enrichie, par la psychanalyse, de nombreux néologismes ou surtout d'usages néologisants : ça, surmoi, pulsion, étayage, etc. Le seul test pour la qualité de ces novations est leur caractère nécessaire et leur capacité à s'insérer dans notre tissu linguistique. L'innovation terminologique proposée hardiment et à bon escient, maintenue avec persévérance, est une des opérations majeures de la traduction. On ne saurait mieux la comparer qu'à ces nids artificiels, mais suffisamment bien agencés, destinés à fournir un point d'appel, à être réhabités par tel oiseau migrateur, telle cigogne qui avait déserté nos contrées. Si le néologisme est réussi, il constitue un appel de sens, il sera habité par les sens que lui apporteront les contextes multiples et les multiples lecteurs. Ainsi en fut-il pour la « *pulsion* », qui était jadis un terme didactique, réservé au seul domaine de la physique newtonienne. Son usage psychologique, imposé par les traductions de Freud, l'a rendu désormais indispensable non seulement dans la psychanalyse mais dans le français de tous les jours[17].

Néologisme et usage néologisant sont des facteurs essentiels dans la fonction anasémique que nous reconnaissons à la traduction (cf. plus haut, p. 46). Soyons cependant sans illusions, une nouvelle entropie du sens, ce qu'on pourrait dénommer une « catasémie », se remettra bientôt à l'œuvre sur cette terminologie seconde, dès qu'elle sera passée dans l'usage français.

17. Starobinski a bien décrit une néologisation en deux temps, à propos du terme « civilisation » : celui-ci fut d'abord créé (avant 1743) avec l'acception purement juridique de « rendre civil un procès criminel ». C'est en 1756 que le marquis de Mirabeau (« l'ami des hommes ») lui donne le sens que nous connaissons : « La formation néologique du signifiant est un moment important. L'apparition un peu plus tardive du même mot, au sens *moderne* du terme, constituera moins un néologisme lexical que l'entrée en scène d'un signifié concurrent, bientôt triomphant » (« Le mot Civilisation », in *Le temps de la réflexion*, 1983, nº IV, p. 14). On ne saurait mieux décrire ce que nous nommons « habitation » du néologisme par le sens. Le sens nouveau n'est pas toujours comparable à la cigogne de notre apologue : c'est parfois le coucou, délogeant le précédent habitant.

V
LA MISE EN ŒUVRE

Les conditions préalables

La réalisation de notre projet a exigé que soient remplies un certain nombre de conditions qui ne furent pas sans soulever quelques difficultés.

Nous passons sous silence les problèmes d'ordre administratif, juridique et financier, dont la résolution incomba au seul éditeur resté en course, les Presses Universitaires de France.

Comme il était hors de question qu'un seul homme assumât toutes les tâches, il fallut constituer un dispositif capable de donner aux *Œuvres complètes de Freud* en français toute l'homogénéité et la cohérence nécessaires, tant du point de vue du style que de celui de la terminologie.

Pour ce faire, il fallait en outre que fussent réunies, en plusieurs personnes mais aussi, souvent, en une seule, la triple compétence indispensable, c'est-à-dire une connaissance approfondie de l'œuvre freudienne dans son ensemble, de la langue allemande, et enfin de la langue française avec ses ressources comme avec ses impératifs.

Tous ceux qui participeraient au projet avaient en commun la même admiration pour l'œuvre et la pensée de Freud, et se sont mis d'accord sur une terminologie et des principes de traduction identiques.

La réalisation pratique

L'organisation nécessaire fut progressivement mise en place en 1983-1984. Elle comprend trois niveaux, étroitement solidaires entre eux : équipe éditoriale, commission terminologique, équipes de traduction.

L'équipe éditoriale comprend six membres et est dirigée par

André Bourguignon et Pierre Cotet. André Bourguignon, venu des neurosciences et de la psychiatrie, s'attache notamment à l'architecture du projet et à la conception de chaque volume. Pierre Cotet, venu de la germanistique et de l'enseignement, est l'interlocuteur privilégié des traducteurs et le régulateur de leurs travaux. Ils ont participé dès 1963 au séminaire de traduction de Jean Laplanche. Tous deux ont, associés à divers amis, publié des textes de Freud antérieurement aux *OCF.P*, chez Payot en 1981, aux Presses Universitaires de France en 1984 et 1985, chez Gallimard en 1985 et 1987. Jean Laplanche assure les fonctions de directeur scientifique et de responsable de la terminologie, apportant sa longue expérience de traducteur de Freud (*Pour introduire le narcissisme*, 1957) et de spécialiste de la conceptualité freudienne (*Vocabulaire de la psychanalyse*, avec J.-B. Pontalis, 1967). François Robert assure un rôle fondamental dans l'élaboration lexicographique. Janine Altounian harmonise l'ensemble du travail, tout au long de sa genèse et jusqu'à son achèvement. Alain Rauzy se consacre aux notices, notes et variantes. Mais par la force des choses chacun contribue au travail de tous, et toutes les grandes décisions sont prises en commun.

Parmi celles-ci, la première concernait le *corpus* qui ferait l'objet d'une traduction, ainsi que l'ordre et les modalités de sa présentation. Nous avons donc choisi de distinguer les œuvres psychanalytiques des neurologiques, même si ces dernières, comme *Sur la conception des aphasies*, ne sont pas sans intérêt pour les psychanalystes. Il n'est d'ailleurs pas exclu qu'un jour les Presses Universitaires de France publient, en une autre série, les œuvres neurologiques.

En ce qui concerne le contenu, nous étions en présence de trois collections des œuvres de Freud, notablement différentes, une anglaise et deux allemandes.

La *Standard Edition* est l'édition critique indispensable. Déjà ancienne, cependant, elle ne contient pas tous les textes de Freud, car certains ont été retrouvés depuis la parution du volume XXIII (1964). D'autre part, Strachey a classé les textes selon un ordre mixte, le plus souvent chronologique, et parfois thématique; mais l'ordre chronologique qu'il a adopté est celui de la publication, alors que, pour quelques textes, celle-ci est intervenue plusieurs années après la rédaction.

Les *Gesammelte Werke*, publiées entre 1940 et 1950, donc encore plus anciennes, ont été heureusement complétées en 1987 par un volumineux *Nachtragsband* dont le texte a été minutieusement établi et annoté par Angela Richards et Ilse Grubrich-Simitis. Ce tome complémentaire contient des textes allant de 1885 à 1938, dont certains ne figurent pas dans la *SE*. Dans les *GW*, les œuvres sont classées dans un ordre moins strictement chronologique que dans la *SE*. Enfin, le texte des *GW* est parfois fautif et aucune variante n'est indiquée.

La *Studienausgabe* est, pour l'exactitude du texte, supérieure aux *GW*. Mais les œuvres y sont classées selon un ordre thématique, et surtout cette édition ne donne pas l'ensemble du corpus actuellement connu.

Compte tenu de ces faits, nous avons adopté pour les *Œuvres complètes de Freud — Psychanalyse (OCF.P)* les principes suivants :

- — tous les textes sont classés par ordre de rédaction — quand est connue la date de celle-ci — et non par ordre de publication;
- — tous les textes recensés et publiés en allemand, y compris tous ceux du *Nachtragsband*, sont traduits;
- — pour les lettres, nous ne publions que celles parues du vivant de Freud. Les lettres à Fließ, par exemple, et leurs annexes feront l'objet d'une édition séparée;
- — quelques textes, absents des éditions anglaise et allemandes, sont présents dans les *OCF.P*, telles les lettres à André Breton entre autres.

La *présentation* des textes s'abstient volontairement de tout commentaire. Les notices introductrices sont réduites au minimum indispensable : conditions d'écriture et de parution, mention des éditions principales, surtout dans la mesure où elles comportent des variantes. L'édition est présentée de façon à donner clairement les différentes strates du texte, notamment lorsque celui-ci a été profondément remanié *(Trois traités, Interprétation du rêve)*.

Tout comme les notices, les *notes* sont réduites au minimum, et ne comprennent, volontairement, aucun commentaire de fond, rapprochement des textes, historique des concepts, etc. De ce point de vue, les introductions et notes de la *Standard Edition* demeurent un instrument indispensable, mais il n'était pas question de les retraduire, encore moins d'en entreprendre la nécessaire révision. Nos notes ont donc des objectifs bien limités : indiquer les variantes des diverses éditions; donner, de la façon la plus complète possible, les références aux textes et passages d'autres auteurs, auxquels Freud fait allusion; traduire les citations données par Freud dans une autre langue que l'allemand; justifier, exceptionnellement, une traduction non conforme à nos options; marquer (rarement), par un *sic*, que notre traduction suit à la lettre telle étrangeté du texte freudien; enfin, *last but not least*, donner les explications nécessaires pour les allusions à des expressions allemandes idiomatiques et surtout pour les jeux, associations et commentaires sur les mots allemands. Sur ce dernier point, nous nous sommes expliqués plus haut quant à cette limite *objective* de la traduction, particulièrement sensible dans *Le trait d'esprit*, *L'interprétation du rêve*, *L'inquiétant*, etc.

L'élaboration de la terminologie proposait une tâche dont nous ne mesurions pas, au départ, toute l'ampleur. Rappelons que la *Commission pour l'unification du vocabulaire psychanalytique français* ne s'était réunie que quatre fois, entre mai 1927 et juillet 1928, et n'avait, à vrai dire, fourni qu'un bien mince travail. Depuis ce temps, le *Vocabulaire de la psychanalyse* de Laplanche et Pontalis (1967) avait beaucoup fait progresser notre compréhension des termes techniques de la psychanalyse, ceux de Freud avant tout, mais pas uniquement. C'est ainsi que plus de 400 termes fondamentaux avaient été recensés, définis et commentés d'un triple point de vue historique, structural et problématique. Mais ce travail était à compléter, car à côté de concepts majeurs le lexique freudien est riche de notions importantes : il était à réexaminer sur de nombreux points car l'étude critique du corpus freudien avait beaucoup progressé en vingt ans; enfin et surtout, il était à reprendre dans un tout autre esprit : malgré l'inévitable intrication entre l'œuvre freudienne fondatrice et la terminologie *des psychanalystes*, nous avons tenu à réinstaurer une différence radicale. La terminologie psychanalytique est insérée dans une *pratique* (clinique, psychiatrique, théorique) et il n'est pas question ici de légiférer pour elle, ni de l'infléchir : notre terminologie entend revenir à la source freudienne, *avant* les multiples destins dont elle fut le point de départ. La « névrose obsessionnelle » restera la dénomination psychanalytique et psychiatrique dominante, même si nous affirmons que la catégorie freudienne prévalente c'est la « contrainte » psychique.

Le *Vocabulaire de la psychanalyse* n'est *pas* une terminologie à l'usage des traducteurs, et c'est celle-ci qu'il convenait d'élaborer. Une base modeste avait été préparée par Jean Laplanche, dans les années 60, avec un fichier terminologique d'environ 300 termes supplémentaires. On était loin de l'ampleur du travail actuel.

En mars 1984, une *commission de terminologie* fut mise en place par Jean Laplanche, dont le noyau permanent était constitué des six membres de l'équipe éditoriale. Elle fonctionna régulièrement jusqu'à la fin de 1987 et, de façon intermittente, en fonction de l'avancement du travail de traduction, jusqu'à la parution du tome XIII. D'autres membres lui furent associés : Bertrand Vichyn qui ne fit que de rares apparitions, Maurice Dayan qui participa aux premières séances, et surtout Denis Messier qui fut d'une aide particulièrement précieuse.

La commission travailla sur la base des recherches lexicographiques de François Robert, qui est coresponsable de la terminologie. Il recensait, puis comparait les occurrences des principaux termes à travers l'ensemble des textes freudiens ainsi que dans les traductions existantes. Ce travail préliminaire était en effet indispensable à la discussion. Chaque option terminologique faisait l'objet de libres débats où les points de vue linguistique et freudologique étaient confrontés. Dans l'immense majorité des cas, l'accord général était aisément réalisé; mais il arriva que Laplanche soit obligé de trancher quand aucun accord ne paraissait possible. Ces discussions avaient le mérite de révéler la diversité des sensibilités lexicales des participants. Des dictionnaires de la langue française (Robert, Littré...), de la langue allemande (Duden, Grimm, Wahrig...) ou des dictionnaires bilingues (Berteaux-Lepointe, Birmann, Sachs-Villatte...) fournissaient généralement des références suffisantes. Mais il arriva qu'il fût nécessaire de consulter de plus vastes ouvrages à la Bibliothèque nationale ou... des experts de France et d'outre-Rhin.

En fait, il apparut bientôt que le concept de « terminologie » était bien trop étroit. Les termes saillants de Freud, son élaboration conceptuelle explicite, sont partie intégrante d'un véritable mycelium lexicographique, bien plus vaste, que F. Robert s'est attaché à suivre dans toutes ses ramifications. Telles objections qui ne manqueront pas de nous être faites, à propos de telle option particulière, courront le risque de tomber à faux si elles ne prennent en compte que la correspondance ponctuelle, terme allemand - terme français, et non pas ce tissu complexe, fait de termes apparentés selon la racine, apparentés selon le sens, antonymes, etc. De cette vue d'ensemble du code linguistique freudien, le « glossaire » du présent volume, appuyé sur notre « terminologie raisonnée » veut donner l'idée. Mais, en fait, c'est seulement une petite partie du recensement de l'usage freudien de la langue qui est ici présentée par son auteur F. Robert.

Equipes de traduction, travail de traduction

Tandis que se poursuivait le travail terminologique, Pierre Cotet constituait des équipes de traducteurs (4, 3, 2, exceptionnellement une seule personne), avec l'impératif que s'y trouvent réunies les « trois compétences » : connaissance de l'allemand, de la langue littéraire et scientifique française — et de Freud.

Lors d'une première réunion des traducteurs en novembre 1984, Laplanche et Cotet firent part de nos positions et proposèrent d'en discuter. La plupart se rallièrent à nos points de vue, mais certains préférèrent ne pas nous suivre.

Ceux qui s'engagèrent dans l'entreprise reçurent en 1985 les documents de travail indispensables, à savoir les directives de traduction et de présentation des manuscrits, les *Richtlinien* rédigées par Cotet.

En 1986 et 1987 les résultats du travail lexicographique de

Robert et les conclusions de la commission de terminologie dirigée par Laplanche se concrétisèrent sous la forme d'un glossaire allemand-français réalisé par Robert, qui fut envoyé aux traducteurs. Il comprenait déjà plus de 5 000 mots.

Lors d'une nouvelle assemblée générale, en mars 1987, les traducteurs furent invités à nous faire part de leurs critiques et de leurs suggestions. Ainsi s'établit entre les traducteurs et l'équipe éditoriale la cohérence nécessaire à l'unité de l'entreprise.

Très rapidement notre glossaire diffusa hors de notre groupe et fut en partie adopté par les traducteurs de Gallimard, avant même que parût le tome XIII des *OCF.P.* Nous interprétons ce fait comme une reconnaissance tacite du bien-fondé de nos options. Reste que notre édition, soulignons-le encore, ne se réduit pas à telle innovation ponctuelle, mais entend proposer une version unitaire, au plus près de la terminologie et de l'expression freudiennes. Elle se distingue par là de toutes les traductions françaises antérieures ou présentes, dont l'ensemble constitue un véritable patchwork, le style de chaque traducteur gardant sa prééminence par rapport au style freudien.

Pour parvenir à une telle unité, un mouvement incessant de va-et-vient est indispensable. Il s'est instauré entre les membres de l'équipe éditoriale, dont Janine Altounian est devenue comme la mémoire. Il se réalise dans le *feed-back* entre l'équipe éditoriale et les équipes de traducteurs, celles-ci comprenant d'ailleurs, souvent, des membres de l'équipe éditoriale; *feed-back terminologique*, le glossaire ne se contentant pas de proposer des directives générales, mais enregistrant, après discussions, les objections, exceptions, innovations des traducteurs, aux fins de les intégrer et d'en faire profiter les autres équipes; *feed-back dans la révision des traductions :* celles-ci sont relues (et plus d'une fois!) au sein de l'équipe éditoriale, les points litigieux importants se trouvant ensuite rediscutés avec l'équipe de traduction. A chaque fois, il s'agit non pas d'imposer des choix arbitraires, mais de convaincre en fonction d'une vue d'ensemble clairement dégagée. Des traducteurs participent d'ailleurs régulièrement, à titre individuel ou comme représentant de leur groupe, aux activités de traduction et de relecture des membres des équipes éditoriale et directoriale.

Notre table de travail, accueillante dès les lointains débuts de l'entreprise, est souvent et, nous l'espérons bien, restera table ronde.

Aujourd'hui, après plus de cinq années de travail, s'est constitué, sous la responsabilité des trois directeurs, une sorte de « Strachey collectif ». Les contributions de chacun sont devenues indiscernables, le multiple est devenu un et les parties se sont agrégées en un tout cohérent. Cette lente maturation d'un corps homogène, alors que l'hétérogénéité initiale faisait craindre qu'il ne vît jamais le jour, se poursuit dans un respect mutuel et par auto-organisation progressive, réalisant l'unité d'un organisme complexe et performant.

Soulignons que ces objectifs n'ont pu être atteints que parce que l'éditeur nous a accordé, en même temps qu'une totale liberté d'action, une aide et une confiance sans limites, alors que tout un passé de tentatives avortées pouvait susciter la méfiance, et que nos exigences scientifiques rendaient aléatoire le temps de la réalisation.

Conclusion

L'œuvre de pensée, l'œuvre freudienne, est mouvement, développement, progrès vers une conceptualisation toujours mieux différenciée. Dire que la traduction s'adapte à ce mouvement et tente de le restituer, c'est trop peu : toute véritable traduction n'est pas seulement « à l'épreuve » de cet « étranger » qu'est l'œuvre, elle met, réciproquement, l'œuvre à l'épreuve de cet étranger qu'est l'expérience de la traduction elle-même. Ce qui est latent dans l'œuvre, seul l'étranger peut le découvrir, seul le passage dans une langue étrangère parachève le développement de l'œuvre.

En ce sens, et comme le veut Benjamin, une traduction peut devenir un *moment* de la vie de l'œuvre elle-même...

ARTICLES COMPLÉMENTAIRES

ALTOUNIAN Janine, 1983, Traduire Freud ? III – Singularité d'une écriture, *Revue française de Psychanalyse*, XLVII, 6, p. 1297-1327.

BOURGUIGNON André et Odile, 1983, Traduire Freud ? I – Singularité d'une histoire, *Revue française de Psychanalyse*, XLVII, 6, p. 1259-1279.

COTET Pierre et RAUZY Alain, 1983, Traduire Freud ? II – Singularité d'une langue, *Revue française de Psychanalyse*, XLVII, 6, p. 1281-1295.

LAPLANCHE Jean, 1984, Clinique de la traduction freudienne, *L'écrit du temps*, 7, p. 5-14.

LAPLANCHE Jean, 1988, Le mur et l'arcade, *Nouvelle Revue de Psychanalyse*, 37 (printemps), p. 95-110.

LAPLANCHE Jean, 1988, Spécificité des problèmes terminologiques dans la traduction de Freud, *Psychanalyse à l'Université*, *13* (51, juillet), p. 405-412. Communication au Congrès international de Psychanalyse, Montréal, 1987.

Deuxième Partie

TERMINOLOGIE RAISONNÉE

PAR

JEAN LAPLANCHE

On trouvera ici l'explication de nos choix terminologiques majeurs. Ces options n'étant pas ponctuelles, mais tenant compte du réseau complexe des continuités et des différences marquées dans la langue de Freud, c'est toujours un groupe de termes qui est pris en considération. Le mot qui vient en tête est généralement le mot principal du groupe. C'est sa traduction française qui est prise en compte pour la classification alphabétique.

Nous ne donnons pas une table des matières séparée, car les entrées de la « terminologie raisonnée » se retrouvent dans le « glossaire » de la troisième partie. A partir d'un mot allemand ou français du « glossaire », le lecteur retrouvera aisément le terme français qui sert d'entrée dans la « terminologie raisonnée » : ce terme est marqué d'une étoile *. *Cette complémentarité explique aussi que la « terminologie raisonnée » ne donne pas la totalité des mots « apparentés selon la racine ou le sens » qui sont mentionnés dans le glossaire, mais seulement ceux qui sont importants pour notre « raisonnement ».*

*Ajoutons enfin que notre discussion ne reprend pas la justification de termes dont la traduction est désormais admise (*moi, ça, étayage, pulsion, motion, *etc.). Le lecteur pourra, à leur propos, se référer aux commentaires du* Vocabulaire de la psychanalyse *(J. Laplanche et J.-B. Pontalis, sous la direction de D. Lagache, Paris, PUF,* 1967*). En revanche, pour des termes importants sur lesquels l'option de cet ouvrage n'a pas été retenue, nous donnons les raisons de cette divergence.*

AME

Seele	âme
Seelen-	d'âme
seelisch	animique
Psyche	psyché
psychisch	psychique

Nous n'ignorons pas que Freud lui-même a donné le mot allemand *Seele* comme la « traduction » du terme tiré du grec *Psyche.* Mais c'est précisément cette traduction dans une langue « vivante » pour le lecteur qu'il nous paraît important de maintenir dans le texte français, sans recouvrir *die Seele*, avec toutes ses connotations populaires et religieuses, voire superstitieuses, par un terme abstrait et d'allure plus scientifique, parce que dérivé de la « langue morte » (« le psychisme »). Précisons encore que *Seele* n'est ni plus ni moins romantique ou mystique, ou philosophique, ou religieux que ne l'est le mot « âme » en français, depuis Descartes et ses « esprits animaux » jusqu'à « l'âme des poètes » de Ch. Trenet. Si un terme comme « appareil d'âme » résonne curieusement en français, il n'est pas plus étrange que *Seelenapparat.*

D'autre part, dans la théorie, c'est cette unité du terme « âme » qui est le fil conducteur permettant à Freud de montrer comment les « processus d'âme » conscients et inconscients se trouvent projetés en une représentation « métaphysique » de l'âme, et de proposer à la psychanalyse la tâche inverse de « transposer la métaphysique en métapsychologie » ou de « replacer dans l'âme humaine ce que l'animisme enseigne sur la nature des choses » (*GW*, IX, 112; *OCF.P*, XI).

Cette distinction entre *die Seele* et *die Psyche*, étendue à *seelisch (das Seelische)* et *psychisch (das Psychische)*, nous conduit à rétablir l'usage de l'adjectif « animique ». [*Grand Robert :* « Animique, adj. (du latin *anima*, âme). De l'âme, qui a rapport à l'âme. »] Quelle que soit l'interprétation qu'on peut donner de l'emploi alterné de *psychisch* et *seelisch* chez Freud, le lecteur pourra repérer, grâce à notre traduction, que ces termes entrent dans des oppositions et conjonctions différentes :

— oppositions : *seelisch* est opposé le plus souvent à *körperlich* ou *leiblich*; *psychisch* à *physisch* ou *materiell*;
— conjonctions : on trouvera que *psychisch* qualifie plus volontiers des termes comme *Instanz*, *System*, *Organisation*, *Topik*, *Material*, *Repräsentant* ou *Vertretung*, et de façon quasi exclusive *Energie*, *Realität* ou *Trauma*, tandis que *seelisch* qualifie le plus souvent *Akt*, *Leben*, *Phänomen*, *Regung*, *Tätigkeit*, *Vorgang* ou *Zustand*.

Certes, les Strachey avaient déjà tenté de marquer la différence en choisissant de traduire systématiquement *die Seele* par « the mind », *Seelen-* et *seelisch* par « mental ». Cette option délibérément intellectualiste, qui défigurait le signifiant *Seele*, ne pouvait qu'être récusée. De même devait être écartée l'utilisation de l'adjectif « mental », en français, pour traduire, par exemple, *Geisteskrankheit* ou *Geistestörung* (maladie « mentale », trouble « mental »), puisque, dans ce cas, c'est le signifiant *Geist* qui se trouve tout aussi sûrement occulté.

Refuser de traduire *Seele* par « âme » ou *Geist* par « esprit », c'est s'interdire de donner à entendre ce que Freud énonce lorsqu'il écrit *das Geistes- und Seelenleben*, « la vie d'esprit et d'âme » (*GW*, X, 337; *OCF.P*, XIII, 139) ou *die Geistes- oder Seelenstörung*, « le trouble de l'esprit ou de l'âme » (*GW*, X, 324; *OCF.P*, XIII, 127).

Sur ce point comme sur beaucoup d'autres on lira avec profit le livre de Bettelheim : *Freud et l'âme humaine*, Paris, Robert Laffont, 1984 (traduit de l'américain par Robert Henry).

ANGOISSE

Angst	angoisse
Ängstlichkeit	anxiété
Furcht	peur
Befürchtung	appréhension
Schreck	effroi
Scheu	crainte
Grauen	horreur
Grausen	horreur
Entsetzen	épouvante

La difficulté majeure porte sur la traduction du mot *Angst* dont on sait que, dans la langue courante, il est employé souvent pour *Furcht* (peur). Malgré toutes les objections, nous refusons de distinguer un sens technique et un sens non technique, ou une pluralité de sens. *Angst* fait concept chez Freud, qui a d'ailleurs commenté à plusieurs reprises la différence qu'il convenait d'établir entre *Angst* et *Furcht* (*GW*, VII, 261-262; XIV, 197-198) et entre *Angst*, *Furcht* et *Schreck* (*GW*, XI, 410; XIII, 10). Il va jusqu'à dire (*GW*, XIV, 197-198) : « L'angoisse [*Angst*] a une relation non méconnaissable avec l'attente; elle est angoisse devant quelque chose. Il s'y attache un caractère d'indétermination et d'absence d'objet; l'usage de la langue correct change même son nom, quand elle a trouvé un objet, et le remplace alors par *Furcht* [peur]. »

Passage capital puisqu'il montre que le sentiment d'impropriété devant certains usages de *Angst* n'est pas l'effet de sa traduction française par « angoisse » mais est intrinsèque à l'usage de l'allemand, du moins tel qu'il est perçu par Freud. Dès lors, comment se comporter à l'égard des passages si nombreux où Freud emploie *Angst* en relation avec un objet déterminé : *Angst vor dem Pferde*, par exemple, dans la phobie du petit Hans ? Faut-il supposer qu'il « aurait dû » alors remplacer *Angst* par *Furcht* (ou, en l'occurrence, par le verbe *sich fürchten vor*) ? De quel droit le corrigerionsnous, en français, s'il ne l'a pas fait en allemand, alors qu'il a explicitement soulevé l'hypothèse d'un tel « remplacement » ?

Mais il est un argument de fond, plus décisif, car ce maintien de « angoisse » là où l'on attendrait « peur » revêt une signification capitale en psychanalyse : la « peur de » tel objet, chez le phobique, est, comme le fait entendre l'explication de Freud, « angoisse devant » cet objet, en raison de l'*attente* d'une menace indéterminée que cet objet précis ne fait qu'annoncer.

Nous traduisons donc toujours *Angst* par angoisse et, selon ses deux constructions possibles :

— en mot composé; *Wolfangst :* angoisse du loup;
— avec la préposition *vor*; *Angst vor dem Wolfe :* angoisse devant le loup.

La mise en place des équivalents, pour les termes apparentés, se fait avec une relative aisance, une fois admise la position, en pivot, de l'angoisse.

Post-scriptum :

Le problème soulevé ci-dessus (exemple entre mille) illustre le fait que la tâche du traducteur, face à la terminologie, ne saurait participer de la liberté d'expression du commentateur, averti (comme il se doit) *et* des nuances de la langue allemande *et* de la façon dont Freud « habite » celle-ci. L'auteur de ces lignes ne peut mieux faire ici que renvoyer à son ouvrage sur « L'angoisse »[1], et notamment aux pages 49 à 71. Il y montre avec précision d'une part que le terme *Angst* se situe « entre peur et angoisse », d'autre part que toute la dialectique de la pensée freudienne consiste à montrer comment « la peur est lourde d'angoisse; l'angoisse se lie en peur ». Mais si nous avons pu donner à la première partie du livre cité le titre *L' « Angst » dans la névrose*, il s'agit là précisément d'une « non-traduction », valable seulement dans un commentaire personnel.

1. *Problématiques I : L'angoisse*, Paris, PUF, 1980 (enseignement de 1973).

Depuis plus de vingt ans que, dans nos ouvrages, nous discutons et mettons « au travail » les textes de Freud, nous ne nous sentons pas moins à même que tant d'autres de commenter pertinemment les résonances et les ambiguïtés de la langue freudienne et de nous extasier devant son caractère « fragile » et « intraduisible ».

Nous regrettons seulement que tant de commentaires portant sur les « mots » de Freud ou sur sa « langue » soient, le plus souvent, peu avertis d'un troisième élément non moins essentiel : sa *pensée*.

APPRÊTEMENT

Bereitschaft	apprêtement
Vorbereitung	préparation

Cette traduction s'est imposée pour rendre compte de ce que Freud désigne notamment comme : *Angstbereitschaft*. Dans ce mot composé, le sens de la copule varie, selon que le sujet est préparé par l'angoisse (à un danger) : c'est l' « apprêtement par l'angoisse », ou disposé à l'angoisse : « apprêtement à l'angoisse ». Le terme « apprêtement » nous est apparu apte à ces deux constructions françaises, qui sont, en fait, des explicitations du terme ambigu créé par Freud.

On trouvera plus en détail, dans le glossaire, les différentes occurrences et constructions de *Bereitschaft*.

APRÈS-COUP

nachträglich (adj, adv)	après-coup
Nachträglichkeit	effet d'après-coup

Il revient à Lacan d'avoir rendu toute son importance à ce concept forgé par Freud dès l'époque de la théorie de la séduction, et maintenu par lui tout au long de son œuvre.

Notre seule innovation, pour cette traduction, c'est d'avoir rendu le substantif (dérivé de l'adjectif avec le suffixe *-keit*), par le terme « effet d'après-coup » (et non pas « effet après-coup »[1] qui, tout comme l'anglais *deffered action*, ferait croire à un simple retard dans l'action exercée par le passé sur le présent, alors que « l'effet d'après-coup » s'exerce aussi selon le vecteur inverse : du présent vers le passé).

1. « Effet après-coup » serait plutôt la traduction de : *nachträgliche Wirkung*.

CHOSE

Ding	chose*
Sache	chose

Les résonances fort différentes de ces deux termes allemands :

Sache : « chose », cause (notamment juridique), affaire, sujet, etc.;
Ding : « chose », au sens le plus matériel et concret du terme (cf. Kant : *Das Ding an sich*, « la chose en soi »)

ainsi que le sort réservé par Lacan et ses disciples au second de ces mots (qu'ils utilisent en allemand dans les textes français : « *Das Ding* »), nous ont amenés à différencier celui-ci par un astérisque, du moins dans les usages métapsychologiques.

CONSCIENCE

Bewußtsein	conscience
bewußtseinsfähig	capable de conscience
Bewußtmachen (das)	rendre conscient (le fait de)
Bewußtwerden (das)	devenir-conscient (le)
Bewußtheit	consciencialité

Au début de « Le moi et le ça », Freud a explicitement rapporté le terme *Bewußtsein* à sa composition *bewußt sein* : être conscient. Il y voit une raison pour affirmer que ce terme est « tout d'abord purement descriptif ».

Il pouvait donc être tentant de traduire systématiquement *das Bewußtsein* par « l'être-conscient », à côté du « devenir-conscient », du « rendre-conscient », etc.

Divers arguments plaident cependant pour le maintien de la solution traditionnelle :

1 / La traduction *Bewußtsein* : « conscience », est universellement admise, et depuis toujours, par les philosophes et les psychologues. Réformer cette équivalence, fût-elle un peu inexacte, reviendrait soit à vouloir légiférer pour tous les auteurs (ambition insoutenable), soit à singulariser Freud, à tort, parmi les autres penseurs.

2 / La décomposition étymologique d'un mot n'est pas une preuve absolue concernant la façon dont il est reçu dans l'usage.

3 / Rien n'oblige à entendre « conscience » en français comme lié à une « psychologie des facultés ».

4 / Plutôt qu'à *Bewußtsein*, c'est d'ailleurs au terme de *Bewußtheit* que revient, en toute rigueur, de désigner descriptivement « le fait d'être conscient ». Nous proposons pour le traduire : « consciencialité ».

5 / Enfin, de même que pour les termes *Bewußtwerden (das)*, *Bewußtwerdung (die)* (« le devenir-conscient »), *Bewußtmachen (das)*, *Bewußtmachung (die)* (« le rendre-conscient »), nous traduisons littéralement la notion de *Bewußtseinsfähigkeit*, *bewußtseinsfähig* : « capacité de conscience », « capable de conscience », afin de redonner toute sa frappe à cette expression, sans l'édulcorer par la périphrase que serait « capable de devenir conscient ».

CONSCIENCE (MORALE)

Gewissen	conscience
	conscience morale
moralisches Gewissen	conscience morale
sittliches Gewissen	conscience morale
sittliches Bewußtsein	conscience morale

La langue française n'a qu'un seul mot « conscience » pour désigner la conscience psychologique *(Bewußtsein)* et la conscience morale *(Gewissen)*.

Dans la plupart des cas, nous n'éprouvons pas le besoin d'expliciter cette différence, qui ressort du contexte : la « voix de la conscience » est bien celle qui statue sur la culpabilité.

Lorsqu'une ambiguïté pourrait se présenter, nous précisons pour *Gewissen* : « conscience morale ». Enfin, lorsque Freud emploie l'expression anomale « *sittliches Bewußtsein* », nous le signalons au lecteur.

CONTRAINTE

Zwang	contrainte
Zwangs-	de contrainte
zwingen	contraindre
erzwingen	contraindre, obtenir par contrainte
Zwangsneurose	névrose de contrainte
Wiederholungszwang	contrainte de répétition

1 / La soi-disant traduction de *Zwangsneurose* en « névrose obsessionnelle » n'est qu'une équivalence hâtive établie entre le symptôme clinique des « obsessions » défini par la psychiatrie française

de la fin du XIXe siècle, et la névrose isolée par Freud comme pendant de l'hystérie.

C'est à tort qu'on se réclamerait du fait que Freud, dans son article de 1895 « Obsessions et phobies », écrit en français, parle de « névrose des obsessions ». En effet, dans le résumé allemand de cet article, il retraduit « obsession » en *Obsession* et non en *Zwangsidee* ou *Zwangsvorstellung*. Dans un autre article de la même période *(Autoreferat)*, il indique d'ailleurs nettement qu'il n'y a pas synonymie, les *Obsessionen* étant les *eigentliche Zwangsvorstellungen* (« représentations de contrainte proprement dites ») à distinguer des *traumatische Zwangsvorstellungen* (« représentations de contrainte traumatiques ») (*NB*, p. 354; *OCF.P*, III).

Mais, d'autre part, l'obsession comme symptôme de pensée n'est pour Freud qu'une partie de la *Zwangsneurose*, comme l'atteste bien l'expression *eine Zwangsneurose mit Obsessionen* (*GW*, XIII, 338) que nous ne traduirons pas comme certains, de façon vraiment... contrainte, par « une névrose obsessionnelle avec... idées fixes [!] ». Pour rester dans le domaine de cette seule névrose, on y trouve bien d'autres manifestations de la contrainte psychique que les « représentations de contrainte » : « actions de contrainte » (*Zwangshandlungen*, traduit habituellement par « actions compulsionnelles »), ou « caractère de contrainte » (*Zwangscharakter*, traduit habituellement par « caractère obsessionnel », alors précisément que les obsessions y sont absentes...).

2 / C'est d'emblée, et tout au long de l'œuvre freudienne, que le *Zwang* est présent, pour caractériser le mode de *fonctionnement* et le mode de *manifestation* des processus primaires. Fonctionnement métapsychologique : Freud, dans l'*Entwurf einer Psychologie*, emploie des expressions aussi typées que *Bahnungszwang* : « contrainte de frayage » (NB, p. 429), *Assoziationszwang* : « contrainte d'association » (*ibid.*, p. 433), pour désigner le mode d'écoulement de l'énergie libre. Manifestation de l'inconscient : « la contrainte » n'est pas l'apanage de la névrose « obsessionnelle », mais se retrouve, sous des formes diverses, dans *toutes* les pathologies : perversion et hystérie (voir le tableau nosographique dans la lettre à Fließ du 6 décembre 1896), hystérie encore, avec cette notion — centrale dans le chapitre de l'*Entwurf* : « Psycho-

pathologie de l'hystérie » —, *der hysterische Zwang*, traduit sans vergogne par Anne Berman en « obsession hystérique » (!).

Introduit en 1920 avec la connotation de l'incoercible et du « démoniaque », le *Wiederholungszwang* (contrainte de répétition) est-il en réalité une réaffirmation insistante de cette insistance des procès inconscients ? Nous le croyons volontiers, avec Lacan, pour qui cette notion « ... ne saurait être conçu[e] comme un rajout, fût-il même couronnant à l'édifice doctrinal. C'est sa découverte inaugurale que Freud y réaffirme : à savoir la conception de la mémoire qu'implique son ⟨inconscient⟩... Ce qui ici se rénove, déjà s'articulait dans le ⟨projet⟩ » (*Ecrits*, p. 45).

Entre autres usages concordants du *Zwang*, on notera encore son intervention à propos de la légende d'Œdipe, lorsque Freud y reconnaît « la violence contraignante du destin » (*GW*, II-III, 269; *OCF.P*, IV) ou encore la « contrainte de l'oracle » (*GW*, XVII; *OCF.P*, XX) : la même qu'il affirmera, en 1920 (« Au-delà du principe de plaisir ») comme *Schicksalszwang* : « contrainte de destin ».

On notera aussi l'extension de la notion de contrainte à la technique psychanalytique : selon Freud, dans certains cas graves d' « actions de contrainte », la technique correcte est d'attendre le moment où « la cure elle-même est devenue contrainte, et de réprimer alors violemment la contrainte de la maladie avec cette contre-contrainte *(Gegenzwang)* » (*GW*, XII, 192; *OCF.P*, XV).

3 / Notre objectif étant de traduire Freud, et non pas de proposer un « vocabulaire » pour la psychiatrie ni même pour la psychanalyse, on comprendra que nous n'ayons nulle prétention à détrôner « la névrose obsessionnelle » de son utilisation comme caractérisation nosographique et clinique. La lecture de Freud permettra du moins au praticien français de ne pas oublier : 1 / que, dans cette expression, le tout (la névrose) est désigné par la partie (un symptôme particulièrement frappant, mais non constant); 2 / que la symptomatologie particulièrement visible, voire caricaturale de cette névrose, n'est qu'une des formes cliniques que revêt la contrainte psychique caractéristique des processus inconscients. Faut-il souligner que la démarche de Freud, qui découvre un *Zwang* universel au plus profond de notre être,

n'a rien à voir avec le repérage superficiel et transnosographique d'un trait symptomatique, mis en œuvre par une nomenclature comme celle du « DSM III » ?

CORPS

Körper	corps
Leib	corps
	ventre

Les deux termes de ce doublet ont évidemment des connotations bien différentes en allemand. *Leib* connote plutôt le « charnel », évoque le corps comme contenant. *Körper* est plus conceptuel, que ce soit dans l'opposition philosophique avec *Seele* ou comme référence anatomique (c'est à lui et non au *Leib* qu'est rapportée la présence ou l'absence du pénis).

De cette différence, Freud ne fait aucun usage qui soit différent de celui de la langue allemande en général.

Pour notre part, nous traduisons *Leib* tantôt par « corps » tantôt par « ventre » en sachant qu'aucune de ces deux traductions n'est adéquate à la richesse du terme allemand (« faux homonymes », p. 51 sq.).

COULPE

Schuld	coulpe, culpabilité
Blutschuld	coulpe de sang
Urschuld	coulpe originaire
Schuld/Unschuld	culpabilité/innocence
schuldig/unschuldig	coupable/innocent
Schuld-	de culpabilité

Schuldgefühl sentiment de culpabilité
Schuldbewußtsein conscience de culpabilité
schuldlos non-coupable
Schuldlosigkeit non-culpabilité
Schuld (plur : -en) dette(s)

La traduction des termes en « *Schuld* » fait nécessairement référence à des discussions de fond, en rapport avec les grandes théorisations concernant la morale, de Nietzsche à Freud. Mais, d'autre part, la traduction ne saurait engager par avance les théories qui s'expriment dans la terminologie en question. Ainsi, ce n'est pas parce qu'on pense que la faute (phylogénétique) est préalable au sentiment de culpabilité qu'il conviendrait d'aligner les traductions sur le mot « faute ». Ce n'est pas parce qu'on pense que le sentiment de culpabilité est préalable à la faute (chez l'individu) qu'il conviendrait d'aligner les traductions sur « culpabilité » ! On notera que ces deux thèses sont d'ailleurs soutenues concurremment par Freud, ce qui incite le *traducteur* à ne pas injecter l'une plutôt que l'autre dans sa traduction.

1 / *Dette et culpabilité*

On doit à Nietzsche le rapprochement conceptuel entre *die Schuld* : « la faute », et *die Schuld(en)* : « la (les) dette(s) : « Ce concept moral majeur ⟨*Schuld*⟩ [coulpe] a tiré son origine du concept très matériel ⟨*Schulden*⟩ [dettes] » (« Généalogie de la morale », II : « *Schuld* », « *schlechtes Gewissen* » *und Verwandtes*).

Un tel rapprochement n'est pas fait explicitement par Freud, et ne constitue assurément pas la ligne majeure de sa réflexion sur la morale. On ne saurait affirmer, cependant, qu'il n'est pas implicitement présent dans un texte comme « L'Homme aux rats ». Jacques Lacan a, le premier, détecté ce qu'il nomme la « dette symbolique » chez cet obsessionnel[1], dette *(Schuld)* d'argent « impossible à combler », que tout incite à rapprocher (mais Freud

1. Lacan, *Ecrits*, Paris, Seuil, 1966, p. 302-303, 353-354, 596-598.

ne le fait pas) de la culpabilité (*Schuld*) liée au désir que le père meure[2].

Le traducteur est-il pour autant autorisé à rabattre la traduction de *Schuld* : « faute » ou « culpabilité » sur celle de *Schuld* : « dette » ? Nous ne le pensons pas.

a / Même si l'étymologie les rapproche, il s'agit là de deux termes parfaitement distincts de la langue allemande, comme l'atteste le fait que *Schuld* dans le second cas est susceptible d'être mis au pluriel (les dettes) mais pas dans le premier.

b / Même un texte comme celui de Nietzsche, cité ci-dessus, nécessite que la traduction ne rabatte pas *Schuld* sur *Schulden*, sinon la phrase devient incompréhensible.

c / *A fortiori* chez Freud. La traduction de « L'Homme aux rats » serait impossible si les deux *mots* « *Schuld* » n'étaient traduits différemment. La traduction de l'ensemble des textes consacrés à la culpabilité serait défigurée par une traduction alignée sur le mot « dette ».

Estimant qu'il s'agit là de deux « vrais homonymes », nous optons donc pour une traduction parfaitement différenciée de *Schuld(en)* : « dette(s) » quitte à rappeler, pour certains textes, le rapprochement étymologique et conceptuel ici discuté.

2 / *Faute, coulpe, culpabilité*

a / Dans la description et la théorie de la morale chez Freud, est-on en droit de différencier *Schuld* en deux notions aussi distinctes que « faute » (objective) et « culpabilité » ? Nous ne le pensons pas, et ceci à la suite d'une enquête minutieuse couvrant l'ensemble des textes freudiens, non seulement ceux consacrés à l'origine du *Schuldgefühl* mais d'autres, plus proches du domaine judiciaire (« *Tatbestandsdiagnostik* », « Procès *Halsmann* »).

On y voit que *Schuld* n'est jamais la « faute » purement « objective », mais celle qui est attribuable à quelqu'un, *avérée* (même si,

2. Personnellement, nous avons longuement insisté sur ce « circuit de la dette » en le mettant en rapport avec la culpabilité inconsciente (*Problématiques*, I : *L'angoisse*. 3, L'angoisse morale, p. 283-287).

pour autant, elle n'est pas nécessairement reconnue par le sujet lui-même).

Schuld, dans de nombreux textes, est engagé dans l'opposition avec *Unschuld (schuldig/unschuldig)*, pour laquelle l'opposition « fautif/non fautif » est non seulement inadéquate, mais... fautive. Avec une telle traduction, que deviendraient des énoncés psychanalytiques fondamentaux comme : « se sentir coupable sans être fautif », ou « rechercher la faute pour apaiser son sentiment de culpabilité » ?

b / Mais, à l'inverse, telle *Schuld*, notamment celle qui est décrite comme fondamentale : *Blutschuld*, *Urschuld* ne saurait être traduite en « culpabilité » (— de sang, — originaire), puisqu'il s'agit d'*actes* qui *engendrent* la culpabilité.

c / La raison de ce dilemme apparemment insoluble ne vient pas du fait que *Schuld* aurait ici deux sens distincts (trois sens distincts si l'on inclut *Schulden* : « dettes ») mais plutôt de ce que ce terme circonscrit un domaine à la fois intermédiaire et plus vaste par rapport à celui des termes français similaires[3]. D'une part *Schuld* recouvre l'ensemble de ce que le français désigne comme « culpabilité », non seulement comme sentiment intériorisé et torturant de la faute mais, avec l'opposition *Schuld-Unschuld*, comme reconnaissance, fût-elle purement sociale, du fait que quelqu'un a à répondre de son acte, à « plaider coupable » et non « innocent »[4]. Mais d'autre part, *Schuld* s'étend sur le domaine sémantique de la faute : non pas *une* faute parmi d'autres (le terme n'a pas de pluriel) mais pour ainsi dire *la* faute considérée en soi, et déjà toute prête, pourrait-on dire, pour la reconnaissance et l'intériorisation. C'est en ce sens que le chrétien dit « c'est ma faute » et non pas « ce sont là mes fautes », ni non plus, « c'est ma culpabilité ».

d / Le problème de la traduction serait insoluble si nous ne disposions que des mots « culpabilité » (trop étroit) et « faute »

3. Un peu comme le mot *Angst*.

4. Ainsi, dans *Tatbestandsdiagnostik*, Freud se prononce sur l'intérêt d'un procédé qui est censé établir avec certitude *die Schuld des Angeklagten* (« la culpabilité de l'accusé ») en amenant le sujet à démontrer lui-même *seine Schuld oder Unschuld durch objektive Zeichen* (« sa culpabilité ou son innocence, par des signes objectifs »), *GW*, VII, 15 et 3.

(trop étroit et souvent inexact). Mais nous avons à portée de la main un autre terme, suffisamment apparenté à « culpabilité » pour permettre au lecteur de percevoir la continuité : le vieux mot « coulpe » (latin : *culpa*). Ce terme sera préféré à « culpabilité », chaque fois où l'accent est mis sur l'*acte coupable* plutôt que sur ses conséquences judiciaires ou morales.

De par sa solennité, « coulpe » correspond bien à *Schuld* dans tous les emplois freudiens où est en cause l'originaire, le primitif : « coulpe de sang », « coulpe originaire », etc. Pas davantage que *Schuld* il ne se met au pluriel, ce qui traduit l'unicité d'un « grand forfait » *(grosse Untat)*. Tout comme la *Schuld*, la « coulpe » et la « culpabilité » rendent passible d'un tribunal, qui n'est pas nécessairement le tribunal intériorisé de la conscience morale[5].

5. Cf. L'analyse sémantique de Ricœur, in *Le conflit des interprétations*, Paris, Seuil, 1969, p. 419-420.

CULTURE

Kultur	culture
Kultur-	1. de la culture (si le rapport est d'appartenance à *la* culture, considérée comme *entité*)
	2. de culture, *(pfs)* culturel (si le rapport est de qualification, d'*essence*)
kulturell	culturel
kultiviert	cultivé
gebildet	cultivé
Gebildete (der)	l'homme cultivé
Zivilisation	civilisation
zivilisiert	civilisé

Les termes *Kultur* et *Zivilisation* en allemand, « culture » et « civilisation » en français, ont fait l'objet d'innombrables mises au point qui, pour être exhaustives (!), devraient prendre en considération des paramètres multiples : champ sémantique de chacune des deux langues, influences réciproques de ces deux champs sémantiques, influence d'autres langues (et, notamment, de l'étymologie latine des termes, souvent invoquée), histoire des concepts et usages particuliers à chaque auteur; ces deux derniers éléments sont capitaux pour des concepts aussi polysémiques, dialectiques et évolutifs (« civilisation » a vu son sens moderne, non juridique, créé par V. de Riquetti, marquis de Mirabeau, en 1756).

Nous nous bornerons à donner les principaux justificatifs de nos choix pour la présente traduction.

1 / Freud, qui utilise très largement le terme de *Kultur*, et très exceptionnellement celui de *Zivilisation*, déclare explicitement « dédaigner de séparer *Kultur* et *Zivilisation* » (*L'avenir d'une illusion*, *GW*, XIV, 326; *OCF.P*, XVIII). Ce qui, d'une part, indique que Freud ne suit pas les distinctions que la plupart des auteurs allemands établissent entre ces deux termes, et qui, d'autre part, ne nous donne aucune indication spéciale pour l'usage des termes français *homophones*.

A tout prendre, la possibilité même de *traduire* une telle déclaration de Freud nous oblige, soit à laisser les mots en allemand dans le texte, soit à les traduire par deux termes différents.

2 / L'usage français des deux termes « culture » et « civilisation » révèle une grande flexibilité. Dans l'ensemble, on semblait, jusqu'à une date récente, considérer la « culture » comme plus étroite, limitée à « l'ensemble des aspects intellectuels d'une civilisation » (Robert) tandis que la « civilisation » comprendrait « l'ensemble des acquisitions des sociétés humaines (*opposé à* nature, barbarie) » (Robert). Or, c'est bien en ce dernier sens que Freud prend le mot *Kultur* : « La totalité des opérations et dispositifs par lesquels notre vie s'éloigne de celle de nos ancêtres animaux, et qui servent à deux fins : la protection de l'homme contre la nature et la réglementation des relations des hommes entre eux » (« Le malaise dans la culture », *GW*, XIV, 448, 449; *OCF.P*, XVIII).

Une telle définition plaiderait définitivement pour la traduction *Kultur* : « civilisation », n'était l'évolution rapide de l'usage français... et ceci notamment sous l'influence des auteurs allemands Hegel, Marx, Nietzsche... et Freud, et la contamination de plus en plus grande du terme « culture » par celui de « *Kultur* ». L'opposition globale : nature/culture est notamment devenue courante dans les sciences humaines, avec et depuis Lévi-Strauss, faisant ainsi exactement correspondre « culture » à la définition de la civilisation par Robert, ci-dessus rappelée. De même un terme aussi usité que celui d' « identité culturelle » ne permet nullement de limiter la « culture » aux seuls « aspects intellectuels ».

3 / Chaque grand auteur, face à un terme aussi fondamental, forge et impose l'acception qu'il lui donne. C'est ce que Freud fait avec le terme *Kultur*, dont le sens ressort sans ambiguïté des textes majeurs où il en traite. Cette délimitation du concept par son contexte global, si elle fonctionne en allemand, pourquoi ne le ferait-elle pas aussi en français ? Le lecteur allemand s'instruit de ce qu'est « la *Kultur* selon Freud »; à nous lire en français, on discernera vite ce qu'est « la culture dans la pensée freudienne ».

4 / Tous les auteurs sont d'accord pour souligner que, s'agissant de la culture, au niveau de l'individu et non plus des sociétés, c'est le terme *Bildung* qui est employé. Cela est surtout valable pour l'adjectif, *der Gebildete* étant, sans discussion possible, « l'homme cultivé ».

DÉFENSE

Abwehr	défense (contre)
abwehren	exercer une défense contre
Verteidigung	défense (de)
verteidigen	défendre

Le mot, de loin le plus fréquent dans la langue métapsychologique de Freud, est *Abwehr*. Il ne doit pas faire oublier l'existence en allemand de deux verbes dont l'action est symétrique : *abwehren* a pour objet l'ennemi que l'on repousse. *Verteidigen* a pour complément la place que l'on défend. *Abwehr* est une « défense contre », *Verteidigung* une « défense de ».

Le français ne possède qu'un seul terme, seule la construction permettant de savoir quel mot allemand il traduit.

DÉSAIDE

Hilflosigkeit	désaide (le)
hilflos	en désaide
	(n. tech) : démuni
helfen	aider
Hilfe	aide
Hilfs-	adjuvant
Hilfskonstruktion	construction adjuvante
hilfreich	secourable

L'*Hilflosigkeit* de l'être humain aux origines est un concept qui traverse l'œuvre de Freud dans son entier.

Traduire ce terme, comme le faisait le *Vocabulaire de la psychanalyse*, par « état de détresse », était assez exact. Mais le traducteur a d'autres impératifs que l'auteur d'un *Vocabulaire* à l'usage des psychanalystes. Il doit, autant que possible, rendre sensibles les continuités sémantiques et étymologiques dans l'ensemble de l'œuvre. Or, dans « détresse », c'est la racine *hilf*, ainsi que la continuité de sens avec les termes *helfen*, *Hilfe*, *hilfreich*, etc., qui se perd. Ces termes sont mis en relation entre eux dès la première théorisation de Freud (*Entwurf einer Psychologie*, 1895) à propos de « l'expérience vécue de satisfaction », où « *die ursprüngliche Hilflosigkeit* » du nourrisson provoque « *die fremde Hilfe* » de la part de « *das hilfreiche Individuum* ».

Il nous est donc apparu indispensable de créer un néologisme qui réponde à ces exigences, en utilisant le préfixe « dés- » qui indique l'éloignement, la séparation, la privation, celui-là même qu'ont utilisé, entre autres, Gide (« désécrire ») et Lacan (le « désêtre »).

On notera que nous n'avons pas poussé la systématisation à l'absurde, et que nous employons, dans la série, certains termes en « secours », l'essentiel étant de retrouver la même *notion.*

DÉSIR

Begierde	désir
Begehren (das)	désir
Begehrung	désir
Lust	1. plaisir
	2. désir*
Gelüste (das, die)	désirs (les)
Sehnsucht	désirance
Wunsch	souhait
Verlangen	demande

Avant même d'entendre nos raisons, on nous a reproché de « rayer le désir » de l'œuvre freudienne. A supposer que ce fût le cas, l'originalité des développements apportés par la doctrine lacanienne et, à sa suite, par la psychanalyse française, n'en serait que mieux perçue. Mais les choses sont en réalité plus complexes, et nous avons tenté de restituer au mot « désir » la place qui lui correspond le mieux dans la terminologie freudienne.

1 / Le désir, comme convoitise, désir violent visant à s'approprier voire à consommer l'objet, trouve son expression exacte dans l'allemand de Freud avec le mot *Begierde* (et ses apparentés *Begehren, Begehrung*), celui-là même qui est présent dans la formule hégélienne selon laquelle « le désir de l'homme est le désir de l'autre ». Une formule qui tournerait à l'absurde si on l'écrivait : « *Der Wunsch des Menschen ist der Wunsch des Anderen* »! Si une articulation est à chercher entre les doctrines hégélienne et freudienne, ce ne peut être, assurément, sur la base d'une erreur conceptuelle due à une fausse traduction... française!

2 / *Lust*, pour sa part, est un désir qui inclut le plaisir visé, et porte plutôt sur une action (un « but », au sens freudien) que sur un objet. Dénué de concupiscence, à l'inverse de *Begierde*, il pourrait parfois être rendu par « envie de ».

Ainsi *Mordbegierde* ou *Mordgier* désigne explicitement la soif de sang, soif de meurtre tandis que *Mordlust* inclut à la fois le désir de et le plaisir à verser le sang, tuer.

Un astérisque, marquant le mot désir* lorsqu'il traduit *Lust*, avertit le lecteur de cette différence *Lust* - *Begierde*.

(Voir les articles « plaisir », « désirance », « souhait ».)

DÉSIRANCE

Sehnsucht	désirance
Sehnen (das)	désirance
ersehnen	avoir (éprouver) de la désirance pour
sich sehnen (nach)	avoir (éprouver) de la désirance pour
sehnsüchtig (adj)	de (en) désirance; plein (chargé) de désirance
sehnsüchtig (adv)	avec désirance
Begierde	désir
Begehren	désir
begehren	désirer
Begehrung	désir
Begehrlichkeit	convoitise
Lust	1. plaisir 2. désir*

Le terme *Sehnsucht* n'a pas son correspondant exact en français, il est, comme on dit, intraduisible. Les différents mots par lesquels on a coutume de le rendre : « nostalgie », « aspiration », « désir ardent ou fervent », ne sont pas des *sens* différents, mais seulement l'effet de la diffraction d'un même terme allemand dans la langue française. Il est, en particulier, notoire que *Sehnsucht* n'implique nullement la visée du *passé*, comme le voudrait le terme « nostalgie » *(Heimweh)*, mais celle de l'*absence* de l'objet.

Nous avons affirmé que nous n'avions nulle vocation à réformer le français en général, pour le rendre « germanique ». En revanche, lorsqu'un terme prend, *chez Freud*, valeur de *concept*, il est indispensable de le restituer au plus près. C'est bien le cas pour *Sehnsucht*, dont le glissement de l'usage courant à la métapsychologie est parfaitement perceptible.

Si Freud emploie parfois *Sehnsucht* dans un sens que nous disons non-technique ou courant — la « *Sehnsucht* des belles forêts » (*GW*, I, 542) ou la « *Sehnsucht* de voir l'heure se terminer »[1] (*OCF.P*, XIII, 38) —, très tôt il semble reprendre ce terme à son compte, le déplacer, voire le subvertir : *Liebessehnsucht*, *verliebte Sehnsucht*, *libidinöse Sehnsucht*, *erotische Sehnsucht*; ces locutions suggèrent que Freud entend s'emparer de ce vocable pour le resignifier.

Plus nettement encore, lorsqu'il évoque la « *Sehnsucht* sexuée » *(geschlechtliche Sehnsucht)* de l'inverti pour l'objet du même sexe, dans les *Trois traités*, la *Sexualsehnsucht* de la patiente, dans les « Remarques sur l'amour de transfert », ou la « *sexuelle Sehnsucht* » de l'Homme aux loups, qui est « *Sehnsucht* d'une satisfaction sexuelle par le père » — sans oublier l'extraordinaire « *Sehnen* de la libido génitale » — c'est bien une sexualisation du terme que Freud opère, jusqu'à donner pour équivalents *Sehnsucht* et excitation libidinale (*GW*, XV, 89).

C'est enfin, dans la perspective de cette assimilation de la *Sehnsucht* à de l'excitation libidinale ou sexuelle qu'il faut replacer des notions comme la *Sehnsuchtangst* ou la *Sehnsuchtsbesetzung*.

« Désir » étant réservé à d'autres termes (voir l'article « désir »), nous avons donc forgé l'un des exceptionnels néologismes de cette traduction, avec le terme « désirance », où le suffixe « -ance » nous semble susceptible de rendre le mouvement d'un processus insistant et persistant (cf. souffrance, tempérance, ou — Derrida — « différance »).

... « Forgé » ou *cru* forger, car *Littré* nous indique que « l'ancien français disait aussi désirance » (art. : « Désir », dernière ligne).

1. Un tel usage confirme bien que la *Sehnsucht* peut viser aussi bien le futur que le passé.

DIFFÉRENCE

Unterschied	différence
unterscheiden	différencier; faire la différence
Unterscheidung	différenciation; différence faite
verschieden	divers; distinct
Verschiedenheit	diversité; distinction, caractère distinctif

Une pratique attentive des textes freudiens permet de repérer qu'on est là en présence de deux séries, à l'usage bien réglé.

La série en *Unterschied* implique une différence entre deux termes, notions, etc., donc une logique d'allure binaire, souvent marquée par la présence/absence d'un caractère différentiel. Cet usage culmine chez Freud dans la notion de *Geschlechtsunterschied* — traduit par nous « différence des sexes » ou « différence sexuée » — qui est la différence des *deux* sexes, masculin et féminin, marquée par présence/absence du pénis. La série en *Verschiedenheit* désigne en principe une multiplicité (deux ou davantage) de cas variés, dont le penseur s'efforce de classer et ordonner l'hétérogénéité.

Cet usage réglé est présent dès les premiers textes. Par exemple, dans les premières lignes de la « Communication provisoire », Freud se réfère aux « formes et symptômes les plus divers de l'hystérie » (*bei den verschiedensten Formen und Symptomen der Hysterie*, *GW*, I, 81; *OCF.P*, II), alors que, quelques pages plus loin, il insiste sur la « *différence* » (*Unterschied*) à établir entre deux types d'expériences vécues, selon la présence/absence d'une abréaction.

D'un point de vue grammatical, il est remarquable que l'une des séries dérive du *verbe* et du *substantif* (*unterscheiden*, *Unterschied*) et l'autre série du participe adjectivé *verschieden*, celui-ci n'ayant pas de verbe correspondant (du moins en ce sens).

Comme avec la paire *Geschlecht-*, *Sexual-*, on notera que la série qui dérive du substantif marque une différence conceptuelle plus tranchée, la série adjectivale indiquant une unité dans la variété. Ces deux séries se recouvrent de façon nette, pour donner d'un côté le *Geschlechtsunterschied* : « différence des sexes » ou « différence sexuée », de l'autre ce qu'on peut désigner sans forcer comme « *Sexualverschiedenheit* » : « diversité sexuelle » (v. article : « Sexuel »).

Nous marquons donc systématiquement les termes « *Unterschied* » par des termes en « différence »; les termes en *verschieden* sont rendus par des termes français formés sur « divers » ou « distinct ».

ÉCONDUCTION

Abfuhr	éconduction
abführen	éconduire
Entleerung	1. évacuation
	2. vidage
Entladung	décharge
Entlastung	délestage
Abfluss	écoulement
Abströmen	déversement
Abgabe	cession

Abfuhr est traditionnellement traduit par « décharge ». Or les résonances implicites de ce mot français vont plutôt dans le sens du « génital » (décharge orgastique) ou de l'agressivité (décharge d'arme à feu), et risquent d'infléchir le sens d'un terme important dans la métapsychologie freudienne. A tout prendre, si connotations latentes il y a, le verbe *abführen* renverrait plutôt à l'évacuation intestinale (*Abführmittel* = laxatif)... Nous avons donc choisi le verbe « éconduire » qui est attesté et est construit exactement de la même façon que *abführen*. Pour le substantif, nous proposons le néologisme « éconduction ».

« Décharge » vient tout naturellement traduire son correspondant allemand *Entladung*.

ÉDIFICATION

Aufbau	1. édification; édifice *(Gebäude)*
	2. *(pfs)* construction *(Bau)*; mode de construction
Bau	1. construction
	2. *(pfs)* édifice
Struktur	structure

Pour ces termes de la langue courante, nous avons préféré des termes français usuels, en éliminant « structure » trop marqué de théorie, et qui a par ailleurs son équivalent allemand exact : *Struktur.*

EN-DEUX-TEMPS

zweizeitig	en-deux-temps
zweizeitiger Ansatz	instauration en-deux-temps
Zweizeitigkeit	caractère en-deux-temps
zweimalig	en-deux-fois
zweimaliger Ansatz	instauration en-deux-fois

Cette traduction des expressions *zweizeitig* et *zweimalig*, dans la locution *zweizeitiger* ou *zweimaliger Ansatz*, habituellement rendue par « instauration diphasique », est l'occasion de rappeler l'une de nos règles terminologiques qui est de ne pas introduire un mot « savant » ou abstrait là où Freud emploie une expression concrète, immédiatement intelligible.

Ici, comme dans le cas de *Entgegenkommen* (« pré-venance » au sens technique, « prévenance » au sens courant), les tirets viennent marquer le caractère conceptuel de la locution freudienne.

ÉTRANGEMENT

Entfremdung	étrangement
entfremden	rendre étranger (à)
sich entfremden	devenir étranger (à)

Le terme *Entfremdung* est généralement traduit par « aliénation ». Trois considérations ont motivé notre décision de ne pas suivre cet usage :

1 / La nécessité d'éviter, dans l'œuvre psychanalytique de Freud, toute confusion possible avec la notion psychiatrique d'aliénation.

2 / La volonté de préserver la continuité entre *Entfremdung* et les différents termes apparentés par le radical *fremd-* : *fremd* (« étranger »), *Fremdkörper* (« corps étranger »), *fremdartig*, *Fremdartigkeit* (« étrange », « étrangeté »).

3 / La nécessité de rétablir, par-delà cette continuité langagière, l'unité de signification d'un terme qui, dans la langue de Freud, fonctionne comme un quasi-concept, dans son emploi métapsychologique : l'*Entfremdung*, consécutive au refoulement, entre le moi et la sexualité (*GW*, XI, 473), les *Entfremdungen*, au sein de l'appareil psychique, entre le moi et le sur-moi (*GW*, XVII, 135), l'*Entfremdung* à l'égard du monde extérieur (*GW*, XVI, 83), qui peut aller jusqu'à l'*Entfremdung* psychotique de l'individu (*GW*, XI, 445); mais aussi dans une acception plus psychologique : l'*Entfremdung* vis-à-vis de l'organe génital féminin (*GW*, XIV, 313), l'*Entfremdung* de l'enfant à l'égard des personnes de son entourage (*GW*, V, 97) ou, dans « L'Homme aux loups », l'*Entfremdung* entre l'enfant et le père (*GW*, XII, 41).

L'élément commun qui ressort de ces multiples usages est que *Entfremdung* désigne le processus — ou le résultat du processus — par lequel quelque chose ou quelqu'un devient étranger à quelque chose ou à quelqu'un d'autre, ou par lequel deux objets ou deux sujets deviennent étrangers l'un à l'autre.

Ce mouvement par lequel on devient étranger à l'autre est sensiblement différent de celui par lequel on devient autre à soi-même. L'allemand dispose d'ailleurs d'un terme pour dire cette « aliénation » : *die Entäußerung*.

On pourra se référer utilement au commentaire de J. Hyppolite sur la traduction du doublet *Entfremdung-Entäußerung* rencontré chez Hegel (*La phénoménologie de l'esprit*, Paris, Aubier-Montaigne, t. II, p. 49) : « La traduction du verbe allemand *entfremden* ne présentait aucune difficulté, nous l'avons rendu par l'expression française *devenir étranger*, le mot *aliéner* devant être réservé pour traduire le verbe allemand *entäußern* employé par Hegel dans un sens très voisin. Malheureusement nous n'avons pas le substantif français formé à partir du terme d'étranger qui corresponde au substantif allemand *Entfremdung*. Il nous a fallu le créer en partant du mot latin *extraneus*; nous utiliserons donc le mot *extranéation*... »

Nous faisons nôtre cette réflexion d'Hyppolite mais, à la différence de celui-ci, nous optons résolument, dans le cas de Freud, pour le néologisme « étrangement », sans faire le détour par celui d' « extranéation », trop philosophique, trop « étranger » à la valeur d'usage que *Entfremdung* nous paraît avoir dans la langue de Freud.

Freud lui-même, dans « Un trouble du souvenir sur l'Acropole », différencie clairement l'*Entfremdung* d'un autre processus qu'il nomme « dépersonnalisation » : « Ou bien c'est une part de la réalité qui nous apparaît comme étrangère *(als fremd)*, ou bien c'est une part du moi propre. Dans ce dernier cas, on parle de "dépersonnalisation" » (*GW*, XVI, 254-255).

EXCITATION

Erregung	excitation
erregen	exciter
	(n. tech) susciter
Erregtheit	état d'excitation

Regung	motion
Anregung	incitation
Reiz	stimulus (*plur :* stimulus)
	(n. tech) attrait
Reizung	stimulation
reizen	stimuler
	(n. tech) irriter
reizbar	stimulable
	(n. tech) irritable
Reizbarkeit	stimulabilité, susceptibilité aux stimulus
	(n. tech) irritabilité

Les deux termes *Erregung* et *Reiz* sont utilisés par Freud de façon bien distincte en métapsychologie. Même si l'usage n'est pas codifié de façon absolue, *Erregung* est en principe réservé à l'excitation *interne* circulant dans un système, et *Reiz* à ce qui lui arrive de l'extérieur. Mais le système considéré peut être différent selon les cas. Un stimulus provenant de la perception est assurément extérieur au corps. Mais, tout en provenant de l'intérieur de l'organisme, notamment des zones érogènes, un *Reiz* peut être considéré comme agissant de l'extérieur sur le psychisme, et c'est même là ce qui définit la pulsion (Pulsions et destins de pulsions, *OCF.P*, XIII, 164-165). Nous différencions donc les emplois de *Erregung* : excitation et de *Reiz* : stimulus, en comprenant que Freud puisse parler soit de *Triebreiz* (stimulus pulsionnel) lorsqu'il considère l'action de la pulsion sur le psychisme, soit de *Trieberregung* (excitation pulsionnelle) lorsque la pulsion est considérée comme intérieure à l'individu pris globalement.

Au pluriel, nous maintenons *die Reize* : « Les stimulus » pour ne pas latiniser davantage l'équivalent d'un terme courant en allemand, et pour ne pas avoir à choisir, dans la traduction de certains mots composés, entre un pluriel et un singulier (ex. : *Reizmenge :* quantité de stimulus).

Pour le terme *Regung* : motion, on pourra se référer au *Vocabulaire de la psychanalyse.*

EXIGENCE

Forderung	exigence
Anforderung	exigence
Anspruch	revendication

L'usage freudien est assez systématique, réservant le plus souvent *Anspruch* à ce qui vient de l'intérieur (*Triebanspruch :* « revendication pulsionnelle ») et *Forderung* à ce qui vient de l'extérieur (*Realforderung :* « exigence du réel »).

FANTAISIE

Phantasie	fantaisie (aussi bien l'activité que les productions de cette activité)
Phantasie-	de la fantaisie; de fantaisie; en fantaisie
phantasieren	fantasier
zurückphantasieren	rétrofantasier
Phantasieren (das)	l'activité de fantaisie
Phantasietätigkeit (die)	l'activité de la fantaisie
Phantasma	fantasme
Phantast (der)	le fantaste
phantastisch	fantastique

1 / Deux termes en allemand désignent l'imagination (outre *Imagination*) : *Einbildung (Einbildungskraft)* et *Phantasie.* Si proches qu'ils soient l'un de l'autre, on notera qu'ils ont des résonances différentes, *die Einbildung* renvoyant davantage à l'image, à ce qu'on voit ou visualise, *die Phantasie* à ce qu'on se raconte ou se représente[1].

1. Voir P. Lacoue-Labarthe et J.-L. Nancy (*L'absolu littéraire,* Seuil, 1976, p. 436) qui définissent ainsi *die Phantasie* dans les écrits du premier romantisme : « *Phantasie* désigne l'imagination productrice, "poïétique", opposée à l'*Einbildungskraft* comme

Tel est le sens que Freud lui-même donne à *die Phantasie* :

Tagträume sind Phantasien (Produktionen der Phantasie) ... [*In*] *diesen phantastischen Bildungen..., erlebt, halluziniert man nichts, sondern stellt sich etwas vor ; man weiß, daß man phantasiert, sieht nicht, sondern denkt* (*GW*, XI, 95 ; *OCF.P* XIV).

2 / Le terme « fantasme », qui a acquis droit de cité en psychanalyse et dans le langage courant, ne saurait être détrôné de cet usage. Reste qu'il présente de multiples inconvénients lorsqu'il s'agit de traduire Freud et non pas de codifier un « vocabulaire de la psychanalyse » :

a / Tout comme le terme grec dont il est dérivé, et tout comme ses analogues allemand *(das Phantasma)*, anglais, etc., il véhicule le sens d'une image trompeuse, une « fantasmagorie », une hallucination voire un fantôme.

b / « Fantasme » ne désigne qu'un résultat, un produit de l'activité psychique en cause, et non pas, comme les termes allemand *Phantasie* ou anglais *fantasy*, à la fois l'activité *et* son résultat.

Tout ceci pour aboutir à un « fantasme » (parfois écrit avec « ph », ce qui le rend encore plus monolithique), qui revêt, en français, un caractère compact alors que la *Phantasie* freudienne, même lorsqu'elle est inconsciente, reste apparentée aux « imaginations conscientes ou subliminaires, dont le type est la rêverie diurne »[1].

3 / On sait que D. Lagache avait autrefois proposé de traduire *Phantasie* par « fantaisie ». L'objection à cette traduction était le sens dérivé, lié au caprice ou à l'irrégularité, qu'avait pris « fantaisie » en français. Malgré cette objection, et en ramenant la fantaisie à son sens premier, c'est à cette proposition de Lagache que nous nous rangeons finalement dans le souci de rendre la langue de Freud à son caractère plus quotidien (et, redisons-le, sans prétendre légiférer pour les psychanalystes).

imagination reproductrice (cf. également le poème de Goethe : "Meine Göttin") Nous écrivons *fantaisie* à cause de l'importance capitale de cette distinction (l'imagination transcendantale de Kant était *Einbildungskraft*). Fantastique *(phantastisch)* désigne ce qui est produit par la *Phantasie.* »

1. J. Laplanche et J.-B. Pontalis, *Fantasme originaire, fantasmes des origines, origines du fantasme*, Paris, Hachette, 1985, p. 55 sq.

Pour la même raison, nous traduisons *phantasieren* par « fantasier » (attesté par Littré). En ce qui concerne la forme substantivée *das Phantasieren* (où « le fantasier » serait trop jargonnant), nous traduisons comme *Phantasietätigkeit* : « activité de (la) fantaisie ».

Phantastisch, enfin, peut être rendu dans tous les cas par « fantastique ». On notera pour justifier cette traduction :

— que *phantastisch*, en allemand, semble avoir le même éventail de sens que « fantastique » en français, allant de l'imaginaire (ce qui relève de la fantaisie ou est créé par la fantaisie) à l'énorme ou l'extravagant, en passant par le bizarre ou le surnaturel;
— que Freud emploie le terme avec toute cette variété de sens et qu'il n'y a pas de raison de refuser non plus cette polysémie au terme français.

Nous traduisons donc comme suit le passage cité au début de cet article : « Les rêves diurnes sont des fantaisies (productions de la fantaisie). Dans ces formations fantastiques, on ne vit, on n'hallucine rien, mais on se représente quelque chose; on sait qu'on fantasie, qu'on ne voit pas, mais qu'on pense. »

4 / Quant à la racine française « image », elle se trouve réservée :

a / A certains termes forgés avec le radical *Bild* : *die Einbildung* : l'imagination; *sich einbilden* : s'imaginer; *das Bildliche* : l'imagé; *die Verbildlichung* : la mise en images.

b / A *Imagination*, *Imago*, *imaginär*, *imaginiert*.

FRUSTRANÉ

frustran (adj) frustrané

Freud introduit dans ses premiers textes (*GW*, I, 327, 336...) mais continue à utiliser par la suite, et fort tardivement, l'adjectif *frustran* pour désigner un destin de l'excitation sexuelle susceptible de mener à une « névrose actuelle » (v. ce terme in *Vocabulaire de la psychanalyse*).

Ce mot est rare en allemand et utilisé essentiellement dans le domaine médical. La définition la plus précise est donnée par le *Klinisches Wörterbuch* de Pschyrembel, Berlin, 1975 ; il « signifie à peu près "sans succès, vain" (et certes pas avec la connotation psychologisante de "frustré" [*frustriert*]). Il apparaît couramment dans des expressions telles que "contractions frustranées du cœur", soit des battements mécaniquement inefficaces, ou "essai thérapeutique frustrané" (vaine tentative) ».

De même, chez Freud, *eine frustrane Erregung* désigne une excitation « interrompue » (*GW*, XIV, 139), qui « n'a pas été menée à une conclusion satisfaisante », « à laquelle a été refusée l'éconduction satisfaisante » (*GW*, XI, 416-417), une excitation non-satisfaite *(unbefriedigte)*, inutilisée *(unverwendete)*, inutilisable *(unverwendbare)*. La définition suivante en est donnée dans les *Nouvelles suites des leçons* : « Une excitation libidinale est provoquée, mais elle n'est pas satisfaite, n'est pas utilisée; à la place de cette libido détournée de son utilisation survient alors l'anxiété » (*GW*, XV, 89).

Il ressort de ces diverses explications que *frustran* ne signifie pas « frustré », mais se situe au plus près de son étymologie latine « *frustra* » : « en vain ».

Or Littré[1] nous donne, avec le mot « frustrané », un équivalent exact, utilisé lui aussi dans un sens didactique, et signifiant exactement : « qui a lieu en vain, inutile ». Nous nous en serions voulu de nous en priver, d'autant que l'un n'est pas plus étrange en français que l'autre ne l'est en allemand.

Notons que Freud utilise aussi, dans ses textes français du début, le terme « fruste », mais qu'il n'existe aucune raison d'assimiler, comme le voudrait Strachey (*SE*, III, 81, n. 2), « fruste » à « frustré » (frustriert), ni « frustrané » à « frustré ».

1. V. aussi Nouveau Larousse illustré (1907) : « Frustrané (du latin *frustra*, en vain) adj. Hist. nat. — Vain, inutile, sans effet. »

— « *Naissances frustranées*. Naissances qui donnent des enfants sans adultes. Si sur mille enfants, six cents meurent avant d'avoir atteint l'âge où ils auraient pu se reproduire, ce chiffre de six cents est celui des naissances frustranées, c'est-à-dire inutiles à la population d'un pays. »

IDÉE INCIDENTE

Einfall	idée incidente
	(pfs) idée qui vient, ce qui vient à l'idée
einfallen	
(es fällt mir ein)	l'idée me vient, il me vient à l'idée

Littéralement, c'est ce qui vient, qui arrive à l'esprit. Deux points sont importants du point de vue métapsychologique : d'une part l'*Einfall* se distingue de l'*Assoziation* (association) par le caractère déconnecté du contexte, et éventuellement tout à fait hors de propos. D'autre part, le terme d'*idée* n'est pas explicitement présent : ce qui « *einfällt* » pourrait, en principe, être aussi bien une image. Cependant les textes de Freud (*Etudes sur l'hystérie* notamment), montrent bien que Freud n'inclut pas les images dans les *Einfälle*, mais qu'il les juxtapose dans une énumération, par exemple en posant des questions à ses patients : « *Ich* [...] *versichere ihm, daß er* [...] *eine Erinnerung als Bild vor sich sehen oder als Einfall in Gedanken habe werde* » *:* « Je l'assure qu'il verra devant lui un souvenir, comme image, ou bien qu'il l'aura en pensée, comme idée incidente » (*GW*, I, 270; *OCFP*, II).

Le terme d' « idée » — pris au sens le plus vague — n'est donc pas une inexactitude, mais ne saurait en aucun cas suffire à lui seul pour rendre l'essentiel de l'*Einfall*. L'adjectif « incident », de *in-cidere*, « tomber dans », « survenir », rend exactement ce caractère isolé et inopiné.

IDENTIFIER

agnoszieren	identifier
Agnoszierung	identification

Le terme est marqué, chez Freud, de son usage autrichien, où il signifie : « établir l'identité », notamment celle d'un cadavre.

En revanche, ce que nous traduisons très généralement par « identification » *(Identifizierung)*, est le substantif correspondant au verbe réfléchi *sich identifizieren mit* (« s'identifier à [ou : avec]) », et non au verbe transitif.

Lorsque nous rencontrons le terme rare *agnoszieren/Agnoszierung*, nous l'indiquons en note.

INQUIÉTANT

unheimlich	inquiétant
Unheimliche (das)	l'inquiétant

1 / La traduction généralement admise depuis M. Bonaparte, « inquiétante étrangeté », a, selon nous, l'inconvénient d'introduire une notion supplémentaire, celle de « l'étrangeté » *(Fremdartigkeit)* qui n'est que latente dans le terme allemand *unheimlich.*

2 / Il importe de souligner que le terme *unheimlich* fonctionne dans toute l'œuvre de Freud, bien au-delà de la surdétermination langagière dévoilée par Freud dans « *das Unheimliche* ». On sait que, dans cet article de 1919, Freud déploie les effets de sens entre *unheimlich* et son antonyme *heimlich,* ce dernier pouvant revêtir deux sens quasiment opposés. Reste que, même dans cet article, la préoccupation explicite de Freud est surtout de dégager la spécificité conceptuelle de l'*Unheimliche* par rapport à l'angoissant ou à l'effrayant.

3 / Parmi les termes français recensés par Freud lui-même comme susceptibles de traduire *unheimlich* : « inquiétant, sinistre, lugubre, mal à son aise » (*GW*, XII, 232), « inquiétant » est l'équivalent qui nous paraît le plus approprié : il appartient au même champ sémantique que l'angoissant et l'effrayant, et permet d'entendre le *un-* privatif de *unheimlich.*

LIAISON

Bindung	liaison (sens métapsychologique et sens intersubjectif)
binden	lier
Verbindung	liaison (sens logique)
verbinden	relier
Entbindung	déliaison (sens métapsychologique)
entbinden	délier

1 / Le concept de *Bindung* « liaison » est central chez Freud, notamment avec l'opposition :

freie Energie : énergie libre;
gebundene Energie : énergie liée.

La *Bindung* dénote la façon dont un processus est enchaîné, maîtrisé, secondarisé.

Verbinden désigne, en revanche, le fait d'établir une « connexion » *(Verknüpfung)* entre deux ou plusieurs éléments : le verbe « relier » lui correspond exactement. Mais le français ne possède pas le mot « reliaison ». Le substantif « liaison » correspondant à la fois aux deux verbes « lier » (enchaîner) et « relier » (A à B).

— Pour *Entbindung*, terme essentiel depuis les débuts de la pensée freudienne, le mot « déliaison » s'est imposé, lorsqu'il s'agit de textes métapsychologiques. Il s'agit du processus inverse de la *Bindung*.

Evidemment, dans l'usage courant, *Entbindung* est bien traduit par : « accouchement », « délivrance ».

2 / Dans une autre acception, non métapsychologique, le terme *Bindung*, lorsqu'il vient désigner une relation intersubjective, était ordinairement traduit par « lien » *(Band)* ou par « attachement » *(Anhänglichkeit)*. Dans ce sens non technique, *Bindung* doit bien entendu être différencié de ces deux derniers termes, au même titre que de « relation » *(Beziehung)*, « rapport »

(Verhältnis) ou « commerce » *(Verkehr)*. Mais surtout, il nous apparaît essentiel de généraliser la traduction du concept méta-psychologique de « liaison » à cet autre emploi de *Bindung*, pour ne pas effacer en français une confluence que le lecteur allemand ne peut manquer de percevoir, *après Freud* : toute « liaison à l'objet » *(Bindung an das Obkekt — Objektbindung)* — liaison à la mère, au père ou à l'analyste — est aussi, implicitement, fixation de la libido, et « liaison » de son énergie.

MALADIE

Krankheit	maladie
erkranken	tomber malade
Erkrankung	1. entrée en maladie
	2. *(pfs)* maladie contractée
	3. affection
Affektion	affection

Le français et l'allemand possèdent ici les deux dérivations

adjectivale : *Krank -heit :* malade -ie;
verbale : *Erkrank -ung :* affect -ion.

Il n'y a avait aucune raison de ne pas tenir compte de cette différence des connotations, et de cette similitude de modes de dérivation.

Mais, d'autre part, le terme *Er-krank-ung*, plus dynamique que *Krankheit*, possède un double versant (courant en allemand) désignant soit le processus lui-même (« tomber malade ») soit le résultat du processus (« affection »). Pour « tomber malade » *(erkranken)* le groupe nominal retenu par nous est : « entrée en maladie », (« entrée dans la maladie » singularisant trop telle maladie déterminée).

Notons enfin que la langue allemande possède aussi le doublet romano-germanique : *Affektion/Erkrankung*.

MASSE

Masse	masse
Massenpsychologie	psychologie des masses
Menge	foule
Gruppe	groupe
kollektiv	collectif

A l'inverse de l'option prise dans une traduction précédente de « *Massenpsychologie und Ich-Analyse* »[1], nous traduisons ici *Masse* par « masse », et réservons « foule » à *Menge*, « groupe » à *Gruppe*.

1 / Notre principe étant de différencier autant que possible les termes français correspondant au découpage conceptuel allemand, nous ne voyons pas de raison majeure pour ne pas utiliser le terme français disponible « masse ». Que celui-ci, dans l'atmosphère intellectuelle du début du XXe siècle, prenne des connotations sociopolitiques (les « masses populaires ») ne serait un argument que si ces connotations étaient absentes du terme allemand *Masse*, ce qui n'est pas le cas.

2 / Le problème posé par ce terme est en réalité celui d'une *retraduction*. En effet, dans son ouvrage, Freud cite et commente deux livres étrangers, l'un du Français Le Bon : *Psychologie des foules*, l'autre de l'Anglais Mac Dougall : *The Group Mind*. Or, dans son propre texte, il rend constamment par *Masse* aussi bien la « foule » de Le Bon que le *group* de Mac Dougall. Ceci tout en utilisant par ailleurs les termes allemands qui auraient été les traductions correctes : *Menge* et *Gruppe* !

Le traducteur français est donc tenté, notamment dans les passages cités de Le Bon ou inspirés par lui, de retraduire *Masse* en « foule ». On notera cependant que la même tentation existe pour les traducteurs de Freud en anglais qui, se guidant sur l'équivalence freudienne *Masse* - *group* (anglais), ont retraduit la « *Massen-*

1. Psychologie des foules et analyse du moi, trad. par J. Altounian, A. et O. Bourguignon, P. Cotet et A. Rauzy, *in* S. Freud, Essais de psychanalyse, Paris, Payot, 1981.

psychologie » en « *group psychology* »! Argument décisif, car la faute des Anglais, qui nous est mieux perceptible, peut nous éviter de commettre en français une erreur « ethnocentriste » comparable, et de rabattre les concepts de Freud sur ceux de Le Bon.

3 / Une fois admises les équivalences proposées par nous, reste la question des citations dans le texte de Freud. Conformément à nos « principes généraux », nous retraduisons littéralement, dans le texte, les passages de Le Bon de l'allemand au français, et nous donnons en note les textes originaux de Le Bon. En ce qui concerne Mac Dougall le problème est moins aigu, car Freud cite généralement celui-ci en anglais dans son texte, et il ne nous revient que de donner, en note, la traduction de ces passages de l'anglais au français, mais sans qu'intervienne la question de la « retraduction ».

MÉPRISE

Vergessen (das)	1. l'oubli, cette méprise
	2. *(n. tech)* l'oubli
sich vergreifen	1. se méprendre
	2. faire une méprise du geste
Vergreifen (das)	1. méprise
	2. méprise du geste
sich versprechen	se méprendre en parlant, faire une méprise d'élocution
versprechen	promettre
Versprechen (das)	1. méprise d'élocution; méprise dans l'élocution
	2. *(n. tech)* promesse
sich verlesen	se méprendre en lisant
Verlesen (das)	méprise de lecture; méprise dans la lecture
sich verschreiben	1. se méprendre en écrivant; faire une méprise d'écriture
	2. s'engager par écrit
Verschreiben (das)	méprise d'écriture; méprise dans l'écriture

Verschreibung	engagement par écrit
sich verhören	se méprendre en écoutant; entendre par méprise
Verhören (das)	méprise d'audition; méprise dans l'audition
verlegen	1. égarer par méprise
	2. *(n. tech)* égarer, reporter, transporter, situer
Verlegen (das)	égarer par méprise (le fait d'—)
verlieren	1. perdre par méprise
	2. *(n. tech)* perdre
Verlieren (das)	1. la perte, cette méprise
	2. *(n. tech)* l'oubli
Vertauschung	1. permutation par méprise
	2. permutation
Vermengung	1. mélange par méprise
	2. mélange
sich vergehen	s'égarer par méprise; s'égarer
sich versteigen	1. se tromper d'étage par méprise
	2. viser trop haut
verstiegen (p/p)	visant trop haut, outrecuidant

Freud regroupe les « opérations manquées » *(Fehlleistungen)* sous le signe du préverbe *ver-* (en interlettrant lui-même ce préverbe dans son texte). *Ver* exprime ici le fait que l'action est dévoyée, détournée de son but initial (selon Freud, du fait de l'interférence de deux intentions rivales, l'une consciente, l'autre inconsciente).

En effet la particule *ver* a plusieurs fonctions; on peut en distinguer trois :

1 / *Le verbe simple et le verbe avec ver- existent : les sens sont voisins*, celui du verbe en *ver* étant plus intensif que celui du verbe simple, les emplois différents *(ändern, verändern ; lassen, verlassen)*.

2 / *Le verbe simple et le verbe avec ver- existent*, mais *les sens sont différents*; *ver-* peut alors exprimer :

a / l'action dévoyée de son but initial :

laufen/sich verlaufen ;
legen/verlegen ;

wechseln/verwechseln ;
schreiben/sich verschreiben ;

b / une action poussée à bout, performée :

blühen/verblühen (fleurir/se faner),
hungern/verhungern (avoir faim / mourir de faim).

3 / *Le verbe simple n'existe pas :*

verhöhnen, *verbreiten*, *verschönern.*

Freud ne retient ici — pour étayer son propos qui statue un parallélisme entre la structure de la langue et le phénomène des opérations manquées — que le cas 2 *a*, *stricto sensu.*

Il est tout à fait *licite* linguistiquement de regrouper comme le fait Freud tous ces verbes qui infléchissent la signification du verbe simple dans le sens d'une *méprise*. Le préfixe mé- correspondrait assez bien au préverbe *ver-*, dans cette acception 2 *a* (ou plutôt au couple de préverbes allemands *miß-ver*), par exemple : *kennen/verkennen :* connaître/méconnaître. Seuls les verbes *verlieren* et *vergessen* sont discutables dans la mesure où le verbe simple n'existe pas ou n'existe plus. Le recours à l'étymologie permet cependant de retrouver le cas général.

— *Verlieren* [< mha. *verliesen* < vha. *farliosan* < got. *fraliosan* : ie. + *len* : couper, arracher, détacher]. On retrouve le sens de perdre, détacher de soi quelque chose par méprise.

— *Vergessen* [< mha. *vergezzen* < vha. *frigezzan*]. Le préverbe *ver*, qui signifie la transformation en son contraire, infléchit la racine anglosaxonne *get* [cf. *to get* (*o*, *o*)] recevoir, obtenir, d'où : commettre une méprise en recevant, ne pas recevoir, oublier.

En français, le terme de « méprise » nous paraît convenir car il englobe tout à la fois :

a / Le facteur commun sémantique constitué par les préfixes *ver-* en allemand, « mé- » en français, que l'on peut utiliser tant dans la structure nominale que dans la structure verbale :

— *das Versprechen :* la méprise d'élocution;
— *sich versprechen :* se méprendre en parlant.

b / L'idée de deux intentions rivales dont l'une pervertit l'autre.

c / « Le demi-succès/demi-échec » caractéristique de l'opération manquée — ce que la traduction par « raté » ou « erreur » exclurait (cf. *GW*, XI, 61; *OCF.P*, XIV).

d / L'imprécision de l'activité animique (« *Entgleisungen der Funktion, Ungenauigkeiten der seelischen Leistung* », *GW*, XI, 21; *OCF.P*, XIV).

(Auteurs de cet article : J. G. Delarbre, D. Hartmann, P. Sullivan.)

MIXTION-DÉMIXTION

Mischung	mixtion
Vermischung	mixtion
Entmischung	démixtion
Vermengung	mélange

1 / Le *Vocabulaire de la psychanalyse* (art. « Union-désunion ») avait fait valoir les inconvénients que présentait le couple « intrication-désintrication » :

1. celui de suggérer un emmêlement d'éléments accidentellement « inextricables » mais restant par nature distincts;
2. celui de se mal prêter à l'idée essentielle d'un mélange intime et pouvant se produire dans des proportions variables;
3. celui d'opposer un terme négativement connoté (« intrication ») à un terme positivement connoté (« désintrication »).

2 / Cependant, le couple « union-désunion », proposé en remplacement, prêtait le flanc à une critique à la fois symétrique et similaire : celle de suggérer une intégration plus ou moins harmonieuse des pulsions sexuelles et des pulsions de mort, alors que ces deux espèces de pulsions ne font pas que s'unir et se désunir, s'associer et se séparer, mais se mélangent entre elles.

D'autre part, dans le contexte général des *OCF.P*, le terme

« union » entre en concurrence avec une autre série (v. Glossaire, entrée « Union »).

Quant au couple « fusion-défusion » adopté en anglais, sa transposition en français prêterait, comme le souligne le *Vocabulaire de la psychanalyse* à trop de malentendus (fusion en physique signifie non seulement mélange, mais passage de l'état solide à l'état liquide; de façon imagée, on parle d'état fusionnel, etc.).

3 / Nous optons finalement pour le couple « mixtion-démixtion »[1] qui traduit exactement *Mischung/Entmischung* dans son rapport de proximité avec *Vermengung* (« mélange »), vient s'insérer parfaitement dans la série *Misch-/gemischt* du « cas mixte » *(Mischfall)*, des « névroses mixtes » *(gemischte Neurosen)* ou des « formations mixtes » *(Mischbildungen)* du rêve.

4 / Autour de ces deux grands termes *Mischung (Vermischung)* et *Vermengung*, tous les autres termes apparentés par le sens trouvent naturellement leur équivalent : *Vereinigung* (« union »), *Legierung* (« alliage »), *Verquickung* (« amalgame »), *Verschmelzung* (« fusion »), *Verwicklung* (« intrication »), *Verlötung* (« soudure »)

MORALE

Moral	morale (la)
Moral-	moral(e) *(adj)*
moralisch (adj)	moral
Moralität	moralité
sittlich	moral
Sittlichkeit	moralité
Sitten	mœurs, usages, us
Ethik	éthique
ethisch (adj)	éthique

Comme le note Jean Hyppolite, Hegel (*La phénoménologie de l'esprit*, Paris, Aubier-Montaigne, I, 289, note 5) élargit en une différence

1. « Mixtion » (Robert) : « 1° action de mélanger plusieurs substances; 2° produit de cette mixtion ».

conceptuelle le doublet des termes *Moralität/Sittlichkeit* qui sont calqués l'un sur l'autre du point de vue étymologique : *mores* (latin) = *Sitten* = mœurs.

En revanche, la lecture attentive de Freud ne permet d'établir aucune différence entre les deux séries de termes : ainsi, *moralisches Gewissen* = *sittliches Gewissen* = « conscience morale ». Seul le terme *Sitten* conserve chez lui un sens plus sociologique et désigne les « mœurs », normes non-intériorisées.

MOT

Wort (plur. : *Worte* ou *Wörter*)	mot(s); *(pfs)* terme
Rede	parole; *(pfs)* discours

La langue allemande distingue deux formes du mot *Wort* : la première (pluriel : *Wörter*) signifiant « mot », notamment au sens linguistique, la seconde (pluriel : *Worte*) signifiant « paroles », et, au singulier, la parole, voire le « Verbe ».

Une large enquête dans l'œuvre de Freud permet d'affirmer que celui-ci ne suit pas cette règle :

— Il n'utilise le pluriel *Wörter* que : 1 / dans les expressions toutes faites : *Wörterbuch :* « dictionnaire »; 2 / lorsqu'il cite un auteur qui emploie cette forme.

— Il n'utilise, pour son propre compte, que le pluriel *Worte*, et, de plus, dans des usages où l'on attendrait *Wörter :* ainsi dans « Contribution à la conception des aphasies », là même où il s'agit sans ambiguïté de « mots », au sens grammatical précis de ce terme.

Nous n'avons pas découvert, à ce jour, les causes et/ou les raisons de cet usage idiosyncrasique, voire incorrect[1]. Il est notamment peu probable, si l'on prend en considération la théorie métapsychologique du langage, que Freud ait voulu infléchir

1. Tout au moins à l'époque où Freud écrit, car, de nos jours le pluriel *Worte* tend à s'imposer.

le sens de *Wort* du côté de « parole », dans une conception qu'on supposerait globalisante du langage. Un seul exemple : le texte « *Über den Gegensinn der Urworte* » (*GW*, VIII; *OCF.P*, X) traite bien des mots aux sens contradictoires, et toute l'argumentation tomberait si l'on traduisait par « paroles ». Au sens de « parole », Freud utilise fréquemment le terme de *Rede*, et lorsqu'il parle de *Worte und Reden :* « mots et paroles » (ex. : *GW*, X, 419; *OCF.P*, XIII, 251), on voit bien que le terme *Wort/Worte* est rabattu sur le sens de « mot ».

NARCISSISME

Narzißmus narcissisme

En allemand, Freud a préféré au terme *Narzissismus* « ... le nom, peut-être moins correct mais plus court et qui sonne moins mal, de *Narzißmus* » (D'un cas de paranoïa, *GW*, VIII, 297; *OCF.P*, X). La tradition française, de tout temps, a préféré, à l'inverse, « narcissisme » à « narcisme ». Nous n'avons pas trouvé de raison majeure pour modifier cet usage.

NÉCESSITÉ

Not	1. nécessité; Nécessité (lorsque *die Not des Lebens*, *die äußere* ou *die reale Not* est apposée à l'Ἀνάγκη, ou personnifiée) 2. pénurie 3. *(pfs)* détresse 4. *(exc)* pressant besoin
Not des Lebens	nécessité de la vie
Lebensnot	nécessité de la vie
äußere Not	nécessité extérieure
reale Not	nécessité réelle

Objektnot	pénurie d'objet
Notonanie	onanisme de pénurie
materielle Not	détresse matérielle
psychische Not	détresse psychique
sexuelle Not	pressant besoin sexuel
Notwendigkeit, en	nécessité, s
Notlage, n	nécessité, s
nötigen	obliger, astreindre
Nötigung	obligation
Dringlichkeit	urgence

Le petit mot *Not* redoutablement polysémique trouve chez Freud un usage conceptuel bien ordonné.

1 / La direction qui ressort le plus nettement est celle où *Not* connote la contrainte extrême, rigoureuse, inéluctable, imposée par le monde extérieur à l'être humain. La *Not des Lebens* apparaît dans le « Projet de 1895 » (*NB*, 390, 393, 395) pour désigner le facteur externe qui oblige l'appareil neuronique à passer du fonctionnement primaire au fonctionnement secondaire. Reprise et développée dans *L'interprétation du rêve* (*GW*, II-III, 571; *OCF.P*, IV), la notion ne cesse de revenir par la suite dans le double contexte du développement de l'individu et de celui de la culture. Toutes les expressions mentionnées dans la liste ci-dessus accolent la *Not* à des mots qui en marquent le caractère objectif, voire cosmologique (« la vie », « l'extérieur », « le réel », « les temps glaciaires », etc.).

Dans les années 1917-1924, cette instance, d'abord abstraite, se dévoile comme une figure quasi mythique. Personnifiée comme « sévère éducatrice » du genre humain *(die strenge Erzieherin)*, *GW*, XI, 368, 427, *OCF.P*, XIV, elle trouve enfin, selon l'expression même de Freud, son « véritable grand nom » : « *Not des Lebens :* die 'Ανάγκη ».

C'est en fonction de cette série conceptuelle ininterrompue dans l'œuvre, mais ne trouvant qu'à son terme une complète explication, que le traducteur peut et doit se décider. Tel texte antérieur pouvait justifier telle traduction qui avait été envisagée : « urgence » (proposé par Lacan à propos du « Projet de 1895 »),

« rigueur »[1], « détresse » ou « état de détresse », etc. Mais l'apposition faite par Freud au terme grec désignant, de façon univoque, la nécessité, justifie pleinement, au terme de ce parcours, la traduction adoptée (« nécessité » ou « Nécessité » lorsqu'elle est apposée à 'Ανάγκη et/ou personnalisée (cf. par ex. *GW*, XIII, 365; *OCF.P*, XVII — *GW*, XIV, 460, 499; *OCF.P*, XVIII).

Notons que le terme *Notwendigkeit*, traduit normalement (et de façon bien plus univoque que *Not*), par « nécessité », est parfois utilisé par Freud, exactement dans le même usage, et souvent dans les mêmes contextes (ex. *GW*, XIII, 367; *OCF.P*, XVII : *die Anforderungen der Lebensnotwendigkeit :* « les exigences de la nécessité de la vie »).

2 / La seconde acception — qui n'est pas tout à fait indépendante de la première — vient dénoter des situations où la nécessité se traduit par un manque dans la réalité. La traduction par « pénurie » est ici adoptée.

3-4 / C'est bien plus rarement que *Not* désigne un état envisagé du côté du sujet. Ces occurrences (relativement rares et bien délimitées chez Freud, alors que le sens « subjectif » est si courant en allemand) sont traduites soit par « détresse » soit par « pressant besoin ».

La liste assez complète, donnée dans le « glossaire » et reprise ci-dessus, montre que ces quatre traductions ne constituent pas des options interchangeables ni douteuses, mais répondent à des groupes de termes bien définis et à des contextes. Seule une recension dans l'ensemble du corpus freudien (effectuée par F. Robert) a permis de déterminer avec précision ces différents emplois et d'en proposer une traduction non pas unique ni automatique, mais rigoureusement réglée.

1. Utilisé par nous dans la 1re édition du t. XIII des *OCF.P*, modifié par la suite, en « nécessité », ce dont le lecteur voudra bien nous excuser.

NIER

verneinen	nier
Verneinung	négation
negieren	nier
Negation	négation
verleugnen	dénier
Verleugnung	déni
leugnen	dénier
Leugnung	dénégation
ableugnen	dénier
Ableugnung	dénégation

La traduction de la *Verleugnung*, comme mode de défense spécifique, a été justifiée dans le *Vocabulaire de la psychanalyse* (art. « Déni de la réalité »).

En revanche, nous ne pouvons maintenir la traduction de *Verneinung* par « (dé)négation » (Laplanche et Pontalis) ni par « dénégation » (Lacan).

En effet, tout le texte intitulé « *die Verneinung* » a pour ressort le fait que le mécanisme psychologique de la *Verneinung* est à l'origine de la *Verneinung* au sens logique et linguistique, telle qu'elle est marquée par le « non », « symbole de la négation ». Pour rendre dans la traduction cette articulation fondamentale entre le psychologique et le logique, plusieurs solutions sont théoriquement possibles :

— Traduire *Verneinung*, « selon le contexte », et au sein d'un *même* texte, tantôt par « négation », tantôt par « dénégation », ce qui est rendre incompréhensible la démonstration de Freud.

— Traduire *Verneinung* par « dénégation », ce qui est manquer le terme logique.

— Traduire *Verneinung* par « (dé)négation », terme composite qui restaure l'unité, mais par un artifice contestable.

— Traduire *Verneinung* par « négation » dans tous les cas. Ceci se justifie par le fait que ce substantif allemand (à distinguer de : *das Verneinen*) désigne couramment, tout comme *Negation*, la négation grammaticale ou logique; mais aussi par cette circonstance que « négation » en français n'exclut nullement les aspects psychologiques rendus aussi par le mot « dénégation ».

A lire notre traduction du texte de Freud (*Résultats, idées, problèmes*, II, 135 sq.; *OCF.P*, XVII) on se rendra compte que les mots « nier », « négation » viennent parfaitement à leur place, et assurent la transition entre l'observation clinique (le patient qui dit « ... ce *n*'est *pas* elle ») et les considérations métapsychologiques et logiques de Freud.

NUISANCE

schädlich	nuisible
Schädlichkeit	nuisance
Noxen (die)	noxae (les)

Notamment dans ses premiers textes sur les névroses actuelles, Freud utilise de façon synonyme ces deux termes, dont le second est calqué sur le latin *(noxa -ae)*, pour désigner les déviations de l'acte sexuel susceptibles de provoquer de telles névroses.

Le terme « nuisance », très anciennement utilisé pour désigner des actions nuisibles, nous a paru susceptible d'être étendu sans peine au domaine psychosexuel.

Noxae est repris directement du latin.

OBJET

Objekt	objet
Gegenstand	objet*

Ces deux termes, présentant une dérivation semblable, en roman d'une part, et germanique d'autre part, sont bien distingués dans la langue freudienne : *Objekt* a été réservé aux usages plus spécifiquement analytiques (objet de la pulsion, objet d'amour, etc. Cf. *Vocabulaire de la psychanalyse*, article « Objet »), *Gegenstand* revient surtout dans la langue courante (objet de pensée, objet de la vie quotidienne, etc.). Comme ces usages peuvent parfois cohabiter, nous avons marqué la traduction de *Gegenstand* par un astérisque.

PASSAGÈRETÉ

Vergänglichkeit	passagèreté
vergänglich	passager
vergehen	passer
vergangen	passé; *(pfs)* révolu
Vergangene (das)	passé (le)
Vergangenheit	passé
ephemer	éphémère
kurzlebig	à la vie brève
flüchtig	fugitif; *(pfs)* fugace; rapide
vorübergehend	transitoire
Flüchtigkeit	fugitivité; caractère fugitif

Le beau mot de « passagèreté » existe, au moins depuis Buffon, en relation avec le caractère migrateur des oiseaux. Nous ne faisons qu'élargir son usage, pour lui faire désigner, en général, le « caractère de ce qui est passager », ce qui nous permet de maintenir la continuité avec tous les termes en *vergehen*, qui est un des ressorts du texte fameux de Freud portant ce titre (*GW*, X; *OCF.P*, XIII).

PENSER (LE)

Denken (das)	le penser; *(pfs)* la pensée
Gedanke(n) (der, die)	la pensée, les pensées

L'allemand, et notamment la langue de Freud, distingue nettement l'activité de penser *(das Denken)* et les contenus de pensée *(die Gedanken)*. D'où notre option de traduire presque toujours le premier terme par : « le penser ».

PLAISIR

1. *Lust*	plaisir
Unlust	déplaisir
2. *Lust*	désir*
Schaulust	désir* de regarder
Aggressionslust	désir* d'agression
Berührungslust	désir* de toucher

Dans deux notes des « Trois Traités » (*GW*, V, p. 33 et p. 114), Freud s'exprime dans les mêmes termes à propos du most *Lust*. Il s'agit d'un mot « multivoque » *(vieldeutig)* à double sens *(doppelsinnig)* désignant « tout aussi bien la sensation de la tension sexuelle que celle de la satisfaction ». Mais les conclusions que Freud en tire vont en deux directions opposées : il regrette que, malheureusement *(leider)*, cette multivocité empêche de trouver un mot allemand équivalent à la « libido ». Mais d'autre part il trouve « instructif » *(lehrreich)* ce double sens car il correspond bien à l'état d' « excitation sexuelle préparatoire », où coexistent satisfaction et augmentation de tension. En somme, Freud souligne que l'équivalence *Lust* = *Libido* (désir, concupiscence) est fautive, en ce qui concerne le *sens des deux langues*, allemande et latine.

Reste à savoir si lorsqu'il s'agit pour lui d'exprimer sa *pensée* c'est *Lust* (trop équivoque) qui est une mauvaise traduction de *Libido,* ou *Libido* (trop univoque) une mauvaise traduction de *Lust.*

En ce qui concerne l'usage courant, la plupart des dictionnaires bilingues ou unilingues présentent, non sans quelque artifice, les deux sens de *Lust* comme distincts. Grimm donne le sens de désir comme étymologiquement premier, et le sens de plaisir comme dérivé. Il s'agirait plutôt, selon notre classification, de « quasi-homonymes » dans la mesure où le passage par une autre langue n'est pas nécessaire pour distinguer deux sens.

Freud, quant à lui, semble aller tantôt dans le sens de la séparation, tantôt dans celui de l'intrication, trouvant parfois intérêt à ce que jouent simultanément les deux sens. Parmi les usages freudiens, on peut distinguer très schématiquement trois cas :

A. Le sens « plaisir » est pratiquement le seul présent. C'est le cas, notamment, dès qu'il est question de la fonction économique du *Lust,* et du « principe de déplaisir-plaisir ».

B. A l'opposé, lorsque Freud donne *Lust* comme quasi-synonyme de *Trieb,* ou lorsqu'il l'appose à *Libido,* on est porté à traduire simplement par « désir », ou un terme voisin.

C. Mais, dans toutes les occurrences, très nombreuses, où *Lust* désigne une composante pulsionnelle liée au plaisir préparatoire, le mot fonctionne avec le « double sens » repéré par Freud. C'est le cas notamment lorsque *Lust* entre en composition avec un mot désignant un type d'activité pulsionnelle « partielle » : *Schaulust, Zeigelust, Aggressionslust, Berührungslust,* etc. Sans doute ces termes voisinent-ils avec des composés en *Trieb (Schautrieb* à côté de *Schaulust),* mais la nuance de « plaisir préliminaire » *(Vorlust)* reste présente.

Pour le traducteur, malheureusement, ces trois types d'occurrences ne sont pas nettement délimités. Dans un même texte (par ex. *Totem et Tabou, GW,* IX, p. 39 sq.), *Lust* apparaît tantôt dans le mot composé *Berührungslust,* où la nuance « plaisir » s'adjoint à celle de « désir », tantôt dans des développements où *Lust* est assimilé à une pulsion *(Trieb)* et se voit opposer un interdit : la traduction par « désir » paraît alors s'imposer.

Le traducteur-terminologiste se trouve dès lors placé dans le dilemme des deux jugements énoncés par Freud :

— ou bien déplorer le double sens, et se réjouir de ce qu'en français l'ambiguïté soit clarifiée (option A);
— ou bien considérer l'ambiguïté comme féconde, et tenter de la restituer en forçant l'usage du français pour y introduire l'ambiguïté que Freud perçoit dans la langue allemande (option B).

Option A

C'est pour la première voie, la plus classique, que nous avons opté. Elle consiste à réserver le terme *plaisir* aux occurrences bien délimitées où l'idée de désir n'est manifestement pas présente, notamment à tous les passages où est en cause l'économique de la pulsion. En revanche, dans les cas où le mot *libido* pourrait venir, comme synonyme, sans dommage majeur pour la pensée de Freud, nous avons opté pour la traduction : « désir ». Ainsi ce mot (que nous sommes loin d'avoir supprimé dans la langue de Freud!) se retrouve à la fois pour traduire *Begierde* et *Lust*. Nous n'ignorons pas les nuances entre ces deux termes (voir l'article « désir »). Plutôt que de donner le mot *Lust* en bas de page chaque fois où il est traduit par « désir », nous avons préféré indexer, dans ces occurrences, « désir* » par un astérisque.

Option B

En revanche, notre équipe a finalement rejeté une solution inverse, considérée pour la plupart d'entre nous, comme trop hasardeuse. Nous en indiquons cependant ici le principe :

Le problème s'apparente à celui que pose, aux traducteurs de Hegel, le mot *aufheben*, et l'invention d'un terme français capable d'en restituer la contradiction interne.

A quelles conditions le terme « plaisir » est-il susceptible de s'élargir jusqu'à laisser entendre aussi le désir ou la pulsion ? On notera que, aussi bien par leur étymologie que par certains usages anciens, les mots « plaire » et « plaisir » vont dans le sens de « juger bon », « vouloir », depuis « il me plaît d'être battue » jusqu'à « tel est notre bon plaisir ». Pour mieux insister sur l'aspect de poussée et d'intentionalité visant un but *(Ziel)*, nous proposerions d'utiliser l'expression « plaisir-à ». En la marquant d'un trait d'union, nous entendrions signifier qu'il y a là création ou proposition d'une unité sémantique nouvelle, à resignifier en fonction de la double acception : « plaisir » et « tension orientée vers un but ». Cette espèce de mot composé, « plaisir-à », se comprend, sans guère de difficulté, dans des expressions telles que : « plaisir-à regarder ». En revanche, le lecteur pourrait sursauter à trouver « plaisir-à » utilisé isolément, par ex. : « le plaisir-à psychique ». Il serait sollicité de considérer qu'il est en présence d'un vocable unique. Il s'agit là, probablement, de l'extrême de ce qu'on pourrait se permettre pour restituer la langue de Freud : non pas un néologisme conforme au génie du français (nous n'en avons pas trouvé), mais un terme soudé par un trait d'union, comme on peut en rencontrer dans des traductions de certains philosophes allemands. Heureusement, assez rares sont les occurrences où *Lust* est employé de la sorte par Freud, comme mot isolé et avec le « double sens » de « désir » et « plaisir ».

PRÉSENTATION

Darstellung	présentation
darstellen	présenter; *(pfs) :* constituer
Darstellbarkeit	présentabilité

La traduction classique de *Darstellung* hésite entre les deux termes : présenter et figurer. C'est ainsi que, dans la théorie du rêve, *Darstellbarkeit* était généralement traduit par « figurabilité », ou « possibilité de figuration ».

Il nous a paru utile de restaurer l'apparentement étymologique, et aussi la différence, de deux termes essentiels en allemand :

« présenter » *(darstellen)* pour une activité à connotation objective ou objectivante;

« (se) représenter » *(sich vorstellen)*, pour une activité plus subjective voire réflexive (voir le groupe : *vorstellen*).

En faveur de cette traduction, soulignons que le terme allemand *Darstellung* n'implique pas intrinsèquement la *façon* dont quelque chose est présenté, proposé à la conscience. Cette présentation se fait sans doute, dans le rêve, le plus souvent sur le mode imagé *(bildlich)*, mais elle peut être, dans d'autres cas, abstraite ou encore discursive, lorsqu'il s'agit de l'exposé d'idées ou de thèses. De même, les descriptions de cas cliniques sont couramment qualifiées de *Darstellungen* : présentations.

Notons enfin que *darstellen* prend parfois un sens très banal, proche du verbe « être », comme dans la phrase :

« ceci [est / représente / constitue] ma contribution à l'effort commun »

pour cet emploi, nettement différencié du précédent, nous avons opté pour « constituer ».

PRÉ-VENANCE

entgegenkommen	aller à la rencontre de
Entgegenkommen	*(tech)* pré-venance
	(n. tech) prévenance
Gefälligkeit	complaisance

Ce terme, utilisé par Freud dans la locution *somatisches Entgegenkommen* et, plus rarement, à propos du hasard *(Psychopathologie de la vie quotidienne)* ou du langage *(Trait d'esprit)*, est généralement traduit par « complaisance ». Nous lui avons cherché un équivalent qui rende mieux l'idée que, dans tel symptôme hystérique, le corps « vient à la rencontre » de la fantaisie, pour « pro-poser » un point d'ancrage à la conversion.

PSYCHANALYSE

Psychoanalyse	psychanalyse
psycho-analytisch	psycho-analytique
psychoanalytisch	psychanalytique

Peut-être faut-il considérer comme une défaite de n'avoir pas calqué sur l'allemand, comme l'ont fait les Anglais, les termes « psychoanalyse », « psychoanalytique » même si l'hiatus y résonne désagréablement. On sait que Freud tenait beaucoup à cette orthographe et qu'il l'a défendue, en allemand du moins, contre la proposition de Jung : *Psychanalyse* (Lettres des 14 mai et 19 mai 1908). Sans doute voulait-il insister par là sur le caractère *analytique*, au sens étymologique (λύειν : délier, dissoudre) de sa méthode.

Dans son article de 1896 rédigé en français, Freud écrit de même, à plusieurs reprises, « psychoanalyse » (*L'hérédité et l'étiologie des névroses*, *GW*, I; *OCF.P*, III). Mais, par la suite, il ne semble pas avoir voulu (ou pu ?) imposer cette orthographe à ses traducteurs. Pas davantage que lui, nous ne nous sommes sentis en droit, sur ce point, de réformer un usage français qui est désormais définitivement ancré. Plaise au ciel que, sur ce point, nous ne nous fassions traiter de « jungiens »! Nous ne pourrions que plaider coupables, mais en appelant à la barre l'ensemble de la communauté analytique française, toutes tendances confondues.

Lorsque Freud, dans ses premiers textes allemands et par exception, marque encore la composition du terme par un trait d'union, nous respectons, du moins, cette graphie (ex. : *GW*, I, 485; *OCF.P*, III).

PSYCHONÉVROSE

Psychoneurose psychonévrose
Neuropsychose névropsychose

L'histoire de l'usage freudien de ces termes est retracée par B. Vichyn : « Des termes freudiens : ⟨Neuropsychose⟩, ⟨Psychoneurose⟩ » (*Psychanalyse à l'Université*, *8*, 29, p. 147-155). De péripéties complexes et enchevêtrées, il ressort pour le traducteur *de Freud* que :

1 / Plutôt que de mots composés proprement dits, il s'agit d'appositions, à traduire dans le même ordre des termes qu'en allemand.

2 / Si *Psycho-*, dans *Psychoneurose*, vaut essentiellement pour « *psych(isch)* » (ceci dans le cadre de la grande opposition *Psychoneurose/Aktualneurose*. Cf. les articles correspondants du *Vocabulaire de la psychanalyse*), *Neuro-*, dans *Neuropsychose* ne vaut pas pour « *neuro(-logisch)* » mais pour *Neurose* (« névrose »), ainsi que l'atteste l'emploi par Freud, dans ses deux articles sur « Les névropsychoses-de-défense », du terme simple *Abwehrneurose* (*GW*, I, 74, 395; *OCF.P*, III) à côté de *Abwehrpsychose* (*GW*, I, 393; *OCF.P*, III). D'où notre option d'écrire en français : « névropsychose ».

Ajoutons que le terme « psycho-névrose » se trouve sous la plume de Freud dans son article en français « L'hérédité et l'étiologie des névroses » (*GW*, I, 420-421; *OCF.P*, III).

RÉALITÉ

real	réel
Real-	de réel; du réel; au réel; dans le réel; etc.
Realität	réalité
Realitäts-	de réalité; de la réalité
wirklich	effectif; *(pfs)* véritable
Wirklichkeit	réalité effective; *(pfs)* effectivité
in Wirklichkeit	en réalité

Bien des textes de Freud ne permettent pas d'établir une différence systématisée entre *Realität* et *Wirklichkeit.*

En revanche, et notamment dès qu'il est question de métapsychologie, l'usage des termes en *Real* ou *Realität* s'avère spécifique. Ainsi, il ne saurait être question de *Wirklichkeit* dans des expressions comme : *psychische Realität* (« réalité psychique »), *Realverlust* ou *Realitätsverlust* (« perte de réel », « perte de réalité »), *Realbeziehung* (« relation au réel »), *Realitätsprinzip* (« principe de réalité »), etc.

Nous avons donc choisi de marquer les termes en *wirklich* par le terme français « effectif », dont l'étymologie est très voisine (*wirk-lich :* effect-if). Cette distinction avait déjà été promue, dans les traductions de Hegel, par Jean Hyppolite.

En revanche, l'expression toute faite : *in Wirklichkeit* est rendue couramment par « en réalité ».

REFUSEMENT

versagen (intr)	faire défaillance; être défaillant
Versagen (das)	défaillance
versagen (tr)	refuser

Versagung	refusement
sich weigern zu	se refuser à; refuser de
verweigern	refuser
Verweigerung	refus
ablehnen	récuser; *(exc)* refuser
Ablehnung	récusation; *(exc)* refus
verwerfen	rejeter
Verwerfung	rejet

Dès 1956, Lacan soulignait, à propos de la notion de « frustration » (couplée, dans la psychologie contemporaine de l'apprentissage, à celle de « gratification »), qu'« on chercherait vainement dans toute l'œuvre de Freud, de ce terme la moindre trace : car on y trouverait seulement occasion à le rectifier par celui de *Versagung*, lequel implique renonciation, et s'en distingue donc de toute la différence du symbolique au réel » (*Ecrits*, 460-461).

En 1957, dans notre première traduction publiée à la Société française de Psychanalyse, à l'instigation de Lacan, nous traduisions *Versagung* par « refus », en motivant ainsi ce choix, fruit de discussions avec J. Schotte : « Traduction habituelle : frustration. Ce terme échange la signification prévalente de "dire" contre une notion tirée d'une certaine psychologie de l'apprentissage. Son autre défaut est d'impliquer que le sujet est frustré, passivement, tandis que *Versagung* n'indique nullement *qui* refuse. Dans certains passages le sens actif semble prévalent et justifierait la traduction de *versagen* par "se refuser" ou "déclarer forfait". »

En 1967, le *Vocabulaire de la psychanalyse* (J. Laplanche et J.-B. Pontalis) proposait un bilan du concept freudien de *Versagung*, aboutissant à cette définition : « Condition du sujet qui se voit refuser ou se refuse la satisfaction d'une demande pulsionnelle. » Les auteurs ne se reconnaissaient cependant pas le droit « devant la généralité de l'usage », de supprimer le vocable de « frustration ».

Ce bilan conceptuel, directement suscité par la critique de Lacan, reste à nos yeux entièrement valable. Mais la tâche du traducteur est bien différente de celle du commentateur. Il lui faut trouver un vocable suffisamment fidèle mais, aussi, adaptable dans ses dérivations aux diverses occurrences, différencié des termes voisins, etc.

1 / Il faut d'abord réserver un sort particulier à la traduction de *versagen* sous la forme intransitive. Il nous a paru plus essentiel de maintenir la cohérence de ces emplois intransitifs, que de tenter de maintenir une filiation hasardeuse avec les emplois transitifs de *versagen* (refuser). La traduction de *das Versagen* par « la défaillance » (à entendre comme « l'état ou l'action de ce qui fait défaut ») permet de rendre de façon unifiée les occurrences majeures de cette notion :

— *das Versagen der Einfälle* (ou) *der Assoziationen :* « la défaillance des idées incidentes (ou) des associations »;
— *das Versagen der Funktion* (ou) *der Leistung :* « la défaillance de la fonction (ou) de l'opération »;
— *das Versagen der Methode* (ou) *der Technik :* « La défaillance de la méthode (ou) de la technique ».

Le verbe *versagen* est rendu par « être défaillant », « faire défaillance ».

2 / Pour *versagen* transitif, le verbe « refuser » s'était depuis longtemps proposé. Mais si *versagen* (refuser), *sich versagen* (se refuser), *das Versagte* (ce qui est refusé), *der versagte Penis* (le pénis refusé) se laissent aisément traduire, le substantif « refus » convient mal pour *Versagung*. Il implique en effet trop directement que soit précisé un rapport entre des « instances » ou des « objets » dont l'un est refusé, le second se voit refuser quelque chose, le troisième prononce le refus. « La réalité refuse à la libido la satisfaction » (*GW*, VIII, 326) : cette phrase de Freud, dans sa brièveté, éclaire remarquablement ce rapport « triangulaire » auquel renvoie fondamentalement le concept de *Versagung*.

Mais, en règle générale, l'ambiguïté semble maintenue par Freud, qui, avec des constructions syntaxiques semblables, parle aussi bien de *Versagung der Befriedigung* (où c'est la satisfaction qui est refusée) que de *Versagung der Realität* (où c'est la réalité qui oppose un refus).

De même, dans les termes composés, Freud peut évoquer soit une *Triebversagung* (où quelque chose est refusé à la pulsion), soit une *Realversagung* ou *Kulturversagung* (où le « réel » et la « culture » sont les instances qui refusent, ou du côté desquelles « cela refuse »).

En réalité, le problème doit être clarifié en tenant compte du fait que, comme tous les substantifs allemands en *-ung*, la *Versagung* peut désigner — conjointement ou alternativement — un processus et le résultat de ce processus. Cette seconde acception est particulièrement nette lorsque *die Versagung* est employé isolément (dans des formulations comme *an der Versagung neurotisch erkranken*, ou *durch Versagung*, ou *infolge der Versagung*). Il fallait donc trouver un terme unique, permettant de désigner non seulement le refus « prononcé par » la réalité, par autrui ou par le sujet lui-même, mais aussi (et surtout) la condition objective du sujet et la situation où se trouve sa « revendication pulsionnelle » lorsque la satisfaction lui est refusée *(versagt)* ou interdite *(untersagt)* dans la réalité *(« äußere Versagung »)* ou dans le sujet lui-même *(« innere Versagung »)*.

Nous avons donc choisi « refusement » (attesté dans le vieux français) dont la désinence se prête bien à signifier à la fois le processus et son résultat. Ce terme a l'intérêt de faire concept, tout comme *Versagung* s'est mis à faire concept chez Freud, celui-ci ayant pris soin d'en marquer la singularité et la spécificité dans sa théorie, en l'affectant parfois de guillemets (cf. *GW*, XI, 357; *OCF.P*, XIV : ... *die Menschen neurotisch erkranken... an der « Versagung », wie ich mich ausdrückte...* : « les hommes tombent malades névrotiquement... de par le "refusement", selon mon expression »).

3 / Deux séries de termes, bien plus rares, en *weigern* et en *ablehnen*, appartiennent au même champ sémantique que *versagen*, mais relèvent davantage de la langue usuelle ou descriptive. Freud rapproche d'ailleurs en telle occasion *sich weigern* et *sich versagen* (*GW*, XIV, 129; *OCF.P*, XVII), *verweigern* et *Versagung* (*GW*, XIII, 424; *OCF.P*, XVI).

Dans notre traduction, le substantif « refus », qui n'est pas employé pour *Versagung*, est réservé à *Verweigerung*, exceptionnellement à *Ablehnung*. Lorsque le verbe *refuser* traduit *sich weigern*, *verweigern*, *ablehnen*, les mots allemands sont donnés en bas de page.

REMPLACER

ersetzen	remplacer
Ersetzung	remplacement
Ersatz	substitut
Ersatz (durch)	remplacement (par)
Ersatz-	de substitut; *(pfs)* substitutif
substituieren	substituer
	(usage impropre) remplacer
substituiert werden	être remplacé
Substituierung	remplacement
Substitut	substitut
Substitution	substitution
Substitution (durch)	remplacement (par)
Surrogat	succédané

Tout uniment, *ersetzen* signifie remplacer. Néanmoins le terme *Ersatz* ne trouve pas son correspondant français exact dans la série dérivée de ce verbe. « Substitut » convient exactement et nous en conservons l'usage.

Mais Freud utilise aussi le verbe *substituieren* et ses dérivés, et ici une remarque grammaticale s'impose. Dans l'usage français (et tout comme en anglais pour *to substitute*) ce verbe signifie « mettre à la place de » (B mis à la place de A) et il a pour complément direct ce qui est mis à la place (B). C'est un usage *fautif* que d'employer « substituer » comme s'il s'agissait de « remplacer » (« substituer A par B » et non pas, comme il convient, « substituer B à A »).

Il est remarquable que Freud emploie le verbe allemand *substituieren* tantôt avec le sens de « substituer », tantôt avec la construction que nous considérons comme fautive, de sorte que nous ne pouvons, dans ce second cas, que le traduire par « remplacer ». Lorsque c'est un terme en « *substituieren* » qui vient dans le texte de Freud, nous donnons donc le mot en bas de page.

REPRÉSENTER

Vorstellung	représentation
vorstellen (sich)	(se) représenter
Vertretung	représentance
Vertreter	représentant
vertreten	représenter
Repräsentanz	représentance*
Repräsentant	représentant*
repräsentieren	représenter*
Repräsentation	représentation*

Le français ne dispose que du seul verbe « représenter », là où l'allemand en a trois : *vorstellen*, *vertreten*, *repräsentieren* (sans compter *darstellen*, dont il est traité à part).

En réalité, ces trois termes peuvent être divisés en deux groupes à significations fort différentes.

1 / Le groupe *vorstellen*

Il s'agit ici de l'activité « représentative », au sens psychologique ou philosophique du terme, par laquelle un « sujet » *se* rend à lui-même *présent* un objet de conscience, de perception, un « noème ».

L'emploi de Freud est conforme à cette signification : il n'utilise guère que la forme pronominale du verbe : *sich vorstellen*. *Vorstellung* est, à strictement parler, le substantif dérivé de cette forme, c'est-à-dire le fait, l'acte, le résultat, le corrélat d'un « se représenter ».

Le lecteur français de notre traduction sait, de façon univoque, que « se représenter » et « représentation » correspondent à cette acception.

2 / *Vertreten/repräsentieren*

Il s'agit là du doublet germano/romain de deux termes quasi synonymes, désignant l'activité par laquelle quelque chose ou quelqu'un vient à la place d'un autre et agit comme son délégué.

La proposition lacanienne : « tenir lieu de » s'avérait trop périlleuse, s'il avait fallu créer non seulement le « lieu-tenant » et la « lieu-tenance », mais le verbe « lieu-tenir », à conjuguer éventuellement au passif (*vertreten werden :* être lieu-tenu).

Nous avions, en un premier temps (1re édition du tome XIII des *OCF.P*), traduit *vertreten* par « vicarier », mais nous y avons finalement renoncé, surtout parce que l'acception exacte de ce terme rare, qui signifie « remplacer », « suppléer », ne rendait pas compte de la notion de délégation. De plus, Freud utilise lui-même le terme *vikariieren* avec son sens exact, à rendre par « vicarier ».

Finalement, nous avons opté pour la série de termes formée sur « représenter », en notant qu'aucun de ces mots (« représenter », « représentance », « représentant ») ne recouvre ceux de la série *sich vorstellen* (« se représenter », « représentation »).

D'autre part, entre les séries quasi synonymes traduisant *vertreten* et *repräsentieren*, nous avons marqué, pour le lecteur, la seconde série par des astérisques. Notation indispensable, étant donné le sort métapsychologique fait par Freud à la *Repräsentanz* (« représentance* »). Le terme de « représentance », qui traduit à la fois *Repräsentanz* et *Vertretung* est certes un néologisme, mais déjà acclimaté dans la langue des psychanalystes (cf. par exemple A. Green, J. Laplanche...).

3 / Reste une dernière « croix » pour le terminologue : Freud utilise parfois le mot calqué du français « *Repräsentation* ».

Cet usage semble réservé aux textes neurologiques. On trouve, notamment dans *Contribution à la conception des aphasies*, les deux mots *Vorstellung* et *Repräsentation* côte à côte, avec des sens bien différents : le premier signifie, comme ailleurs, la « représentation » au sens psychologique : le second désigne le processus neurologique par lequel, entre la périphérie et telle région centrale, s'établit un rapport qui n'est plus point-par-point, mais « en masse », avec réduction et réorganisation des fibres nerveuses. Sans entrer dans le détail, notons seulement que la *Repräsentation* se rattache bien ainsi à la série de termes dérivés de *repräsentieren*, et nous distinguerons le terme « representation* », qui le traduit, par un astérisque.

SEXUEL

Sexual-	sexuel : *(exc)* du sexuel
sexuell	sexuel
sexual	sexuel
Sexuelle (das)	sexuel (le)
Sexuale (das)	sexuel (le)
Sexualität	sexualité
Geschlecht, er	1. sexe, s 2. *(exc)* espèce; lignée
Geschlechts-	sexué; de (du) sexe; des (entre les) sexes
geschlechtlich	sexué
Geschlechtliche (das)	sexué (le)
Geschlechtlichkeit	sexuation

Le doublet : *Sexual-* (d'origine romane), *Geschlecht-* (d'origine germanique) est utilisé par Freud de façon nettement différenciée et nous regrettons que cette différence n'ait jamais été marquée jusqu'ici dans les traductions. On connaît l'élargissement apporté par Freud au champ de la sexualité, dont il précise bien, dans les *Trois traités* qu'elle ne saurait être limitée à l'activité génitale. Or cette dernière trouve son accomplissement dans l'union des sexes *(Geschlechter)*, elle-même fondée sur la différence des deux sexes.

Au contraire la sexualité, au sens freudien, inclut l'ensemble des activités dites prégénitales (orale, anale, etc.) ainsi que l'immense domaine des manifestations symptomatiques et sublimées.

Assurément, dans nombre d'expressions, Freud est amené à utiliser aussi bien les termes en *Geschlecht-* que ceux en *Sexual-*, mais ceci ne fait que traduire le fait que, dans la réalité, la génitalité et la sexuation d'une part, la sexualité d'autre part, se recouvrent partiellement et entrent dans des rapports de continuité, de substitution, etc. Mais, dans les cas les plus marqués où s'impose leur différence, l'usage de la langue freudienne est infaillible : la « sexualité orale » est nécessairement *orale Sexualität* (et non : *Geschlechtlichkeit*) ; l' « individu sexué » est *Geschlechtsindividuum* (*Sexual-* aurait un tout autre sens) et la « différence des sexes » est *Geschlechtsunterschied* et non pas « *Sexualunterschied* ».

La « sexualité infantile », en son sens élargi, est *infantile Sexualität* tandis que l'expression *infantile Geschlechtlichkeit* la restreindrait à ce moment où apparaît le « primat génital ».

Le point de vue grammatical viendrait, à notre avis, appuyer cette distinction. La série en *sexual* dérive de l'adjectif; celle en *Geschlecht* part du substantif. La première est mieux apte à désigner un *caractère* commun, fût-il assez général; la seconde, centrée sur une notion classificatoire, marque d'emblée la *différence* (v. remarque analogue à *Unterschied*)[1].

1. Concernant la différence des graphies : *sexuell, sexual*, notons que la seconde est chez Freud, la forme normale pour les mots en composition (tout comme l'adjectif *aktuell* donne *Aktual-* dans *Aktualneurose* : « névrose actuelle »). Mais on trouve aussi, à côté de l'adjectif *sexuell* et de l'adjectif substantivé *das Sexuelle*, les formes plus rares : *sexual* (adj) et *das Sexuale*. Dans ces cas, nous indiquons le mot allemand en bas de page.

SIGNIFIER

bedeuten	signifier
Bedeutung	signification
	significativité
bedeutend	significatif; signifiant
bedeutsam	significatif
Bedeutsamkeit	caractère significatif
bedeutungsvoll	chargé (empreint) de signification; significatif
bedeutungslos	dénué (dépourvu) de signification
Sinn	sens
Wichtigkeit	importance

Parmi les mots auxquels sont attribuées, dans les différents systèmes de pensée, des « significations » particulières, Duden prend comme exemple... « *Bedeutung* » lui-même, « qui a été si souvent défini de nouvelle façon qu'il est devenu pratiquement inutilisable » (*Duden. Die Grammatik*, Bibliographisches Institut, 1973, Mannheim/Wien/Zurich, Duden Verlag, Band 4, p. 461).

Freud, pour sa part, n'a pas fait un sort particulier à ce terme, mais il reste que celui-ci, pour le *traducteur*, pose des problèmes difficiles. Rendons-les sensibles en nous référant aux notions d'homonymie et de synonymie (cf. plus haut, « Terminologie et conceptualisation »).

Bedeutung prend en effet, dans le langage courant, deux aspects dont l'un le rapproche du français « signification » (ci-dessous : *Bedeutung* S), l'autre du français « importance » (ci-dessous : *Bedeutung* I). Si l'on tient compte du terme « *Wichtigkeit* » (importance), on peut proposer le schéma suivant :

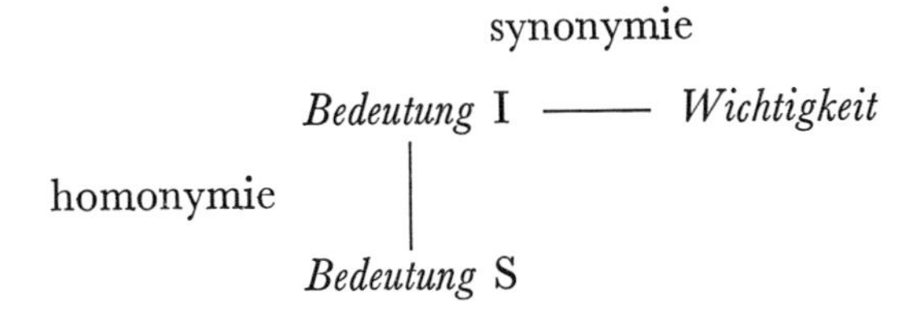

1 / Si nous nous référons à notre classification (vrais homonymes, quasi-homonymes, faux homonymes), quel est le type de l'homonymie en cause ? On peut hésiter entre quasi-homonymie et fausse homonymie. Une « quasi-homonymie » impliquerait que le lecteur-traducteur soit capable de désigner à chaque fois et sans ambiguïté si *Bedeutung* doit être rendu par « importance » ou par « signification ». La pratique des textes freudiens montre que, à côté de certains cas nettement tranchés, le traducteur peut hésiter entre l'un et l'autre, et, surtout n'être satisfait ni par l'un ni par l'autre.

Nous définissons comme « fausse homonymie » celle où la différence des « sens » est essentiellement le fait de la diffraction dans la langue étrangère. L'épreuve de la traduction en plusieurs langues est ici précieuse à titre différentiel. En effet les problèmes difficiles que se pose le traducteur français ne se retrouvent pas pour l'anglais, le terme *significance* étant apte à rendre *Bedeutung* dans toutes ses occurrences. Cela nous laisse supposer que les deux aspects du terme *Bedeutung* sont intimement reliés l'un à l'autre.

2 / Comme tout substantif dérivé en *-ung*, ce mot peut désigner soit le résultat achevé d'un processus (signifier → signification) soit le processus lui-même y compris dans le cas de *Bedeutung*, l'effet de ce processus, son impact (pour le sujet, pour la pensée, etc.). C'est ce double aspect, plutôt qu'un clivage absolu entre « signification » et « importance », qui nous paraît rendre compte de la difficulté soulevée.

3 / L'adjectif français « significatif » comporte bien ce double versant. Lorsqu'on parle, dans un nombre, de décimales « significatives », on vise à la fois le fait qu'elles ont un sens et qu'elles prennent une importance. De même, « insignifiant » veut dire à la fois dénué de sens et dénué d'importance.

D'autre part, on peut aisément déceler, dans l'usage contemporain, l'apparition du terme « significativité », employé également selon ce double aspect.

4 / Nous avons donc systématiquement adopté le terme « significativité », que nous utilisons toutes les fois où *Bedeutung* :

— penche vers le versant « importance »;
— prend un sens indécidable, entre les deux versants.

Mais nous conservons « signification » lorsqu'il est question, sans contredit, du résultat achevé du processus « signifier »; ainsi lorsqu'il s'agit de la « signification » d'un rêve, ou encore des termes « signification-enfant » *(Kindbedeutung)* « signification-cadeau » *(Geschenkbedeutung)*, etc.

Ce terme « significativité » fait mieux saisir la différence entre les quasi-synonymes *Bedeutung* I et *Wichtigkeit* : le premier renvoyant à l'impact d'un sens, le second à une « prépondérance » qui n'est que l'effet d'un plus grand « poids ».

L'autre avantage de notre choix, sans doute volontariste (mais qui l'est moins que celui entre *Bedeutung* I et *Bedeutung* S), est de rétablir, pour le lecteur, l'apparentement : signific-ation/signific-ativité. Le tableau précédent se transforme en celui-ci :

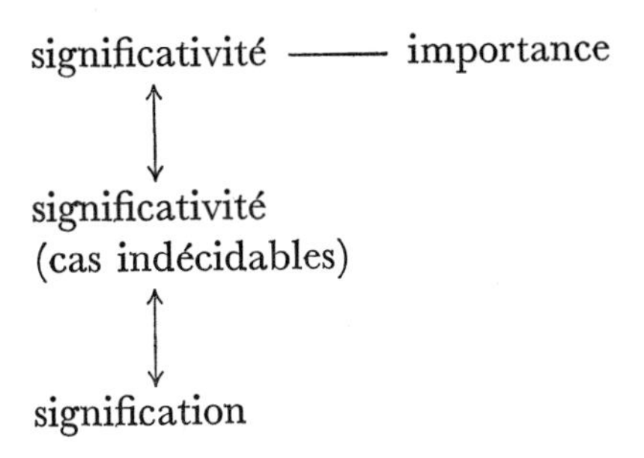

SOUHAIT

Wunsch	souhait
wünschen	souhaiter
Begierde	désir
Begehren (das)	désir
Begehrung	désir
Begehrlichkeit	convoitise
Gier	avidité
Habgier	cupidité
Sehnsucht	désirance *(v. ce terme)*
Lust (an...)	plaisir (à...) *(v. ce terme)*
Gelüste (das, die)	appétits (les)
Lüsternheit	concupiscence
Neid	envie
Verlangen (das)	demande

D'emblée, les traductions françaises ont commis l'impropriété de traduire *Wunsch* par « désir ». Une erreur où ne sont pas tombés les Anglais qui distinguent soigneusement *wish (Wunsch)* et *desire (Begierde)*. C'est sans doute Lacan (1958) qui fut le premier à souligner que *Wunsch*, tout comme *wish* n'évoquent... « rien moins que la concupiscence. Ce sont des vœux » (*Ecrits*, Seuil, 1966, p. 620).

La raison grammaticale et structurale en est évidente : le verbe *wünschen* porte essentiellement sur un scénario (sujet/verbe/complément, explicites ou sous-entendus) dont on souhaite la réalisation; lorsqu'il est employé transitivement, il sous-entend toujours une locution impliquant la possession de *(sich etwas wünschen)*, la présence de, etc. En aucun cas *wünschen* transitif ne peut signifier le désir sexuel. Chez Freud, l'accent mis sur le *Wunsch* est lié au caractère essentiel de ce qu'il nomme *Wunschphantasie* : la représentation d'un « désir articulé en un discours » (Lacan, *ibid.*) et non la visée, sans médiation, d'un objet à consommer.

La traduction suggérée par Lacan (« vœu ») se heurtant à l'absence du verbe correspondant, nous avons opté pour la série : « souhait », « souhaiter ».

(Voir aussi les articles : « désir », « désirance », « plaisir ».)

SOUVENIR-COUVERTURE

1 / La traduction « souvenir-écran », calquée sur le *screen-memory* des Anglais, présentait deux défauts :

1. elle pouvait induire l'idée que le souvenir d'enfance en question est un écran protecteur *(Schirm)*, voire cet « écran » *(Leinwand)* interne sur lequel serait projetée visuellement la scène d'enfance;
2. surtout, elle laissait échapper ce qui fait le ressort même de la dénomination freudienne : le rapport entre le « *couvrant* » *(das Deckende)* et le « couvert » *(das Gedeckte)*, entre le « souvenir-couverture » *(Deckerinnerung)* et le « souvenir couvert » *(gedeckte Erinnerung)* par le premier.

2 / En traduisant au plus près de la langue (v. *supra* la référence au « couvert mis », p. 20), nous rétablissons aussi la continuité entre cette invention terminologique de Freud et d'autres emplois similaires du verbe *decken*, lorsque Freud, par exemple,

dit qu'avec la fantaisie de séduction (là où aucune séduction n'a eu lieu) l'enfant couvre *(deckt)* en règle générale la période auto-érotique de son activité sexuelle » (*GW*, XI, 385), ou encore, lorsqu'il relève que dans la névrose de contrainte, après que l'angoisse a été remplacée par une action de contrainte, c'est bel et bien « l'angoisse qui a été couverte *(gedeckt)* par l'action de contrainte » (*GW*, XI, 419).

SUCCÈS

Erfolg	succès
Mißerfolg	insuccès
erfolgreich (adj)	couronné de succès
erfolgreich (adv)	avec succès
erfolgen	s'ensuivre
Gelingen	réussite
Mißlingen	échec
Glücken	réussite
Mißglücken	ratage
scheitern	échouer
Ergebnis	résultat

Erfolg a deux « sens » si on le rend dans le français courant : « résultat », et « résultat favorable » ou « succès ».

Il faut noter que Freud, notamment quand il s'agit de la théorie des névroses, emploie le terme dans les deux directions que distingue le français moderne, alors qu'en allemand celles-ci sont indiscernables (voir « faux homonymes », p. 55 sq.). Plutôt que de rompre cette continuité en choisissant à chaque instant entre « résultat » et « succès », nous avons préféré rendre à « succès » son sens originaire, encore prévalent au XVIIIe, soit : « Ce qui arrive de bon ou de mauvais à la suite d'un acte, d'un fait initial. »

SUPPRIMER

aufheben	supprimer
Aufhebung	suppression
Hebung	— levée
	— élévation

Il convient d'être clair sur notre option concernant ce terme.

1 / Une grammaire aussi autorisée que celle de *Duden*, considère qu'avec les trois usages de *aufheben* : « enlever », « conserver » et « supprimer », on n'est pas en présence d'*un* mot « multivoque en soi », mais bien de « trois mots distincts, enracinés dans trois champs sémantiques distincts » entre lesquels l'usage est capable de choisir sans ambiguïté, selon le contexte (Duden : *Grammatik*, p. 460). Sans adhérer à une conception aussi absolue de l'univocité, nous dirons (cf. Terminologie et conceptualisation, p. 55 sq.) qu'il s'agit là d'un cas de quasi-homonymie, comme pour les deux sens du mot français « homme ».

2 / Hegel, pour sa part (*Science de la logique*, Paris, Aubier-Montaigne, 1947, trad. S. Jankélévitch, p. 101-103), s'est félicité de l'existence de ce triple sens, et surtout de la conjonction des deux sens opposés : maintenir et supprimer, qui corrobore sa conception de la dialectique : « Ce qui est supprimé est en même temps ce qui est conservé, mais a seulement perdu son immédiateté, sans être pour cela anéanti. »

3 / Retrouve-t-on, chez Freud, quoi que ce soit de cet usage spéculatif propre à la dialectique hégélienne ?

a / Les deux seules allusions freudiennes à « l'obscure philosophie de Hegel » font montre d'une ignorance méprisante de Freud à son égard.

b / Freud a certes insisté sur le « sens opposé des mots originaires » (*OCF.P*, X), ou sur celui du terme *heimlich*. Mais sa conception d'une telle opposition est profondément antidialectique : elle signe, selon lui, la coexistence, dans l'inconscient, de deux motions pulsionnelles qui persistent sans s'influencer l'une l'autre. Notons aussi que l'exemple de *aufheben*, particulièrement suggestif, n'est pas venu sous sa plume dans l'article en question, alors que ce terme est fréquent chez lui.

c / Les usages freudiens nous contraignent à constater, non seulement que Freud emploie *aufheben* sans ambiguïté ni dialectique, mais que, parmi les trois « sens » possibles, « supprimer » est pratiquement le seul attesté chez lui. Ainsi en va-t-il lorsqu'il est question de l'*Aufhebung* des symptômes (*GW*, XI, 373), de la résistance (XI, 455), du stimulus (V, 67; XI, 128), de la vie (X, 345), du complexe d'Œdipe (XIII, 399), etc.

Les appositions où apparaît *aufheben* sont elles-mêmes significatives : accolé à *vernichten* : « anéantir » (X, 264), à *beseitigen* : « éliminer » (XI, 373; XI, 455), à *beseitigen* et *erledigen* : « liquider » (XI, 128).

Quant à l'*Aufhebung* du refoulement qui apparaît dans le texte sur « la négation » (*OCF.P*, XVII), rien ne permet de suivre la suggestion de Jean Hyppolite qui veut y retrouver l'écho du sens hégélien. S'y oppose non seulement l'argumentation de Freud, mais aussi tel autre texte où sont mis exactement en opposition *Die Erhaltung einer Verdrängung... und ihre Aufhebung* : « Le maintien d'un refoulement... et sa suppression » (*GW*, X, 253-254). Décidément, chez Freud, la « suppression » n'inclut pas le « maintien »!

SURMONTEMENT

Überwindung	surmontement
Überwundene (das)	surmonté (le)
überwinden	surmonter
überwindbar	surmontable

Que l'action qu'ils connotent porte sur les résistances, le refoulement, une étape ou un stade de développement (par ex. le complexe d'Œdipe, les convictions infantiles ou l'angoisse de castration), les termes *Überwindung*, *überwinden*, de par la fréquence et par la constance de leur emploi, appellent une traduction unifiée capable de mettre en évidence le « noyau commun » qui « justifie l'utilisation d'un mot conceptuel particulier » (pour reprendre ici ce que Freud dit du mot *unheimlich* dans *L'inquiétant*, *GW*, XII, 229).

« Surmontement », « surmonter » s'imposent tout naturellement pour traduire aussi bien *die Überwindung* (« le surmontement ») des résistances dans l'analyse que *das Überwundene* (« le surmonté ») opposé à *das verdrängte* (le refoulé) dans *L'inquiétant.*

Le terme de « surmontement », formé à partir du verbe « surmonter », n'est d'ailleurs pas un néologisme (il est attesté selon Littré, depuis le XVIe siècle), ni une innovation des *OCF.P* : il a acquis droit de cité depuis plusieurs années dans la littérature psychanalytique[1], ainsi que dans plusieurs traductions antérieures de Freud.

SUSPENS (EN ÉGAL / EN LIBRE)

gleichschwebend	en égal suspens
gleichschwebende Aufmerksamkeit	attention en égal suspens
freischwebend	en libre suspens
freischwebende Aufmerksamkeit	attention en libre suspens
schwebend	en suspens
in Schwebe	en suspens
frei flottierend	librement flottant
frei flottierende Angst	angoisse librement flottante

1 / Lacan avait déjà noté, concernant l'attention de l'analyste, que « ... le terme de flottante n'implique pas sa fluctuation, mais bien plutôt l'égalité de son niveau » (*Ecrits*, p. 471).

1. V. Alain Costes : La notion de ⟨surmontement⟩ dans l'œuvre de Freud, *Psychanalyse à l'Université*, 1982, t. 8, no 29.

Le verbe *schweben* évoquant plutôt l'oiseau qui plane, au vol suspendu, nous proposons l'expression « en égal suspens », sa résonance fût-elle un peu mallarméenne.

2 / La réapparition d'un même signifiant dans des contextes distincts peut ouvrir des chemins de pensée qu'il appartient au terminologue de ne pas effacer.

C'est ainsi que l'expression *in Schwebe/schwebend* est également employée par Freud à propos de la libido redevenue libre et prête à se transformer en angoisse (*GW*, XI, 422, 424; XV, 89).

Si la terminologie n'a pas à se substituer au commentaire, il peut être éclairant de rapprocher de l'attention « en égal (ou : en libre) suspens » cette libido « maintenue en suspens » : l'attention de l'analyste devrait tenir le milieu entre la « liaison » — la fixation — et la « déliaison » — la dispersion —, ou, pour reprendre une autre formulation de Freud, entre la « fluidité difficile » et la « mobilité aisée » (*GW*, XII, 151; *OCF.P*, XIII, 112).

TERRASSER

überwältigen	terrasser
Überwältigung	terrassement

Ce verbe, et son substantif dérivé, sont employés au sens interpersonnel et descriptif, pour désigner une relation de violence *(Gewalt)* où un individu se rend totalement maître d'un autre qu'il écrase de toute sa force : le père de la horde est « terrassé » par les fils (*GW*, XIV, 460; *OCF.P*, XI).

Freud fait aussi de ces termes un usage métapsychologique bien précis, pour désigner le fait qu'une instance « supérieure » (le moi, la censure, etc.) est écrasée, mise sous le joug par le débordement de forces jusqu'ici réprimées (sexualité, pulsion, ça...). Cet usage remonte aux tout premiers textes, lorsque Freud parle de : *Psychose durch einfache Steigerung—Überwältigungspsychose* (*GW*, I, 69; *OCF.P*, III).

Tous les termes essayés — débordement, écrasement, subjugation — s'avérant inexacts, nous nous sommes résolus à adopter le verbe « terrasser » qui convient parfaitement à *überwältigen*, et à rénover le sens vieilli, mais parfaitement attesté, du substantif « terrassement », comme « action de terrasser, de renverser » (Littré).

TRAIT D'ESPRIT

Witz	trait d'esprit, esprit
witzig	de trait d'esprit, spirituel

La traduction par « mot d'esprit » est incorrecte : « mot » n'est nulle part dans le terme, et, surtout l'opposition freudienne entre *Wortwitz* et *Gedankenwitz* deviendrait insoutenable si l'on traduisait par « mot d'esprit de mots », « mot d'esprit de pensées ». Si important que soit le signifiant dans le *Witz* (comme Lacan y a insisté) il ne constitue pas l'unique voie par laquelle passe « l'esprit ». Témoin le fait que le « trait d'esprit de pensées » puisse être traduit dans les langues les plus diverses, sans perdre son effet spirituel.

TRAVAIL

Arbeit	travail
Aufarbeitung	élaboration
Ausarbeitung	élaboration
Bearbeitung	élaboration
Verarbeitung	élaboration
durcharbeiten	perlaborer
Durcharbeiten (das)	perlaborer (le)

Durcharbeitung	perlaboration
Überarbeitung	1. surélaboration
	2. *(tech)* surmenage
Umarbeitung	remaniement

1 / Les mots composés avec *Arbeit* posent le problème de la copule, « de » ou « du », qui relie les deux termes. C'est ainsi que nous avons choisi :

Trauerarbeit : travail de deuil;
Traumarbeit : travail du rêve (travail de rêve introduisant des ambiguïtés superflues).

2 / Pour les termes dérivés avec préfixe, le français ne peut proposer la même variété que l'allemand. D'ailleurs la différence entre *Aufarbeitung*, *Ausarbeitung*, *Bearbeitung* est peu sensible chez Freud. Peut-être *Verarbeitung* introduirait-il une nuance d'élaboration poussée au bout, de « finition » ?

Pour le verbe *durcharbeiten*, le terme français « perlaborer » (proposé par le *Vocabulaire de la psychanalyse* de J. Laplanche et J.-B. Pontalis) a été depuis longtemps accepté. Le verbe substantivé *das Durcharbeiten* est traduit par « le perlaborer », réservant ainsi « perlaboration » à *Durcharbeitung*, exceptionnellement employé par Freud.

Troisième Partie

GLOSSAIRE

PAR

FRANÇOIS ROBERT

I
PRÉSENTATION DU GLOSSAIRE

1 / Ce glossaire vient conclure — de façon toute provisoire — un travail en cours depuis plusieurs années, portant sur la langue de Freud, sa genèse et son organisation. Dans un premier temps, et dans la perspective des *OCF.P*, cette recherche entend recenser l'extraordinaire diversité, mais aussi dégager la profonde cohésion de la langue freudienne : si chacun des textes de Freud comporte ses singularités et ses innovations propres, le discours de Freud, pris dans son ensemble, comprend aussi un certain nombre de régularités et de constances.

L'une des particularités des *OCF.P*, par rapport aux traductions antérieures, anciennes et nouvelles, est ainsi de s'appuyer, dès le départ, sur cette approche globale du corpus freudien; elle est aussi de mener, parallèlement à chacune des traductions, une enquête terminologique, toujours recommencée, où les différents éléments lexicaux d'un texte sont relevés dans une série d'autres textes, puis mis en relation avec d'autres termes appartenant au même champ sémantique et s'inscrivant dans une même série paradigmatique.

Ce sont quelques-uns de ces rapports de différenciation ou d'équivalence que ce glossaire français-allemand tente de faire apparaître; à partir d'un terme donné, le lecteur pourra retrouver, à côté de son ou de ses équivalent(s) allemand(s), les principaux autres termes apparentés par la racine ou par le sens (v. « Organisation du glossaire »).

Or cette exigence de concordance lexicale, dès lors qu'elle est étendue à l'ensemble de l'œuvre, commande de bien séparer non seulement les différents registres du discours freudien — un texte clinique ne se traduit pas suivant les mêmes principes terminologiques qu'un texte théorique —, mais aussi les différents ensembles lexicaux que l'œuvre de Freud superpose : le lexique proprement conceptuel (lexique I), un lexique que nous qualifierons de préconceptuel, moins fortement investi par Freud mais tout aussi cohérent (lexique II), et le lexique de la langue usuelle (lexique III)[1].

Pour cette première édition du glossaire, nous avons renoncé à indiquer l'appartenance de chacun des termes à ces lexiques I, II ou III; celle-ci est souvent fluctuante, dépendante d'un énoncé, d'un contexte ou d'un texte donnés; de plus, cette typologie aurait donné l'apparence d'une trop grande normativité. Il importe donc de préciser que les termes enregistrés dans ce glossaire n'ont pas tous une égale valeur; certaines traductions sont purement indicatives.

Enfin, la prise en compte de l'ensemble de l'œuvre oblige à admettre qu'un même terme allemand peut comporter différents niveaux de sens ou qu'un même signifiant français peut recouvrir deux ou plusieurs termes allemands. Cette complexité, qui contredit l'image illusoire d'un glossaire où l'invariance et la concordance seraient absolues, est rassurante; elle marque aussi bien la mobilité des langues que le mouvement de la pensée de Freud.

2 / Tout glossaire, aussi exhaustif soit-il, livre une reproduction finie, schématique, de l'univers de discours qu'il entend présenter, puisqu'il n'ordonne, par définition, que des mots.

Un glossaire de la langue freudienne ne fait pas exception à cette règle : il ne peut que rester en deçà de la pluralité des styles et des stratégies qui caractérise les textes de Freud, bien qu'il n'ait d'autre but que de retrouver une certaine unité lexicale à travers cette pluralité même.

Celui-ci est d'autant plus voué au statut d'épure qu'il a été conçu en amont de la traduction; il ne peut donc anticiper toutes les solutions terminologiques à venir. Publié au début des *OCF.P*, il est naturellement appelé à être corrigé et complété en fonction des remarques et des critiques que pourra nous faire le lecteur,

1. *Erfüllung*, par exemple, dans son sens technique comme dans son sens neurologique, appartient au lexique I (« accomplissement d'un souhait », « remplissement des neurones »); *Realisierung* et *Verwirklichung* (auxquels il convient de réserver le signifiant « réalisation ») relèvent du lexique II, tandis que des termes comme *Ausführung* ou *Durchführung* (dont l'une des traductions possibles est « exécution ») font partie du lexique III.

des différentes traductions en cours, et de la poursuite de la recherche terminologique.

Idéalement, sa version dernière consisterait, au terme de la traduction des *OCF.P*, à redéployer chacune de ses entrées, en indiquant les occurrences les plus significatives, en développant les principaux exemples dans un ordre diachronique, tout en donnant à voir les difficultés et les discontinuités.

Malgré tout, ce glossaire n'est pas une somme, même imparfaite, d'abstractions; il est plus descriptif que prescriptif; il trouve toujours sa justification dans l'enquête lexicale menée sur le texte freudien.

3 / Ce glossaire, répétons-le, n'est pas un glossaire de la langue allemande, mais de la langue freudienne. C'est pourquoi n'y sont pas mentionnés certains termes allemands ou certains sens appartenant à la langue usuelle.

L'entrée « conversion » n'indique que le terme technique de *Konversion*, et non celui de *Bekehrung* (« conversion » au sens religieux), puisque ce qu'il importe de souligner est que « conversion », en français, est occupé par la série *Konversion*, *Konversionshysterie*, *konvertieren*, et ne peut donc être employé pour traduire d'autres termes comme *Umsetzung* (« transposition ») ou *Verwandlung* (« transformation »). Mais s'il n'indique pas *Bekehrung*, le glossaire ne peut qu'enregistrer les deux termes *Umkehrung* (« inversion ») et *Verkehrung* (« renversement »).

Que *Blüte* (« floraison ») soit repris et conceptualisé par Freud sous la forme de la *Frühblüte* (« floraison précoce ») de la vie sexuelle justifie que ce terme entre dans le glossaire; mais que *Blüte* puisse aussi, dans son sens figuré, être traduit par « apogée » n'a pour la terminologie freudienne aucune signification particulière.

Notre règle de base a été de mentionner *a* / les sens ou *b* / les termes usuels chaque fois qu'ils pouvaient donner lieu, dans la traduction, à un certain type de discrimination réglée.

a / *Reiz*, dans son sens premier, est toujours traduit par « stimulus » et différencié de *Erregung* (« excitation ») et de *Reizung* (« stimulation »). Mais dans son sens second, non technique, *Reiz* est également toujours traduit par « attrait » et différencié de *Zauber*

(« charme »). De même, *reizbar* et *Reizbarkeit*, aussi bien en leur sens technique qu'en leur sens non technique, font l'objet d'une traduction fixe. *Reizbar* est traduit par 1. « stimulable » et 2. « irritable », *Reizbarkeit* par 1. « stimulabilité »; (parfois) « susceptibilité aux stimulus » et 2. « irritabilité ».

b / L'entrée « passagèreté », « passager » (*Vergänglichkeit*, *vergänglich*) inclut un certain nombre de termes employés par Freud (*ephemer*, *flüchtig*, *kurzlebig*, *vorübergehend*) auxquels il convient de réserver en priorité les signifiants « éphémère », « fugitif », « à la vie brève » et « transitoire ».

D'autre part, certains mots de la langue courante sont à considérer comme des termes freudiens à part entière.

L'entrée « indélébilité » (*Unvertilgbarkeit*) distingue cette notion de celle d' « indestructibilité » (*Unzerstörbarkeit*) — « *die Unvertilgbarkeit, die in der Natur aller seelischen Spuren liegt* » : « l'indélébilité qui est dans la nature de toutes les traces animiques » (*GW*, VII, 167) —, puis énumère la série : « indélébile », « indestructible », « ineffaçable », « inextirpable », « impérissable ». Cette série relève de plein droit du vocabulaire freudien dès lors que ces termes viennent qualifier la trace mnésique. S'y ajoute le problème de traduction de *unvergänglich* qui, dans son sens premier, le plus fort, apparenté à *vergänglich* et *Vergänglichkeit*, est traduit par « incapable de passer » (*OCF.P*, XIII, 139). Le glossaire indique cependant que *unvergänglich*, dans quelques occurrences, peut être rendu par la traduction, usuelle et attestée, d' « impérissable » : la trace mnésique est impérissable.

4 / Une dernière remarque concerne les traductions dites secondaires ou exceptionnelles. Certains termes du glossaire peuvent recevoir de multiples traductions. Deux cas sont ici à distinguer.

Un terme comme *Einsicht* — pour lequel le français ne dispose pas d'un terme équivalant à l' « *insight* » anglais — est virtuellement riche d'innombrables traductions (pénétration, intelligence, connaissance, clarté, vue, aperçu, etc.) qu'il est inutile de recenser. *Einsicht* apparaît dans le glossaire à l'entrée « vue », avec pour première traduction proposée « manière de voir ».

A l'inverse, l'enquête lexicale a montré que *Not*, chez Freud, connaît deux acceptions principales et admet deux traductions secondaires (voir art. « Nécessité »). Ici, la polysémie est réglée et peut donc être ordonnée dans le glossaire.

Enfin, il faut poser comme principe que le terme freudien le plus fixe est susceptible d'admettre, ne serait-ce qu'une fois, dans l'ensemble de l'œuvre, une traduction non concordante. Si l'exception est signifiante, elle est d'ailleurs signalée dans la traduction. Ainsi, lorsque Freud parle des *Hemmungen* de la Grande Guerre, où *Hemmungen* est traduit par « empêchements », le mot *Hemmung* (« inhibition ») est indiqué en note (*OCF.P*, XIII, 5). Mais certaines traductions non concordantes moins significatives ne sont ni relevées dans le texte ni signalées dans le glossaire. Que *aufheben* (« supprimer ») soit rendu par « invalider » dans la phrase : « Le second récit de la patiente n'invalida pas le précédent » (*OCF.P*, XIII, 310) ou que *Mischung* (« mixtion ») puisse être traduit « mélange » dans l'énoncé : « la religion accomplit son œuvre par mélange de satisfaction et de sublimation » (*OCF.P*, XIII, 112) est un fait de traduction et de terminologie accidentel. Le glossaire ne peut évidemment pas recueillir tous ces épiphénomènes.

La concordance lexicale présentée ici n'est donc pas synonyme de traduction automatique, comme le montrent bien ces deux derniers exemples ; elle est d'autant plus probante qu'elle n'impose sa rigueur qu'à propos. Elle ne prescrit pas uniformément, en tous les points du texte, une traduction codifiée. La différence établie entre *Unterschied* (« différence ») et *Verschiedenheit* (« diversité »; « distinction ») n'exclut évidemment pas que les *Meinungsverschiedenheiten* demeurent, en français, des « divergences d'opinion ». De même, si *Bau* (« construction ») et *Aufbau* (« édification »; « édifice ») sont à différencier de *Struktur* (voir art. « Edification »), il n'en reste pas moins que *Unterbau* et *Überbau (Oberbau)* ne fonctionnent pas autrement que « infrastructure » et « superstructure » en français.

II
ORGANISATION
DU GLOSSAIRE

I. Colonne 1

La colonne I est celle de l'entrée française :

1 / Elle peut comporter un ou plusieurs termes : individu, individualité, individuel.

2 / En règle générale, les termes de l'entrée française sont donnés dans l'ordre suivant : substantif, verbe (et verbe substantivé), adjectif (et adjectif substantivé). Ex. : abaissement, abaisser, abaissant; image, imagé, imagé (l'); rêve, rêver, rêver (le).

3 / Substantif et adjectif peuvent donner lieu à un développement où sont déclinés, à la manière d'un index, certains syntagmes (auxquels correspondent, en allemand, groupes nominaux et mots composés) :

composante	Komponente
— pulsionnelle	Triebkomponente
affirmation	Bejahung
	Behauptung
— de soi	Selbstbehauptung
pulsion d'—	Behauptungstrieb
découverte	Entdeckung
	Findung
— de l'objet	Objektfindung
élimination	Beseitigung
— du père	Beseitigung des Vaters
— des symptômes	Beseitigung der Symptome

Ces développements entendent surtout indiquer au lecteur :

a / la distribution des termes allemands, dans le cas de certains doublets : si « affirmation » renvoie à *Bejahung* et *Behauptung*, « pulsion d'affirmation » ne renvoie qu'à *Behauptungstrieb*;

b / les différents niveaux contextuels d'un terme : « élimination » (des symptômes, du père), « rabaissement » (de la libido, de l'objet sexuel, du père).

Ils sont aussi le moyen de présenter au lecteur les principaux termes conceptuels de Freud.

choix	Wahl
	Auswahl
— d'objet	Objektwahl
— de la névrose	Neurosenwahl

II. Colonne 2

Dans la colonne 2 sont indiqués :

— le ou les terme(s) allemand(s) correspondant à l'entrée française;

— successivement, selon les cas, les termes antonymes (A), les termes apparentés par le radical (R), et les termes apparentés par le sens (S).

équivocité		Zweideutigkeit	
	A	Eindeutigkeit	univocité
	R	Mehrdeutigkeit	multivocité
	R	Vieldeutigkeit	plurivocité
	S	Doppelsinn	double sens
	S	Überdeterminierung	surdétermination

Exceptionnellement, certaines locutions (L) sont indiquées.

réalité effective		Wirklichkeit	
	L	in Wirklichkeit	en réalité

1 / Lorsque l'entrée française renvoie à plusieurs termes allemands, ceux-ci sont ordonnés du plus invariant au moins invariant.

modification	Modifikation	
	Veränderung	
	Abänderung	changement

2 / Termes apparentés par le radical (R).

Nous avons délibérément restreint aux cas les plus pertinents la mention des termes apparentés par le radical (R). Un certain nombre d'apparentements par la racine ont été reconduits dans la traduction française; aide *(Hilfe)* et désaide *(Hilflosigkeit)*; étranger *(fremd)* et étrangement *(Entfremdung)*; mixte *(gemischt)* et mixtion *(Mischung)*; découverte *(Entdeckung)*, mise à découvert *(Aufdeckung)* et souvenir-couverture *(Deckerinnerung)*. Certains sont signalés dans le glossaire à défaut de pouvoir être rétablis en français : « superstition » *(Aberglaube)* est ainsi mentionné à l'entrée « croyance » *(Glaube)*. Mais d'autres apparentements relèvent exclusivement de la langue allemande : *schlagen* (battre), *Fehlschlagen* (échec), *Niederschlag* (précipité).

3 / Termes apparentés par le sens (s).

Là encore, le point de vue technique de la traduction l'emporte sur celui, global, de la langue. Ne sont évidemment pas mentionnés tous les synonymes d'un terme mais ceux qui, dans la traduction, font l'objet d'une distinction.

L'entrée « abaissement » *(Herabsetzung)* donne, en s, *Erniedrigung*, toujours traduit « rabaissement », et *Verringerung*, l'un des termes auxquels est réservé « diminution ». L'entrée « diminution », plus large, comprend l'ensemble des termes *(Verringerung, Verminderung, Verkleinerung, Herabminderung, Herabsinken, Senkung, Lockerung, Nachlaß)* entre lesquels il est possible de répartir, de façon plus ou moins constante, les différents signifiants « diminution », « amenuisement », « amoindrissement », « réduction », « baisse », « chute », « relâchement ».

III. Colonne 3

Dans la colonne 3 sont indiquées :

— les autres traductions possibles du terme allemand correspondant à l'entrée française;

— la traduction des termes allemands donnés comme antonymes (A), apparentés par le radical (R) ou par le sens (S).

1 / Les traductions données dans la colonne 3 peuvent être mentionnées sans autre indication. Dans ce cas, elles sont tenues pour équivalentes à celle de la colonne 1.

langage	Sprache	langue
interdit	Verbot	interdiction

2 / Elles peuvent être précédées de la mention « parfois » ou « exceptionnellement », lorsqu'il n'y a pas une réelle différence de sens.

prescription	Vorschrift	*(pfs)* précepte
récusation	Ablehnung	*(exc)* refus

3 / Le plus souvent, elles sont ordonnées en premier, deuxième, troisième ou quatrième sens (1, 2, 3 ou 4).

conclusion	Schluß	
	Abschluß	1. achèvement
corrélation	Zusammenhang	2. cohérence
		3. contexte
		4. ensemble

Ces différents sens peuvent être précisés : *(pfs)*, *(exc)*, *(n. techn)*, *(cour)*, *(métaps)*. V. *Liste des abréviations.*

transfert	Übertragung	2. *(exc)* transmission
facteur occasionnant	Anlaß	2. *(n. techn)* occasion

4 / Pour des raisons d'économie, la traduction du terme allemand donné comme A, R ou S ne reprend pas nécessairement l'ensemble des significations que ce terme peut admettre.

liaison	Bindung	
	A Entbindung	*déliaison*

La seule traduction indiquée pour *Entbindung*, ici, est celle correspondant à son sens métapsychologique.

A l'inverse, si la traduction indiquée ne correspond pas au sens premier du terme, nous rappelons systématiquement ce dernier : la traduction indiquée pour *Entbindung*, à l'entrée « naissance », est celle correspondant au champ sémantique en question : accouchement; délivrance. Le sens 1. déliaison est donné à la suite.

naissance		Geburt	
	s	Entbindung	accouchement; délivrance 1. *déliaison*

5 / Un mot en italique dans la colonne 3 signifie que ce terme possède sa propre entrée.

Ainsi, « déliaison » en italique, à l'entrée « liaison » et à l'entrée « naissance », rappelle au lecteur qu'il existe une entrée « déliaison », où ce terme est développé :

déliaison		Entbindung	2. *(n. techn)* accouchement; délivrance
— d'affect		Affektentbindung	
— d'angoisse		Angstentbindung	
— de déplaisir		Unlustentbindung	
— sexuelle		Sexualentbindung	
	A	Bindung	*liaison*
	s	Befreiung	*libération*
	s	Entfesselung	*déchaînement*
délier		entbinden	

IV. Italique

L'italique constitue le dispositif essentiel de ce glossaire : c'est lui qui assure la circulation d'une entrée à l'autre.

Le lecteur peut ainsi passer de « prototype » *(Vorbild)* à « modèle » *(Muster)* :

prototype		Vorbild	
	s	Muster	*modèle*

et de « modèle » à « exemple » *(Beispiel)* :

modèle		Muster	
	s	Beispiel	*exemple*
	s	Vorbild	*prototype*

Chacune de ces entrées donne lieu à des développements particuliers.

L'entrée « prototype » spécifie que *Vorbild* peut exceptionnellement être traduit par « modèle » (*zum Vorbild nehmen* : prendre pour modèle); elle indique aussi en s *Paradigma* (« paradigme »).

prototype	Vorbild	2. *(exc)* modèle
	s Muster	*modèle*
	s Paradigma	paradigme

L'entrée « modèle » enregistre le terme plus rare de *Modell* à côté de *Muster*; elle spécifie que *Muster* peut parfois être traduit par « spécimen ». Elle indique, en s, à côté de *Vorbild* (« prototype ») et *Beispiel* (« exemple »), *Probe* au sens second de « échantillon », puis rappelle le sens premier de *Probe* : « épreuve ».

modèle	Modell	
	Muster	*(pfs)* spécimen
	s Beispiel	*exemple*
	s Vorbild	1. *prototype*
		2. *(exc)* modèle
	s Probe	échantillon
		1. *épreuve*

Le glossaire serait redondant s'il fallait aussi faire une entrée « échantillon » et une entrée « paradigme » où les autres termes en s seraient chaque fois énumérés.

Si le mot recherché n'a pas d'entrée propre, le lecteur peut se reporter à la liste complémentaire en annexe au glossaire : il y trouvera, par exemple, « paradigme *(V. prototype)* » et « échantillon *(V. épreuve ; modèle)* ».

De même, la circularité serait infinie s'il fallait, à l'entrée « épreuve » *(Probe)*, où le sens secondaire de *Probe* (« échantillon ») est mentionné dans la colonne 3, indiquer de nouveau « modèle » et « prototype ». L'entrée « épreuve » *(Probe)* ne donne en s que le terme *Prüfung* (« examen »), appartenant au même champ sémantique, et que nous différencions de *Probe* (*Realitätsprüfung* : examen de réalité).

V. Astérisque

L'astérisque * qui précède un mot allemand indique que ce terme est donné en note dans le corps du texte, parce qu'il vient en concurrence avec un autre terme :

résistance	*Resistenz Widerstand	

ou parce que sa traduction est exceptionnelle :

faute	Fehler *Schuld	2. défaut 1. coulpe; culpabilité

L'astérisque qui suit certains mots français (objet*, représenter*) correspond au dispositif mis en place dans les *OCF.P* pour différencier deux termes allemands dont la traduction est identique : *Gegenstand* (objet*) et *Objekt* (objet), *repräsentieren* (représenter*) et *vertreten* (représenter).

L'étoile * qui suit le mot français, dans la colonne 1, indique que ce terme fait l'objet d'un article de la Terminologie raisonnée.

GLOSSAIRE

abaissement	Herabsetzung	2. *(exc) dépréciation*
auto- —	Selbstherabsetzung	
	A Erhöhung	*élévation*
	S Erniedrigung	*rabaissement*
	S Verringerung	*diminution*
abaisser	herabsetzen	2. *(pfs)* déprécier
abaissant	herabsetzend	2. *(pfs)* dépréciatif

abandon	Aufgeben	
	Hergeben	
	Verlassen	
	R Verlassenheit	délaissement
	R Auflassen/Auflassung	*vacance*
	S Verzicht	*renoncement*
abandonner	aufgeben	
	verlassen	délaisser; quitter
	R abgeben	céder
	R auflassen	laisser vacant
	R fallen lassen	laisser tomber
	R überlassen	céder
s'abandonner (à)	sich hingeben	s'adonner à; se vouer à
	R Hingabe	abandon
	verliebte Hingabe	abandon amoureux
	sexuelle Hingabe	abandon sexuel
	R Hingebung	dévouement; fait de se vouer à; fait de se donner à

aberration	Abirrung	
— sexuelle	sexuelle Abirrung	
	R Irrtum	erreur
	R Irrung	errement
	R Verirrung	égarement; errement

abomination		Abscheu	répulsion
	A	Verehrung	*vénération*
	R	Abscheulichkeit	atrocité
	R	Verabscheuung	exécration
	S	Abneigung	*aversion*
	S	Abstoßung	*répulsion*
	S	Grauen/Grausen	*horreur*
	S	Gräßlichkeit	atrocité
abominable		abscheulich	atroce
	S	gräßlich	atroce
abréagir		abreagieren	
abréagir (l')		Abreagieren (das)	
	R	Agieren (das)	*agir (l')*
	R	Reaktion	*réaction*
abrégé		Abriß	
	S	Zusammenfassung	résumé; récapitulation 1. *rassemblement*
abrégement		Abkürzung	raccourci; abréviation
	R	Verkürzung	raccourcissement; raccourci
abréger		abkürzen	
absence		Absenz	
		Abwesenheit	
		Ausbleiben	
		Wegfall	disparition; suppression
	A	Anwesenheit	*présence*
	S	Mangel	*manque*
	S	Fehlen	*défaut*
absence ressentie		Vermissen (das)	
— de l'objet		Vermissen des Objekts	
	R	vermissen	ressentir (constater; déplorer) l'absence
abstinence		Abstinenz	
	S	Enthaltsamkeit	*continence*
	S	Enthaltung	1. continence 2. *(pfs)* abstention; fait de s'abstenir
s'abstenir		sich enthalten	se retenir de

absurdité		Absurdität	
		Widersinn	1. contresens ;
			non-sens
		Unsinn	1. non-sens
absurde		absurd	
		widersinnig	
		unsinnig	1. insensé
	R	schwachsinnig	imbécile
	S	toll	extravagant

abus		Mißbrauch	1. mésusage;
			usage aberrant
— sexuel		sexueller Mißbrauch	
	R	Gebrauch	*usage*
abuser		mißbrauchen	1. mésuser

accent		Akzent	
accentuation		Betonung	accent mis sur
			2. soulignement
	R	Überbetonung	suraccentuation
accentuer		betonen	mettre l'accent sur
			2. souligner

accès		Anfall	
— d'angoisse		Angstanfall	
— hystérique		hysterischer Anfall	
	S	Attacke	*attaque*
	S	Ausbruch	*éruption*

accès		Zugang	
		Zutritt	
— à la conscience		Zugang/Zutritt zum Bewußtsein	
	R	Eingang	*entrée*
	R	Eintritt	entrée
		Eingang/Eintritt ins Bewußtsein	entrée dans la conscience

accident		Unfall	
	R	Vorfall	1. *incident*
			2. *survenue*
	R	Zufall	1. *hasard*
			2. incidence
			3. *(exc)* accident
accidentel		akzidentell	
accidentel (l')		Akzidentelle (das)	

accomplissement		Erfüllung	2. *(neur)* remplissement
— d'angoisse		Angsterfüllung	
— de pulsion		Trieberfüllung	
— de punition		Straferfüllung	
— de souhait		Wunscherfüllung	
— du souhait		Erfüllung des Wunsches	
	A	Nichterfüllung	non-accomplissement
accomplissement (plein)		Vollziehung	
	s	Realisierung	*réalisation*
	s	Ausführung	1. *exécution* 2. *exposé*
	s	Durchführung	exécution
accomplir		erfüllen	2. emplir; remplir
		vollbrechen	
		vollbringen	
		vollziehen	effectuer
	s	ausführen	1. exécuter; effectuer 2. exposer
	s	durchführen	1. conduire 2. exécuter; mettre à exécution; *(pfs)* réaliser
	s	begehen	commettre
	s	verüben	commettre
s'accomplir		sich vollziehen	s'effectuer; s'opérer
	s	erfolgen	se produire; s'effectuer
	s	vor sich gehen	se produire; s'effectuer
	s	geschehen	advenir; *(pfs)* arriver
accompli		erfüllt	
	A	unerfüllt	inaccompli

---

accoutumance		Gewöhnung	*(pfs)* habitude
		Angewöhnung	
	A	Abgewöhnung	désaccoutumance
	R	Gewohnheit	habitude
	s	Sucht (nach)	*addiction (à)*

---

accroissement		Zunahme	*(pfs)* recrudescence
		Steigerung	augmentation; *(pfs)* intensification
	A	Abnahme	décroissement
	S	Vermehrung	*augmentation*
	S	Zuwachs	surcroît
accroître		steigern	augmenter
s'accroître		zunehmen	
		sich steigern	*(pfs)* s'intensifier
	A	abnehmen	décroître

accumulation		Anhäufung	
— de stimulus		Reizanhäufung	
	S	Aufspeicherung	emmagasinage

accusation		Anklage	2. *(exc)* plainte portée contre
		Beschuldigung	1. inculpation; incrimination
auto- —		Selbstanklage	
		Selbstbeschuldigung	
	R	Klage	*plainte*
accuser		anklagen	
		beschuldigen	1. inculper; incriminer
		bezichtigen	

achèvement		Abschluß	*(pfs)* conclusion
		Abgeschlossenheit	*(pfs)* état achevé
	A	Unabgeschlossenheit	inachèvement
	R	Schluß	*conclusion*
achèvement (plein)		Vollendung	
achevé		abgeschlossen	*(pfs)* clos
		fertig	
	A	unabgeschlossen	inachevé
	A	unfertig	inachevé
	S	beendet	terminé
	S	endlich	*fini*

acquis		Erwerb	2. acquisition
— de la culture		Kulturerwerb	
acquis *(adj)*		akquiriert	
		erworben	
	A	angeboren/eingeboren	*inné*
	A	ererbt	hérité

acquis *(suite)*			
acquis (l')		Erworbene (das)	
	A	Ererbte (das)	hérité (l')
acquisition		Erwerbung	
		Erwerb	1. acquis
— de plaisir		Lusterwerb	
	R	Neuerwerbung	néo-acquisition; *(pfs)* nouvelle acquisition
	R	Wiedererwerb	réacquisition
	S	Gewinn	*gain*

acte		Akt	
		Tat	*(pfs) action*
— sexué		geschlechtlicher Akt	
		Geschlechtsakt	
— sexuel		Sexualakt	
	R	Missetat	méfait
	R	Tätlichkeit	voie de fait
	R	Untat	forfait
	R	Wohltat	bienfait

action	Aktion	
	Handlung	
	Wirkung	2. *effet*
	Handeln	2. *pratique*
— -à-but	Zielhandlung	
— de contrainte	Zwangshandlung	
— musculaire	Muskelaktion	
— pratique	praktisches Handeln	
— pulsionnelle	Triebhandlung	
— réciproque	Wechselwirkung	*(pfs)* interaction
— spécifique	spezifische Aktion	

action conjointe	Zusammenwirken	2. action commune; *(pfs)* concours
— et antagoniste	Zusammen- und Gegeneinanderwirken	
agir conjointement	zusammenwirken	2. agir en commun

action conjuguée	Mitwirken
	Miteinanderwirken
— et antagoniste	Mit (Miteinander)- und Gegeneinanderwirken

action exercée (par, sur)		Einwirkung	
	R	einwirken (auf)	exercer une action (sur)
	R	wirken (auf)	agir (sur)
actions exercées (par)		Einwirkungen	
— par la vie		Einwirkungen des Lebens	
		Lebenseinwirkungen	
	R	Auswirkungen	répercussions
	S	Einfluß	*influence*
	S	Beeinflußung	influence exercée par
action manquée		Fehlhandlung	
	S	Fehlleistung	*opération manquée*
activation		Aktivierung	
	R	Reaktivierung	réactivation
	S	Wiederbelebung	*revivification*
activité		Aktivität	
		Tätigkeit	
		Betätigung	1. *activité (mise en)*
		Verrichtung	
— génitale		Genitaltätigkeit	
		Genitalbetätigung	
— d'organe		Organbetätigung	
— pulsionnelle		Triebbetätigung	
— sexuée		Geschlechtstätigkeit	
— sexuelle		Sexualtätigkeit	
		Sexualbetätigung	
		sexuelle Aktivität	
	L	in Tätigkeit bringen	mettre en activité
	S	Leistung	*opération*
	S	Wirksamkeit	efficience; efficacité
actif		aktiv	
		tätig	
		wirkend	
	S	wirksam	efficient; efficace
activité (capacité d')		Leistungsfähigkeit	capacité d'agir; *(pfs)* capacité opératoire
	R	leistungsfähig	1. capable d'activité; capable d'agir 2. performant
	R	leistungsunfähig	incapable d'activité; incapable d'agir
	R	Leistung	*opération*

activité (mise en)		Betätigung	2. *activité*; (*pfs*) exercice
	R	sich betätigen	1. entrer en action 2. s'exercer
actualité		Aktualität	
actuel		aktuell Aktual-	
		zeitgemäß	d'actualité
		heutig	d'aujourd'hui; contemporain
actuel(le)		Aktual-	
névrose —		Aktualneurose	
symptôme —		Aktualsymptom	
actuelles (sur)		Zeitgemäßes (über)	
adaptation		Adaptierung Anpassung	
addiction (à)		Sucht (nach)	2. *manie (de)*
— originaire		Ursucht	
— à l'hypnose		Sucht nach der Hypnose	
— au jeu		Spielsucht	
	S	Gewöhnung	*accoutumance*
adhérence		Haftung Haften	
— mémorielle		Gedächtnishaftung	
adhérer à		haften (an)	2. s'attacher à; être attaché à
adhésivité (de la libido)		Haftbarkeit (der Libido)	
	S	Fixierbarkeit	fixabilité
	S	Klebrigkeit	*viscosité*
admission *(topique)*		Annahme	(*pfs*) acceptation; adoption 2. *hypothèse*
	R	Aufnahme	1. *réception* 2. adoption; accueil
admettre *(topique et intell)*		annehmen	2. faire l'hypothèse
	R	hinnehmen	accepter

advenir (l')		Geschehen (das)	
— animique		seelisches Geschehen	
— psychique		psychisches Geschehen	
	R	Geschehnis	*événement*
	R	Ungeschehenmachen (das)	rendre non-advenu (le)
advenir		geschehen	*(pfs)* arriver; se produire; s'effectuer
	S	sich ereignen	se produire
	S	statthaben	avoir lieu
	S	vorgehen	se passer
	S	zustande kommen	survenir; se produire
	S	vorkommen	1. arriver; avoir lieu 2. se trouver; se présenter; être présent

---

affect		Affekt	
— coincé		eingeklemmter Affekt	
— durable		Daueraffekt	
— fourvoyé		irregeleiteter Affekt	
état d'—		Affektzustand	
vie d'—		Affektleben	
affectivité		Affektivität	
	S	Gefühlsleben	vie de sentiment
affectif		affektiv	
	S	emotionnell	émotionnel
	S	Gefühls-	de sentiment; *(exc)* sentimental

---

affection		Affektion	
		Erkrankung	1. *entrée en maladie*; *(pfs)* maladie contractée
— narcissique		narzißtische Affektion	
— nerveuse		nervöse Affektion	
— névrotique		neurotische Erkrankung	1. entrée en maladie névrotique
	R	erkranken	tomber malade
	R	Krankheit	*maladie*
	S	Leiden	*souffrance*

---

affirmation		Bejahung	
		Behauptung	
— de soi		Selbstbehauptung	
pulsion d'—		Behauptungstrieb	
	A	*Negation	*négation*
	A	Verneinung	négation
affirmer		bejahen	
		behaupten	
	A	negieren	nier
	A	verneinen	nier

---

agir		agieren	
		wirken	
		handeln	
agir (l')		Agieren (das)	
	R	abreagieren	*abréagir*
	R	Abreagieren (das)	*abréagir (l')*
	R	Handeln (das)	*action*
agir (sur)		einwirken (auf)	exercer une action (sur)

---

agoraphobie		Agoraphobie	
	S	Topophobie	topophobie
	S	Raumangst	angoisse de l'espace
	S	Platzangst	angoisse des places
	S	Straßenangst	angoisse des rues

---

agrandissement		Vergrößerung	
— du moi		Ichvergrößerung	
	R	Größe	*grandeur*
	S	Vergröberung	grossissement

---

agression		Aggression	
— sexuelle		sexuelle Aggression	
désir* d'—		Aggressionslust	
pulsion d'—		Aggressionstrieb	
	S	Angriff	*attaque*
agressivité		Aggressivität	
agressif		aggressiv	
	S	offensiv	offensif
	S	Trutz-	offensif; offensant
	S	vindikativ	vindicatif

---

aide	Hilfe	
	Mithilfe	concours
	Nachhilfe	secours
	Abhilfe	remède; secours recours;
	Hilfeleistung	aide apportée; secours
	R hilfreich	secourable
	R Hilfs-	adjuvant; *(pfs)* auxiliaire
	R hilflos	1. en désaide 2. *(cour)* démuni
	R Hilflosigkeit	*désaide (le)*
	R Hilfsbedürftigkeit	besoin d'aide
aider	helfen	
	verhelfen	
	mithelfen	
	abhelfen	remédier
	nachhelfen	venir en aide
	R aushelfen	venir en aide
	L zu Hilfe kommen	venir en aide
	L Hilfe leisten	apporter de l'aide

ajournement	Aufschub	
— de pensée	Denkaufschub	
	R Verschiebung	*déplacement*
	S Einstellung	*suspension* 1. *position; attitude*
ajourner	aufschieben	*(pfs)* différer
	R verschieben	1. déplacer 2. différer
	S verspäten	retarder

aliment	Nahrungsmittel	
	R Nahrung	nourriture
alimentation	Ernährung	nutrition
alimentaire	Eß-	
	Nahrungs-	de nourriture
appétence —	Eßlust	
fonction —	Nahrungsfunktion	
pulsion —	Eßtrieb	
trouble —	Eßstörung	

alliance	Bund	
	Bündnis	
	S Vertrag	contrat
	S Pakt	pacte

allusion	Anspielung	2. *(exc)* référence
	Andeutung	1. *indication*
alternance	Alternieren (das)	
	Abwechslung	
	Wechsel	1. *changement*
	s Schwanken	oscillation
ambivalence	Ambivalenz	
— pulsionnelle	Triebambivalenz	
— de sentiment	Gefühlsambivalenz	
combat d'—	Ambivalenzkampf	
conflit d'—	Ambivalenzkonflikt	
	s Zwiespältigkeit	division
âme*	Seele	
	Seelen-	d'âme;
		(exc) de l'âme
activité d'—	Seelentätigkeit	
appareil d'—	Seelenapparat	
vie d'—	Seelenleben	
	s Psyche	*psyché*
animique	seelisch	
animique (l')	Seelische (das)	
	s psychisch	psychique
	s Psychische (das)	psychique (le)
amélioration	Besserung	
	Verbesserung	
	A Verschlechterung	aggravation
	A Verschlimmerung	aggravation
aménagement	Einrichtung	1. *dispositif*
	s Veranstaltung	agencement
aménager	einrichten	
	R errichten	ériger

amour		Liebe	
— d'objet		Objektliebe	
— de transfert		Übertragungsliebe	
désirance d'—		Liebessehnsucht	
motion d'—		Liebesregung	
perte d'—		Liebesverlust	
objet d'—		Liebesobjekt	
pulsion d'—		Liebestrieb	
transfert d'—		Liebesübertragung	
	R	Verliebtheit	état amoureux
aimer		lieben	
aimer (l')		Lieben (das)	
	R	geliebt werden	être aimé
		Geliebtwerden (das)	être-aimé (l')
	R	sich verlieben (in)	tomber amoureux
amoureux (euse)		verliebt	
		Liebes-	d'amour
commerce —		Liebesverkehr	
désirance —		verliebte Sehnsucht	
rapport —		Liebesverhältnis	
relation —		Liebesbeziehung	
vie —		Liebesleben	

amour-propre		Eigenliebe	
	S	Selbstliebe	amour de soi
	S	Selbstgefühl	sentiment de soi

anal(e)		anal	
		Anal-	
		After-	
— -érotique		analerotisch	
caractère —		Analcharakter	
érotisme —		Analerotik	
muqueuse —		Afterschleimhaut	
orifice —		Afteröffnung	
zone —		anale Zone	
		Analzone	
		Afterzone	

analogie		Analogie	
analogon		Analogon	
	S	Ähnlichkeit	ressemblance; similitude
	S	Gleichartigkeit	similitude; similarité
analogue		analog	
	S	ähnlich	semblable; similaire

analyse		Analyse	
		Auflösung	1. *dissolution*
			2. *résolution*
— didactique		Lehranalyse	
— du moi		Ich-Analyse	
		Ichanalyse	
— personnelle		Eigenanalyse	
auto- —		Selbstanalyse	
analysé (l')		Analysierte (der)	
analyste (l')		Analytiker (der)	
	S	Analysierende (der)	analysant (l')

ancien		alt	
	R	uralt	très ancien; immémorial
	S	unvordenklich	immémorial
	S	archaisch	*archaïque*

angoisse*		Angst	
— de conscience		Gewissenangst	
— de désirance		Sehnsuchtangst	
— de libido		Libidoangst	
— librement flottante		frei flottierende Angst	
— en libre suspens		freischwebende Angst	
— de mort		Todesangst	
— névrotique		neurotische Angst	
— d'objet		Objektangst	
— de pulsion		Triebangst	
— de réel		Realangst	
— sociale		soziale Angst	
— pour la vie		Lebensangst	
angoisse (devant)		Angst (vor)	
— le père		Angst vor dem Vater	
		Vaterangst	
— le sur-moi		Angst vor dem Über-Ich	
	R	Ängstlichkeit	*anxiété*
	S	Furcht	*peur*
	S	Befürchtung	appréhension
	S	Scheu	*crainte*
	S	Schreck/Schrecken	*effroi*
	S	Grauen/Grausen	*horreur*
angoissé		verängstigt	
	R	ängstlich	anxieux
	R	Ängstliche (der)	anxieux (l')
angoissant (l')		Ängstliche (das)	

angoisse *(suite)*		
s'angoisser	sich ängstigen	
	s fürchten	redouter; *(pfs)* craindre
	s sich fürchten (vor)	avoir peur de
	s befürchten	redouter; appréhender
	s scheuen	craindre
	s erschrecken	s'effrayer

animal	Tier	
— d'angoisse	Angsttier	
— -homme	Menschentier	
— de horde	Hordentier	
— de troupeau	Herdentier	
phobie d'—	Tierphobie	
	R Tierchen	animalcule
animal *(adj)*	animalisch	
	tierisch	

animé	belebt	
	A unbelebt	inanimé
	A leblos	sans vie; inanimé
	R lebend	vivant
animé(e)		
matière —	belebte Materie	
	A unbelebte Materie	matière inanimée

anomalie	Anomalie	
	Abnormität	1. anormalité
— de caractère	Charakterabnormität	
anormalité	Abnormität	2. anomalie
	A Normalität	normalité
anormal	abnorm	
	anormal	
	A normal	normal
	s krankhaft	morbide
	s pathologisch	*pathologique*

antagonisme	Widerstreit	
	Gegnerschaft	rivalité
	R Gegner	adversaire
	R gegnerisch	adverse
	s Gegensatz	*opposition; opposé*
	s Konflikt	*conflit*
antagonique	widerstreitend	antagoniste

anxiété		Ängstlichkeit	
— à vivre		Lebensängstlichkeit	
	R	Angst	*angoisse*
	R	Überängstlichkeit	anxiété excessive; excès d'anxiété
anxieux		ängstlich	angoissant
	R	verängstigt	angoissé
	R	überängstlich	excessivement anxieux
anxieux (l')		Ängstliche (der)	

apaisement		Beschwichtigung	
		Beruhigung	
apaiser		beschwichtigen	calmer
		stillen	1. assouvir

appareil		Apparat	
— d'âme		Seelenapparat	
— animique		seelischer Apparat	
— psychique		psychischer Apparat	
— sexué		Geschlechtsapparat	
— sexuel		Sexualapparat	
	S	Einrichtung	*dispositif*

apparition		Entstehung	2. *(pfs)* naissance 3. *(exc)* genèse
		Erscheinen	
		Erscheinung	1. *manifestation* 2. *phénomène*
mécanisme d'—		Entstehungsmechanismus	
	R	Wiedererscheinen	réapparition
	S	Auftreten	*survenue*
	S	Ausbruch	*éruption*
	S	Geburt	*naissance*
	S	Genese	*genèse*
apparition (faire son)		entstehen	*(pfs)* apparaître; *(pfs)* prendre naissance; *(exc)* naître
apparaître (faire)		entstehen lassen	
		zum Vorschein bringen	
apparaître		erscheinen	revêtir une apparence; paraître
		zum Vorschein kommen	apparaître; se faire jour; venir au jour
	S	auftreten	survenir

appauvrissement		Verarmung	
— du moi		Ichverarmung	
appétence alimentaire		Eßlust	
	A	Eßunlust	inappétence alimentaire
	S	Appetit	appétit
application		Anwendung	
		Verwendung	1. *utilisation*
appliquer		anwenden	
appliqué		angewandt	
apport		Zufuhr	
		Zuschuß	
		Zusatz	1. ajout; addition
— de nourriture		Nahrungszufuhr	
— de stimulus		Reizzufuhr	
	R	zuführend	pourvoyeur
		reizzuführend	pourvoyeur de stimulus
	S	spendend	dispensateur
	S	Zufluß	afflux
	S	Zuwachs	surcroît
	S	Beimengung	addition; adjonction
	S	Zumischung	adjonction
appréciation		Würdigung	prise en compte
	S	Einschätzung	*estimation*
	S	Schätzung	estimation; estime
apprêtement* (à)		Bereitschaft (zu)	2. *(pfs) propension* 3. *(exc) disponibilité*
— à l'angoisse		Bereitschaft zur Angst	
		Angstbereitschaft	2. apprêtement par l'angoisse
— à l'agression		Aggressionsbereitschaft	
— à la haine		Haßbereitschaft	
— à l'amour		Liebesbereitschaft	
apprêtement (vis-à-vis de)		Bereitschaft (auf)	
— vis-à-vis du danger		Bereitschaft auf die Gefahr	
	R	Vorbereitung	*préparation*
	S	Angstvorbereitung	préparation par l'angoisse

après-coup* *(adj ; adv)*		nachträglich	
action —		nachträgliche Wirkung	effet après-coup
		Nachwirkung	2. *(pfs)* contrecoup
après-coup (effet d')		Nachträglichkeit	
aptitude (à)		Eignung (zu)	
		Fähigkeit (zu)	1. *capacité (de)*
— à la culture		Kultureignung	
apte		geeignet	approprié
	A	ungeeignet	inapte; inapproprié
arbitraire		Willkür	
— psychique		psychische Willkür	
	R	Wille	*volonté*
	R	Willkürlichkeit	libre arbitre
arbitraire *(adj)*		willkürlich	1. volontaire
archaïque		archaisch	
		archaistisch	
constitution —		archaistische Konstitution	
héritage —		archaische Erbschaft	
	S	alt	*ancien*
	S	primitiv	*primitif*
	S	ursprünglich	*originel*
	S	Ur-	*originaire*
articulation		Angliederung	
		Gliederung	1. *subdivision*
	R	Glied	*membre*
	R	Zergliederung	dissection
s'articuler		gliedern (sich)	
articulé		gegliedert	
assemblage		Zusammenfügung	
		Zusammenlegung	
		Zusammenstellung	
	S	Zusammensetzung	*composition*
	S	Zusammenfassung	*rassemblement*
assembler		zusammenfügen	
		zusammenstellen	rassembler
	S	zusammenballen	agglomérer

assentiment		Zustimmung	consentement; *(pfs)* approbation
— de la réalité		Zustimmung der Realität	
	s	Billigung	approbation
	s	Einwilligung	consentement
	s	Eingehen	consentement
	s	Bereitwilligkeit	*disponibilité;* empressement
	R	zustimmen	consentir (à)
	s	sich gefallen lassen	consentir (à); s'accommoder (de)
association		Assoziation	
contrainte d'—		Assoziationszwang	
libre —		freie Assoziation	
	s	Einfall	*idée incidente*
	s	Zusammengang	*corrélation*
associatif		assoziativ Assoziativ- Assoziations-	d'association(s)
commerce —		Assoziativverkehr	
fil —		Assoziationsfaden	
pont —		Assoziationsbrücke	
processus —		Assoziationsvorgang	
assonance		Assonanz	
		Anklang	2. résonance; écho
	R	Klang	*son;* sonorité
	R	Nachklang	résonance; écho
	R	Gleichklang	homophonie
assouvissement		Sättigung	*satiété*
	s	Befriedigung	*satisfaction*
assouvir		sättigen stillen	rassasier
	R	gesättigt	rassasié
	R	ungesättigt	inassouvi
assurance		Versicherung Zusicherung	
action d'—		Versicherungshandlung	
	R	Sicherung	garantie
	s	Vorsicht	*précaution;* prudence
atemporalité		Zeitlosigkeit	
atemporel		zeitlos	

atrophie		Verkümmerung	2. *étiolement*
— d'organe		Organverkümmerrung	
atrophié		verkümmert	
attachement		Attachement	
		Anhänglichkeit	*(pfs)* allégeance
	s	Bindung	*liaison (interp)*
attachement		Anheftung	rattachement
attaque		Attacke	
— hystérique		hysterische Attacke	
	s	Anfall	*accès*
attaque		Angriff	
	s	Aggression	*agression*
	s	Attentat	attentat
attaquer		angreifen	
atteinte		Kränkung	1. *vexation*
		Schädigung	1. *endommagement ; (pfs) dommage (pfs) préjudice*
— du moi		Ichkränkung	
— au narcissisme		Kränkung des Narzissmus	
	s	Beleidigung	*offense*
attente		Erwartung	
— d'angoisse		Angsterwartung	
— anxieuse		ängstliche Erwartung	
— libidinale		libidinöse Erwartung	
représentation d'—		Erwartungsvorstellung	
	s	Hoffnung	espoir; espérance
attention		Aufmerksamkeit	
		Beachtung	1. *observance*
— en égal suspens*		gleichschwebende Aufmerksamkeit	
— en libre suspens*		freischwebende Aufmerksamkeit	
atténuation		Milderung	1. adoucissement
		Abschwächung	1. affaiblissement
atténué		gemildert	
	s	abgeschwächt	affaibli
attitude		Einstellung	*position* 2. *suspension*
		Haltung	position

attraction		Attraktion	
		Anziehung	*(pfs)* attirance
— de l'inconscient		Anziehung des Unbewußten	
— sexuelle		sexuelle Attraktion	
	A	Abstoßung	*répulsion*
attirant		anziehend	
		reizvoll	
	A	abstoßend	repoussant
attrait		Reiz	I. *stimulus*
		Lockung	
	S	Zauber	*charme*
audition		Hören (das)	
	R	Verhören (das)	*méprise d'audition*
	S	Belauschung	*écoute(s)*
auditif		Gehör(s)-	
	S	akustisch	acoustique
augmentation		Vermehrung	*(pfs)* multiplication
		Steigerung	*(pfs)* accroissement; *(pfs)* intensification
	A	Verringerung	*diminution*
	S	Zunahme	*accroissement*
	S	Vergrößerung	agrandissement
	S	Erhöhung	*élévation*
auto-analyse		Selbstanalyse	
	S	Eigenanalyse	analyse personnelle
auto-conservation		Selbsterhaltung	
pulsion d'—		Selbsterhaltungstrieb	
	S	Selbstbewahrung	auto-préservation
auto-érotisme		Autoerotismus	
	A	Alloerotismus	allo-érotisme
auto-érotique		autoerotisch	
autonomie		Selbständigkeit	
	A	Unselbständigkeit	manque d'autonomie
	S	Unabhängigkeit	indépendance
autonome		selbständig	
	A	unselbständig	non autonome
avant-corps (de la phobie)		Vorbau (der Phobie)	
	R	Bau	*construction*

avant-coureur		Vorgänger	prédécesseur
	s	Vorläufer	précurseur

aversion		Abneigung	
— alimentaire		Eßabneigung	
	s	Abstoßung	*répulsion*
	s	Widerwille	répugnance
	s	Unwille	répugnance
	s	Ekel	*dégoût*
	s	Grauen/Grausen	*horreur*
	s	Abscheu	*abomination ;* répulsion
	s	Verabscheuung	exécration

avertissement		Mahnung	exhortation
— de la conscience		Gewissensmahnung	
	s	Warnung	mise en garde

bande		Bande	
		Rotte	
— des frères		Brüderbande	
	s	Horde	*horde*

barrage		Absperrung	coupure
		Sperrung	
barrer		absperren	
		sperren	
		versperren	
barrer la voie		in den Weg kommen	
	R	abgesperrt	à l'accès barré

barrière		Schranke	2. *limite*
— de la censure		Schranke der Zensur	
— de dégoût		Ekelschranke	
— de l'espèce		Artschranke	
— à l'inceste		Inzestschranke	
— sexuelle		Sexualschranke	
	s	Damm	*digue*
	s	Hindernis	*obstacle*

battre		schlagen	
battre (le)		Schlagen (das)	
	R	Geschlagenwerden (das)	être-battu (l')
	R	Schlage-	*de fustigation*

bénéfice		Gewinn	1. *gain*
— de la maladie		Krankheitsgewinn	
besoin		Bedürfnis	
		Bedürftigkeit	1. état de besoin
— pressant		dringendes Bedürfnis	
— pulsionnel		Triebbedürfnis	
— sexuel		Sexualbedürfnis	
stimulus de —		Bedürfnisreiz	
tension de —		Bedürfnisspannung	
besoin (pressant —)		Not	1. *nécessité ;* Nécessité
— excrémentiel		exkrementelle Not	
— sexuel		sexuelle Not	
bien		Gut	
— commun		Gemeingut	
	s	Besitz	*possession*
bien (le)		Gute (das)	
	A	Böse (das)	*mal (le)*
bilatéralité		Doppelseitigkeit	
bilatéral		doppelseitig	
		beiderseitig	
	R	einseitig	unilatéral
	R	Einseitigkeit	unilatéralité
bisexualité		Bisexualität	
	A	Monosexualität	monosexualité
	s	Zweigeschlechtigkeit	double sexuation
		Zwiegeschlechtlichkeit	double sexuation
blessure		Wunde	
		Verletzung	*(pfs) lésion*
			2. violation
	s	Beleidigung	*offense*
	s	Kränkung	*vexation*
blesser		verletzen	2. violer
	s	beleidigen	offenser
bribe		Brocken	
— de souvenir		Erinnerungsbrocken	
	s	Bruckstück	*fragment*
	s	Stück	*morceau*

bridage		Zügelung	
	S	Bändigung	*domptage*
brider		zügeln	
	R	ungezügelt	débridé
	R	zügellos	débridé
	S	ungebändigt	indompté

brutalité		Brutalität	
		Roheit	caractère brut; *(pfs)* grossièreté
— de sentiment		Gefühlsroheit	
	S	Grausamkeit	*cruauté*
brut		roh	fruste; grossier

but		Ziel	
— final		Endziel	
— sexuel		Sexualziel	
action-à- —		Zielhandlung	
représentation de —		Zielvorstellung	
	S	Zweck	*fin*

ça		Es	
analyse du —		Esanalyse	
angoisse-du- —		Es-Angst	

cannibalisme		Kannibalismus	
cannibale *(adj)*		kannibal	
cannibalique *(adj)*		kannibalistisch	

capacité (de)		Fähigkeit (zu)	2. aptitude (à)
		Vermögen	1. faculté; pouvoir
— d'activité		Leistungsfähigkeit	capacité d'agir; capacité opératoire
— de conscience		Bewußtseinsfähigkeit	
— de jouissance		Genußfähigkeit	capacité de jouir
— de résistance		Resistenzfähigkeit	
	A	Unfähigkeit	incapacité
	A	Unvermögen	incapacité
	S	Eignung (zu)	*aptitude (à)*
	S	Können	*pouvoir*

caractère	Charakter	
formation du —	Charakterbildung	
malformation du —	Charakterverbildung	
trouble de —	Charakterstörung	

caractère	Charakter	
	Gepräge	1. empreinte
caractéristique	Charakteristik	*(pfs)* caractérisation
	Kennzeichen	1. signe caractéristique 2. *(pfs)* critère
	s Zug	*trait*
caractériser	charakterisieren	
	kennzeichnen	
	auszeichnen	1. élire; distinguer
caractéristique *(adj)*	charakteristisch	
	kennzeichnend	
	auszeichnend	1. distinctif

cas	Fall	
— -limite	Grenzfall	
— de maladie	Krankheitsfall	
— de mort	Todesfall	décès
	R Vorfall	1. *incident* 2. *survenue*

castration	Kastration	
auto- —	Selbstkastration	
angoisse de —	Kastrationsangst	
effroi de —	Kastrationsschreck	
menace de —	Kastrationsdrohung	
castrateur	Kastrator	
castrer	kastrieren	

catégorie	Kategorie	
	s Klasse	*classe ;* *(pfs)* catégorie
	s Art	*espèce*
	s Gattung	*genre*

cause		Ursache	
— occasionnelle		Gelegenheitsursache	
causal		kausal	
		ursächlich	
causalité		Kausalität	
besoin de —		Kausalitätsbedürfnis	
		Kausalbedürfnis	
causer		verursachen	
	R	Verursachung	causation
	S	Anlaß	*facteur occasionnant*

censure		Zensur	
— de la conscience		Bewußtseinszensur	
— du rêve		Traumzensur	
censeur		Zensor	
— du rêve		Traumzensor	

cérémonie		Zeremonie	
cérémonial		Zeremoniell	
cérémoniel		zeremoniös	
		Zeremoniell-	

cessation		Aufhören	
	S	Aufhebung	*suppression*
	S	Einstellung	*suspension*
cesser d'être		aufhören	

chaîne		Kette	
		Fessel	
— d'associations		Assoziationskette	
— de pensées		Gedankenkette	
	R	Verkettung	*enchaînement*
	R	Fesselung	enchaînement
	R	Entfesselung	*déchaînement*
	S	Reihe	*série*
	S	Folge	*suite*

changement		Änderung	
		Wandel	
		Wechsel	*(pfs) alternance*
— de contenu		Inhaltswandel	
— d'objet		Objektwechsel	
— de signification		Bedeutungswandel	
	R	Veränderung	*modification*
	R	Abänderung	modification
	R	Stoffwechsel	*métabolisme*
changer		ändern	
		wechseln	
changeant		wechselnd	*(pfs)* alternatif

charge	Ladung	
	Belastung	poids; fardeau
		2. *tare*
— d'affect	Affektladung	
— libidinale	libidinöse Ladung	
— de stimulus	Reizbelastung	
	R Entladung	*décharge*
	R Überladung	surcharge
	R Last	fardeau; poids

charme	Zauber	2. enchantement
— du mot	Wortzauber	
	R Zauberei	*enchantement*
	s Reiz	*attrait*
		1. *stimulus*

châtiment	Züchtigung	
châtiments corporels	körperliche Züchtigung	
	s Strafe	*punition*
	s Bestrafung	punition
châtier	züchtigen	

chemin	Weg	*voie*
— de pensée	Gedankenweg	
— de retour	Rückweg	
cheminement	Gang	marche; parcours
— de pensée	Gedankengang	démarche de pensée;
		2. *raisonnement*

chercheur	Forscher	
activité de —	Forschertätigkeit	
pulsion de —	Forschertrieb	
	R Forschung	*recherche*
	s Arbeiter	travailleur

choix	Wahl	
	Auswahl	1. sélection
— d'objet	Objektwahl	
— de la névrose	Neurosenwahl	

choc	Schock	
	Stoß	*impact*
— du refoulement	Stoß der Verdrängung	
choquant	anstößig	
	R Anstößigkeit	caractère choquant
	S abstoßend	repoussant
	S ekelhaft	*dégoûtant*
	S unanständig	inconvenant
	S verwerflich	*rejetable;* réprouvable

chose★	Sache	2. *(cour)* cause; affaire
investissement de —	Sachbesetzung	
représentation de —	Sachvorstellung	
souvenir de —	Sacherinnerung	
chose*	Ding	
représentation de —	Dingvorstellung	
	R Sachverhalt	état des choses
	R Sachlage	état de choses
	S Verhältnis	état de choses 1. *rapport*

chute	Verfall	2. déchéance
— dans la névrose	Verfall in Neurose	
	R verfallen	tomber sous le coup de
	R verfallen (in)	sombrer (dans)
	L der Verdrängung verfallen	tomber sous le coup du refoulement
	S erliegen/unterliegen	succomber (à)
	R Rückfall	rechute

circonstance	Umstand	
— marginale	Nebenumstand	
circonstances	Umstände	
	Verhältnisse	rapports; conditions; faits
circonstance occasionnante	Veranlassung	
	R Anlaß	1. *facteur occasionnant* 2. *(cour) occasion*

circuit (mise en)	Einschaltung	1. intercalation
	A Ausschaltung	mise hors circuit; mise hors jeu

citoyen	Bürger	
— du monde de la culture	Kulturweltbürger	
	R Mitbürger	concitoyen
	R Weltmitbürger	concitoyen du monde
	S Kompatriot	compatriote
	S Volksgenosse	compatriote
civilisation	Zivilisation	
	*Gesittung	
	S Kultur	*culture*
civilisé	zivilisiert	
	*gesittet	civil
	S gebildet	cultivé
	S kulturell	culturel
classe	Klasse	*(pfs)* catégorie
classification	Klassifizierung	
	Reihenbildung	
	S Kategorie	*catégorie*
clinique	Klinik	
clinique *(adj)*	klinisch	
	S Krankheits-	de (la) maladie
clivage	Spaltung	
— de conscience	Bewußtseinsspaltung	
— du moi	Ichspaltung	
	R Zwiespalt	scission
se cliver	sich spalten	
	R abspalten	séparer par clivage; *(pfs)* cliver
	R abgespalten	séparé par clivage
	R Abspaltung	séparation par clivage; *(exc)* clivage
	R Abspaltungen	parties clivées
clivable	spaltbar	
cohérence	Kohärenz	
	Zusammenhang	1. *corrélation*
	A Inkohärenz	incohérence
	A Zusammenhangslosigkeit	incohérence
	R Zusammenhalt	cohésion
	R Zusammenhalten	cohésion
cohérent	kohärent	
	zusammenhängend	
	A inkohärent	incohérent
	A unzusammenhängend	incohérent
	A zusammenhangslos	incohérent

coïncidence		Zusammenfallen	
	S	Zusammentreffen	*conjonction*
coïncider		zusammenfallen	
collection		Sammlung	collecte; recueil
collectif (ve)		kollektiv	
		Sammel-	global
concept —		Sammelbegriff	
personne —		Sammelperson	
psychologie —		Kollektivpsychologie	
	S	Massen-	de (la) masse; des masses
collectivité		Kollektivität	
combat		Kampf	
— défensif		Abwehrkampf	
— pour la vie		Lebenskampf	
	R	Bekämpfung	combat livré contre
	S	Ringen	lutte
	S	Streit	différend; controverse; querelle
combattre		kämpfen	
		bekämpfen	
		kämpfen (gegen)	livrer combat (contre)
	S	ringen	lutter
combinaison		Kombination	
— paranoïaque		paranoische Kombination	
— poétique		poetische Kombination	
comblement		Ausfüllung	
	R	Füllung	remplissement
	R	Erfüllung	1. *accomplissement* 2. *(neur)* remplissement
combler		ausfüllen	remplir
— les lacunes		die Lücken ausfüllen	
commandement		Gebot	
— de la réalité		Realitätsgebot	
	R	Verbot	*interdit*
	S	Vorschrift	*prescription*

commencement		Beginn	
	s	Anfang	*début*
	s	Ansatz(¨e)	1. amorce(s); rudiment(s); prémices 2. *instauration*
	s	Keim(e)	germe(s)
commerce		Verkehr	
— sexué		geschlechtlicher Verkehr	
		Geschlechtsverkehr	
— sexuel		sexueller Verkehr	
		Sexualverkehr	
	s	Verhältnis	*rapport*
	s	Beziehung	*relation*
	s	Bindung	*liaison (interp)*
commodité		Bequemlichkeit	
rêve de —		Bequemlichkeitstraum	
commun		gemeinsam	en commun
		gemein	vulgaire
		regulär	
	R	Gemeinsame (das)	élément commun
	R	Gemeinsamkeiten	points communs
communauté		Gemeinschaft	
		Gemeinde	
		Gemeinsamkeit	
— de la culture		Kulturgemeinschaft	
sentiment de —		Gemeinschaftsgefühl	
	s	Gesellschaft	*société*
	s	Zusammenleben	vie en commun
communautaire		Gemein-	commun
		Gemeinschafts-	
esprit —		Gemeingeist	
lien —		Gemeinschaftsband	
sentiment —		Gemeingefühl	
comparaison		Vergleich	
		Vergleichung	
	R	Gleichnis	parabole
	s	Analogie	*analogie*
	s	Bild	*image*
	s	Metapher	*métaphore*

compassion		Mitleid	
		Mitgefühl	
exalté de la —		Mitleidsschwärmer	
	S	Erbarmen	pitié
compensation		Kompensation	
		Ausgleichung	1. égalisation ; aplanissement
	R	Überkompensation	surcompensation
compenser		ausgleichen	1. égaliser ; aplanir
compensatoire		Kompensations-	
complaisance		Gefälligkeit	
rêve de —		Gefälligkeitstraum	
	S	Entgegenkommen	1. *(techn)* pré-venance 2. *(n. techn)* prévenance
	S	Bereitwilligkeit	*disponibilité ;* empressement; obligeance
complaire		gefallen	plaire
se complaire (à)		sich gefallen (in)	
complexe		Komplex	
— de représentation		Vorstellungskomplex	
— symptomatique		Symptomkomplex	
— de symptômes		Symptomenkomplex	
composante		Komponente	
— pulsionnelle		Triebkomponente	
	S	Bestandteil	constituant; partie constitutive
	S	Triebanteil	élément pulsionnel
composition		Zusammensetzung	2. *(pfs)* recomposition 3. *assemblage*
— du moi		Zusammensetzung des Ichs	
	A	Zerlegung	*décomposition*
	A	Zersetzung	décomposition; *désagrégation*
composer		zusammensetzen	
composé		zusammengesetzt	
	R	Zusammengesetztheit	caractère composé

compréhension	Verständnis	*(pfs)* entendement
	A Mißverständnis	1. mécompréhension
		2. malentendu
	R Verstand	*entendement*
	R Verständlichkeit	intelligibilité
	S Aufklärung	*éclaircissement;*
		élucidation
	S Erfassung/Erfassen	*saisie*
compréhensible	verständlich	intelligible
	begreiflich	concevable
	S faßbar	saisissable
	S greifbar	palpable ;
		saisissable
	S sinnfällig	tangible
	S sinnvoll	sensé
comprendre	verstehen	

---

compromis	Kompromiß	
formation de —	Kompromißbildung	
issue de —	Kompromißausweg	

---

concept	Begriff	notion
— adjuvant	Hilfsbegriff	
— fondamental	Grundbegriff	
— -frontière	Grenzbegriff	
conceptuel	begrifflich	

---

conception *(physiol)*	Konzeption	
	Empfängnis	
concevoir *(physiol)*	empfangen	1. *(cour)* recevoir
conception *(intell)*	Konzeption	
	Auffassung	
— du monde	Weltauffassung	
	S Weltanschauung	vision du monde
concevoir	auffassen	
	R erfassen	saisir ;
		appréhender
	S ergreifen	saisir

---

conclusion		Schluß	2. *(pfs)* inférence
		Abschluß	1. *achèvement*
— du traitement		Abschluß der Behandlung	
	R	Rückschluß	conclusion récurrente
	R	Schlußfolgerung	*déduction*
	S	Folgerung	1. *conséquence* 2. déduction
conclure		schließen	
	R	beschließen	clore
	R	erschließen	déduire; inférer

---

concordance		Übereinstimmung	
	A	Unstimmigkeit	discordance
	S	Entsprechung	correspondance
	S	Ähnlichkeit	ressemblance; similitude
	S	Analogie	*analogie*

---

concret		konkret	
		sachlich	2. *(métaps)* de chose
	A	abstrakt	abstrait
	A	begrifflich	conceptuel
	S	real	*réel*
	S	tatsächlich	factuel
	S	sinnfällig	tangible
	S	greifbar	palpable; saisissable

---

condamnation		Verdammung	
		Verurteilung	1. jugement de condamnation

---

condensation		Verdichtung	
	S	Kompression	compression
	S	Zusammendrängung	compression; *(pfs)* concentration
	S	Zusammenziehung	*contraction*
	S	Pressung	pressage

---

condition		Bedingung	*(pfs)* condition déterminant(e)
— d'amour		Liebesbedingung	
— d'angoisse		Angstbedingung	
— déterminant la douleur		Schmerzbedingung	
	R	Vorbedingung	condition préalable; précondition
	R	Bedingtheit	conditionnement; conditionnalité
conditionner		bedingen	
conditionné		bedingt	

conduction *(neur)*		Leitung	*(cour)* conduite; *direction*
	R	Zurückleitung	rétroconduction

configuration		Gestaltung	2. *(pfs)* mise en forme 3. *(exc)* forme (prise par)
— finale		Endgestaltung	
— de la maladie		Krankheitsgestaltung	
— du moi		Ichgestaltung	
	R	Gestalt	1. *figure* 2. *forme*
	R	Ausgestaltung	mise en forme
	R	Umgestaltung	reconfiguration
	S	Struktur	*structure*

confirmation		Bestätigung Bekräftigung	
rêve de —		Bestätigungstraum	

conflit		Konflikt	
— d'ambivalence		Ambivalenzkonflikt	
— de sentiment		Gefühlskonflikt	
formation de —		Konfliktbildung	
conflictuel(le)		Konflikt-	
tension —		Konfliktspannung	
	S	Widerstreit	*antagonisme*
	S	Mißhelligkeit	dissension

conformation		Ausbildung	2. *(pfs)* extension 3. *(exc)* formation
	R	Bildung	*formation*
	S	Entwicklung	*développement*

conforme		konform	
		gerecht	
— au but		zielgerecht	
— au moi		ichgerecht	
conformité		Gleichförmigkeit	

---

confusion		Verwirrung	
		Verworrenheit	
		Verwechslung	fait de confondre
— hallucinatoire		halluzinatorische Verworrenheit	
confondre		verwirren	embrouiller; dérouter
confondant		verwirrend	déroutant
confus		verworren	
		verwirrt	frappé de confusion
	S	kompliziert	compliqué; complexe
	S	verwickelt	intriqué; embrouillé
	S	verschlungen	enchevêtré
	S	unverständlich	inintelligible; incompréhensible

---

congénital		kongenital	
		mitgebracht	apporté avec soi
	S	hereditär	*héréditaire*
	S	angeboren/eingeboren	*inné*
	S	mitgeboren	inné

---

conjonction		Zusammentreffen	2. rencontre
	A	Nichtzusammentreffen	non-conjonction
	S	Zusammenfliessen	confluence
	S	Zusammenfallen	*coïncidence*

---

connaissance		Kenntnis	
		Erkenntnis	
		Kunde	
— de l'âme		Seelenkenntnis	
		Seelenkunde	
— de la nature		Naturkunde	
— de soi		Selbsterkenntnis	
— sexuelle		Sexualerkenntnis	
théorie de la —		Erkenntnistheorie	
	R	Erkennung	prise de connaissance
	R	Anerkennung	*reconnaissance*
	S	Wissen	*savoir*

connaissance *(suite)*		
connaître	kennen	
	R erkennen	reconnaître
	R anerkennen	reconnaître
connu	bekannt	
	A unbekannt	inconnu
	A unerkannt	non-connu
	R unerkennbar	non-connaissable; *(pfs)* inconnaissable

connexion	Verknüpfung	
— de pensée(s)	Gedankenverknüpfung	
fausse —	falsche Verknüpfung	
	R Anknüpfung	1. attache; rattachement 2. point de départ
	S Knotung/Verknotung	*nouage*
	S Verbindung	*liaison*
	S Zusammenhang	*corrélation*
connecter [se]	verknüpfen [sich]	
	R anknüpfen (an)	1. rattacher à 2. partir de
	S verbinden [sich]	relier [se]

conscience*	Bewußtsein	
— de soi	Selbstbewußtsein	
capable de —	bewußtseinsfähig	
capacité de —	Bewußtseinsfähigkeit	
	A bewußtseinsunfähig	incapable de conscience
	A Bewußtseinsunfähigkeit	incapacité de conscience
clivage de —	Bewußtseinsspaltung	
état de —	Bewußtseinszustand	
perception de —	Bewußtseinswahrnehmung	
	R Bewußtheit	consciencialité
conscient	bewußt	
conscient (le)	Bewußte (das)	
	R bewußtmachen	rendre conscient
	R Bewußtmachen (das)	rendre conscient (le)
	R Bewußtmachung	rendre conscient (le)
	R bewußtwerden	devenir conscient
	R Bewußtwerden (das)	devenir-conscient (le)
	R Bewußtwerdung	devenir-conscient (le)
Cs	*Bw*	
système- —	*Bw*-System	

conscience [morale]*	Gewissen	
mauvaise —	böses/schlechtes Gewissen	
— morale	moralisches Gewissen	
	sittliches Gewissen	
	sittliches *Bewußtsein	
— punitive	strafendes Gewissen	
angoisse de —	Gewissensangst	
instance de —	Gewissensinstanz	
remords de —	Gewissensbiß	
reproche de —	Gewissensvorwurf	
tourment de —	Gewissensqual	
	R Gewissenhaftigkeit	conscience scrupuleuse; *(pfs) scrupulosité*
	R gewissenhaft	consciencieux; *(pfs)* scrupuleux

---

conséquence	Konsequenz	2. esprit de suite; logique
	Folgerung	2. *déduction*
	Folge	1. *suite*

---

conservation	Erhaltung	*(pfs)* maintien
— de l'espèce	Erhaltung der Art	
	Arterhaltung	
— de la vie	Lebenserhaltung	
auto- —	Selbsterhaltung	
besoin de —	Erhaltungsbedürfnis	
pulsion de —	Erhaltungstrieb	
	R Aufrecht(er)haltung	maintien
	S Bewahrung	préservation
conserver	konservieren	
	erhalten	2. maintenir; retenir; obtenir
	behalten	2. garder; maintenir
	S bewahren	préserver
conservateur	konservativ	

---

consomption	Aufzehrung	2. *(pfs)* consommation
— de l'érotisme anal	Aufzehrung der Analerotik	
	R Verzehrung	consommation
consumer	aufzehren	*(pfs)* consommer
	R verzehren	consommer
constance	Konstanz	
	Stetigkeit	
principe de —	Konstanzprinzip	
	A Unstetigkeit	inconstance
	S Dauer	*durée*
constant	konstant	
	ständig/beständig	stable; perpétuel
	stet/stetig	permanent; incessant
	S dauernd	durable
	S anhaltend	persistant; continu
	S nachhaltig	tenace; persistant
constitution	Konstitution	
— pulsionnelle	Triebkonstitution	
— sexuelle	sexuelle Konstitution	
	Sexualkonstitution	
	S Beschaffenheit	complexion
	Ichbeschaffenheit	complexion du moi
constitutionnel	konstitutionell	
constitutif	konstitutiv	
constitution	Konstituierung	
	S Einsetzung	*instauration*
	S Entstehung	*apparition*
construction	Konstruktion	
	Bau	2. *(pfs)* édifice
— adjuvante	Hilfskonstruktion	
	A Abbau	*déconstruction*
	R Aufbau	1. *édification ;* édifice 2. construction mode de construction
	R Gebäude	*édifice*
	R Vorbaur	*avant-corps*
	S Struktu	*structure*

construction *(suite)*			
construire		konstruieren	
		bauen	bâtir
	A	abbauen	déconstruire
	R	aufbauen	édifier
	R	rekonstruieren	reconstruire
contact		Kontakt	
— corporel		körperlicher Kontakt	
		leiblicher Kontakt	
contact (avec)		Berührung (mit)	*(pfs)* rencontre 1. *toucher (le)*
contagion		Ansteckung	contamination
	S	Ausbreitung	1. propagation 2. diffusion
	S	Infektion	infection
	S	Induktion	*induction*
contagion (capacité de)		Ansteckungsfähigkeit	
	S	Fortpflanzungsfähigkeit	capacité de reproduction
	S	Übertragbarkeit	transférabilité
contagieux		ansteckend	
contentement		Zufriedenheit	*(pfs)* satisfaction
		Wohlgefallen	*(pfs)* agrément
auto- —		Selbstzufriedenheit	
	A	Unzufriedenheit	mécontentement; *(pfs)* insatisfaction
	A	Mißvergnügen	mécontentement
	R	Befriedigung	*satisfaction*
	S	Lust	1. *plaisir* 2. *désir**
	S	Vergnügen	agrément *(pfs)* plaisir
contenu		Inhalt	
— de représentation		Vorstellungsinhalt	
— du rêve		Trauminhalt	
	R	inhaltlich	quant au contenu
	R	Gehalt	*teneur*
continence		Enthaltsamkeit	
		Enthaltung	*(pfs)* abstention; fait de s'abstenir
— sexuelle		sexuelle Enthaltung	
	R	Zurückhaltung	1. *(techn) rétention;* retenue 2. *(n. techn) réserve*
	S	Abstinenz	*abstinence*
continent		enthaltsam	

continuation		Fortsetzung	poursuite
— de la cure		Fortsetzung der Kur	
— de l'espèce		Fortsetzung der Art	
— de la vie		Lebensfortsetzung	
	R	Fortdauer	perpétuation ; persévérance
	R	Fortleben	vie continuée
	S	überleben	*survie*
continuer (se)		fortsetzen (sich)	poursuivre (se)
continu		kontinuierlich	
continuel		fortlaufend	
	S	unausgesetzt	incessant

---

contraction		Kontraktion	
— clitoridienne		Klitoriskontraktion	
— musculaire		Muskelkontraktion	
contracture		Kontraktur	

---

contraction		Zusammenziehung	
	S	Verdichtung	*condensation*

---

contradiction		Widerspruch	*(pfs) opposition*
	S	Widerlegung	réfutation
contredire		widersprechen	
contradictoire		kontradiktorisch	

---

contrainte*		Zwang	
— externe		äußerer Zwang	
— interne		innerer Zwang	
— d'amour		Liebeszwang	
— de destin		Schicksalszwang	
— à la répétition		Zwang zur Wiederholung	
— de répétition		Wiederholungszwang	
action de —		Zwangshandlung	
caractère de —		Zwangscharakter	
formation de —		Zwangsbildung Zwangsgebilde	
idée de —		Zwangsidee	
impulsion de —		Zwangsimpuls	
maladie de —		Zwangskrankheit	
névrose de —		Zwangsneurose	
pensée de —		Zwangsgedanke	
représentation de —		Zwangsvorstellung	
symptôme de —		Zwangssymptom	
	R	Gegenzwang	contre-contrainte
	S	Nötigung	*obligation*

contrainte *(suite)*			
contraindre		zwingen	
		erzwingen	obtenir par contrainte
	s	nötigen	obliger forcer; imposer
contraignant		zwingend	
		zwangsartig	
	R	zwanghaft	marqué de contrainte
contraire		Gegenteil	
	s	Gegensatz	*opposé*
contraire *(adj)*		konträr	
		gegenteilig	
		widrig	
— au moi		ichwidrig	
contraste		Kontrast	
représentation de —		Kontrastvorstellung	
contrastant(e)		kontrastierend	
représentation —		kontrastierende Vorstellung	
contrepartie		Widerpart	
		Widerspiel	
		Gegenspiel	
	s	Gegenstück	pendant
contrition		Zerknirschung	
— mélancolique		melancholische Zerknirschung	
	s	Reue	*repentir*
conversion		Konversion	
hystérie de —		Konversionshysterie	
symptôme de —		Konversionssymptom	
	s	Verwandlung	*transformation*
	s	Umsetzung	*transposition*
convertir		konvertieren	
converti *(adj)*		konvertiert	
convulsion		Krampf	*(pfs)* crampe
— hystérique		hysterischer Krampf	
convulsif		krampfhaft	
accès —		Krampfanfall	
état —		Krampfzustand	

coopération		Kooperation	
		Mitwirkung	
	A	Widerstreben	opposition
	A	Gegensätzlichkeit	oppositionnalité; relation d'opposition
	S	Mitarbeit	collaboration
	S	Mitarbeitschaft	collaboration
	S	Zusammenarbeiten	collaboration

corps*		Körper	
		Leib	2. *ventre*
lieu du —		Körperstelle	
partie du —		Körperpartie	
		Körperteil	
région du —		Körperregion	
corps propre		eigener Körper	
		eigener Leib	
	R	Einverleibung	*incorporation*
corporel		körperlich	*(pfs)* physique
		leiblich	*(exc)* physique
corporel (le)		Körperliche (das)	
		Leibliche (das)	
	S	physisch	physique
	S	physikalisch	physique
	S	somatisch	somatique

corrélation		Zusammenhang	2. *cohérence* 3. contexte 4. *ensemble*
— de pensée(s)		Gedankenzusammenhang	
	S	Verknüpfung	*connexion*

couche		Schicht	1. *strate*
— corticale		Rindenschicht	
— sociale		soziale Schicht	
	S	Stand	classe

coulpe*		Schuld	*culpabilité*
— originaire		Urschuld	
— de sang		Blutschuld	
— tragique		tragische Schuld	
	R	Schuld(en)	dette(s)
	S	Fehler	*faute*

courant		Strömung	
— sexuel		Sexualströmung	
	R	Gegenströmung	contre-courant
cours		Ablauf	2. déroulement 3. *(exc)* écoulement
		Lauf	
		Verlauf	1. *déroulement*
— de l'excitation		Ablauf der Erregung	
		Erregungsablauf	
— de pensée		Denkablauf	
— des pensées		Gedankenablauf	
— de la pulsion		Triebablauf	
— des représentations		Vorstellungsablauf	
	s	Abfluß	*écoulement*
terminer son —		ablaufen	2. se dérouler; *(pfs)* s'écouler
cours (libre —)		Austoben (das)	
se donner —		sich austoben	
	s	Entfesselung	*déchaînement*
couverture		Deckung	2. recouvrement
souvenir- —		Deckerinnerung	
	R	Aufdeckung	mise à découvert
	R	Entdeckung	*découverte*
	s	Überlagerung	*recouvrement*
couvrir		decken	recouvrir
crainte		Scheu	
— de l'inceste		Inzestscheu	
— du sang		Blutscheu	
	s	Furcht	*peur*
	s	Befürchtung	appréhension
	s	Angst	*angoisse*
craindre		scheuen	
		besorgen, daß	
	s	fürchten	redouter; *(pfs)* craindre
	s	sich fürchten (vor)	avoir peur de
	s	befürchten	redouter; appréhender

création	Schaffen	
	Schaffung	
	Schöpfung	
— artistique	künstlerisches Schaffen	
	Kunstschaffen	
— littéraire	dichterisches Schaffen	
	dichterische Schöpfung	
	Dichtung	1. *poésie*
— psychique	psychische Schöpfung	
	s Erfindung	invention
	s Fiktion	*fiction*
	s Kombination	*combinaison*

---

crime	Verbrechen	
	s Frevel	sacrilège
	s Missetat	méfait
	s Untat	forfait
	s Vergehen	délit
criminel	Verbrecher	

---

croyance	Glaube	créance;
		(pfs) foi
— de réalité	Realitätsglaube	
	A Unglaube	1. incroyance
		2. incrédulité
	R Aberglaube	superstition
	R Gläubigkeit	1. foi;
		croyance
		2. *(exc)* crédulité
	R Leichtgläubigkeit	crédulité
	R Glaubwürdigkeit	crédibilité
	R gläubig	1. croyant
		2. crédule
	R ungläubig	1. incroyant
		2. incrédule
	R leichtgläubig	crédule
	R glaubwürdig	crédible

---

cruauté	Grausamkeit	
	s Roheit	*brutalité*
cruel	grausam	

---

culpabilité*	Schuld	*coulpe*
conscience de —	Schuldbewußtsein	
sentiment de —	Schuldgefühl	
	A Unschuld	*innocence*
	A Schuldlosigkeit	non-culpabilité
	R Schuld(en)	dette(s)
	R Beschuldigung	inculpation; incrimination 2. *accusation*
	R Schuldigkeit	*devoir*
coupable	schuldig	2. redevable
	A unschuldig	innocent
	A schuldlos	non coupable

---

culture*	Kultur	
	Bildung	1. *formation*
	Kultur-	1. de la culture 2. de culture; culturel
culturel	kulturell	
	A unkulturell	inculturel
	R kultiviert	cultivé
	R unkultiviert	non cultivé; inculte
	R gebildet	cultivé
	R Gebildete (der)	homme cultivé
	S Zivilisation	*civilisation*
	S zivilisiert	civilisé

---

cupidité	Habgier	
	Habsucht	
	R Gier	avidité
	R Begierde	*désir*
	R Neugier/Neugierde	*curiosité*

---

curiosité	Neugier/Neugierde	
— sexuelle	sexuelle Neugierde	
	S Wißbegierde	désir de savoir

Français		Deutsch	Français
danger		Gefahr	
— externe		äußere Gefahr	
— interne		innere Gefahr	
		innerliche Gefahr	
— libidinal		Libidogefahr	
— de pulsion		Triebgefahr	
— réel		reale Gefahr	
— de réel		Realgefahr	
dangereux		gefährlich	
	R	Gefährlichkeit	caractère dangereux
débours		Ausgabe	
— d'énergie		Energieausgabe	
— de force		Kraftausgabe	
	R	Abgabe	cession
	S	Aufwand	*dépense*
début		Anfang	
	R	Uranfänge (die)	primes origines
	S	Ausgang	1. *issue*
			2. départ
	S	Beginn	*commencement*
du début		anfänglich	*initial*
	R	uranfänglich	des (aux) primes origines
déchaînement		Entfesselung	
	A	Fesselung	1. *enchaînement*
			2. capter (fait de)
	R	Fessel	*chaîne*
	S	Entbindung	*déliaison*
déchaîner		entfesseln	
	A	fesseln	1. enchaîner
			2. captiver
décharge		Entladung	
— génitale		Genitalentladung	
	S	Abfuhr	*éconduction*
	S	Entleerung	*évacuation*
	S	Entlastung	*soulagement*; délestage
	S	Erledigung	*liquidation*
décharger [se]		entladen [sich]	
	S	abführen	éconduire
déclenchement		Auslösung	
	S	Ausbruch	*éruption*
	S	Einleitung	*enclenchement*
déclencher		auslösen	

déclin		Niedergang	
	R	Untergang	*disparition*
	S	Verkümmerung	*étiolement*

décomposition		Zerlegung	
		Zersetzung	*(pfs) désagrégation*
	A	Zusammentsetzung	*composition*
	R	zerlegbar	décomposable
	A	unzerlegbar	indécomposable
	S	Zergliederung	dissection
	S	Auflösung	1. *dissolution* 2. *résolution*

déconcertement		Befremden	
	S	Ratlosigkeit	désarroi
	S	Erstaunen	étonnement
	S	Verblüffung	stupéfaction
	S	Überraschung	surprise
déconcertant		befremdend	
		befremdlich	
	S	erstaunlich	étonnant
	S	sonderbar	singulier; étonnant
déconcerté		befremdet	
	S	verwirrend	déroutant

déconstruction		Abbau	
	R	Bau	*construction*
	R	Aufbau	1. *édification;* édifice 2. construction; mode de construction
	L	Aufbau und Abbau	construction et déconstruction
	S	Zerfall	*désagrégation*

découverte		Entdeckung	
		Findung	
		Auffindung	
		Befund	
		Fund	1. trouvaille
— de l'objet		Objektfindung	
	R	Aufdeckung	mise à découvert
	R	Wiederfindung	redécouverte
	S	Entblößung	mise à nu
	S	Enthüllung	*dévoilement*

découverte *(suite)*			
découvrir		entdecken	
		auffinden	
	R	aufdecken	mettre à découvert
	R	finden	trouver
	S	aufspüren	dépister
	S	ausspüren	détecter
	S	an den Tag bringen	mettre au jour
	S	zutage fördern	porter au jour
dédain		Verschmähung	
		Geringschätzung	peu d'estime
	S	Mißachtung	*mépris*
	S	Herabwürdigung	*dépréciation*
déduction		Schlußfolgerung	
		Folgerung	1. *conséquence*
		Ableitung	1. *dérivation*
	R	Schluß	*conclusion*
déduire		erschließen	*(pfs)* inférer
défaillance*		Versagen (das)	
— de la fonction		Versagen der Funktion	
— des idées incidentes		Versagen der Einfälle	
— de la méthode		Versagen der Methode	
	R	Versagung	*refusement*
	S	Scheitern	*échec*
	S	Mißglücken	*ratage*
défaillance (faire)		versagen *(v. intr)*	être défaillant
	R	versagen *(v. tr)*	refuser
	S	scheitern	échouer
défaire		rückgängig machen	
	R	rückgängig werden	être défait
	S	aufheben	supprimer
	S	annullieren	annuler
défaut		Fehler	1. *faute*
		Fehlen	
		Ausfall	2. *résultat*
		Defekt	*(pfs)* déficit
— du caractère		Charakterfehler	
— corporel		körperlicher Defekt	
		Körperfehler	
— du membre		Fehlen des Gliedes	
— de souvenir		Ausfall der Erinnerung	
		Erinnerungsausfall	
	S	Abwesenheit	*absence*
	S	Mangel	*manque*

défaut *(suite)*			
défaut (faire)		abgehen	
		fehlen	manquer
		ausbleiben	être absent;
			être manquant
défectueux		fehlerhaft	déficient
		mangelhaft	insuffisant
défense* (contre)		Abwehr	
— contre la phobie		Abwehr der Phobie	
		Abwehr-	de défense;
			(pfs) défensif
mécanisme de —		Abwehrmechanismus	
symptôme de —		Abwehrsymptom	
	s	Verteidigung	défense (de)
exercer une défense contre		abwehren	*(pfs)* repousser (défensivement)
se défendre contre		sich wehren	
		sich erwehren	
	s	verteidigen	défendre
défi		Trotz	
— filial		Sohnestrotz	
	s	Hartnäckigkeit	*obstination*
défi (empreint de)		trotzig	
définition		Definition	
		Bestimmung	1. *détermination*
— conceptuelle		Begriffsbestimmung	
déformation		Entstellung	
		Verbildung	1. malformation
— de mots		Wortverbildung	
— du rêve		Traumentstellung	
	R	Verstellung	*dissimulation*
	s	Alteration	altération
	s	Verzerrung	*distorsion*
	s	Veränderung	*modification*
déformé		entstellt	
	s	verzerrt	distordu
dégénérescence		Degeneration	
	s	Entartung	dégénération
	s	Verderbtheit	dépravation
dégénératif		degenerativ	
dégénéré		degereniert	

dégoût		Ekel	
— alimentaire		Eßekel	
— des aliments		Speiseekel	
— du monde		Weltüberdruß	
	s	Abstoßung	*répulsion*
dégoûtant		ekelhaft	
	s	anstößig	*choquant*
degré		Grad	
		Stufe	1. *stade*
— dans le moi		Stufe im Ich	
	R	Abstufung	gradation
déliaison		Entbindung	2. *(n. techn)* accouchement; délivrance
— d'affect		Affektentbindung	
— d'angoisse		Angstentbindung	
— de déplaisir		Unlustentbindung	
— sexuelle		Sexualentbindung	
	A	Bindung	*liaison*
	s	Befreiung	*libération*
	s	Entfesselung	*déchaînement*
délier		entbinden	
	s	befreien	libérer
	s	entfesseln	déchaîner
délire		Delir	
		Wahn	
— d'interprétation		Deutungswahn	
— d'observation		Beobachtungswahn	
— de persécution		Verfolgungswahn	
— de relation		Beziehungswahn	
délirium(s)		Delirium(ien)	
— hystérique		hysterisches Delirium	
délirant(e)		deliriös	
		wahnhaft	
		Wahn-	
attente —		wahnhafte Erwartung	
formation —		Wahnbildung	
idée —		Wahnidee	
demande		Verlangen	
— sexuelle		sexuelles Verlangen	
	s	Anspruch	*revendication*
	s	Begierde	*désir*
demander		verlangen	réclamer
démantèlement [de l'organisation génitale]		Abbruch [der Genitalorganisation]	
	R	Zusammenbruch	*effondrement*

démence		Demenz	
— paranoïde		paranoide Demenz	
dementia		Dementia	
— paranoïdes		Dementia paranoides	
— praecox		Dementia praecox	
	S	Wahnsinn	*folie*

---

démixtion		Entmischung	
— pulsionnelle		Triebentmischung	démixtion des pulsions
	A	Vermischung	*mixtion*

---

démon(s)		Dämon(en)	
angoisse des —		Dämonenangst	
croyance aux —		Dämonenglaube	
démonique		dämonisch	*(pfs)* démoniaque
démonique (le)		Dämonische (das)	
	R	dämonologisch	démonologique
		dämonologische Neurose	névrose démonologique
	S	teuflich	diabolique
	S	Teufels-	diabolique
		Teufelsneurose	névrose diabolique

---

déni		Verleugnung	
	A	Anerkennung	*reconnaissance*
	R	Ableugnung	dénégation
	R	Leugnung	dénégation
	S	*Negation	*négation*
	S	Verneinung	négation
dénier		verleugnen	
		ableugnen	
		leugnen	
	S	*negieren	nier
	S	verneinen	nier
	S	*verweigern	refuser

---

dénomination		Benennung	
		Namengebung	
	R	Name	nom
	S	Terminus(i)	*terme(s)*
	S	Wort(e)	*mot(s)*
	S	Bezeichnung	1. désignation; appellation 2. qualification

---

dépendance		Abhängigkeit	*(plur)* relations de dépendance
	A	Unabhängigkeit	indépendance
	S	Anhänglichkeit	*attachement ;* *(pfs)* allégeance
	S	Hörigkeit	sujétion

dépense		Aufwand	
épargne de —		Aufwandersparung	
		Aufwandersparnis	
	A	Ersparung/Ersparnis	*épargne*
	S	Ausgabe	*débours*

déplacement		Verschiebung	
— du rêve		Traumverschiebung	
	R	Verschiebbarkeit	déplaçabilité
	R	Aufschub	*ajournement*
	S	Verlegung	*report*
	S	Akzentübertragung	transfert d'accent
déplacer		deplacieren	
		verschieben	2. différer
		schieben	

déplaisir		Unlust	
rêve de —		Unlusttraum	
signal de —		Unlustsignal	
	A	Lust	1. *plaisir* 2. *désir**
déplaisir (empreint de)		unlustvoll	
	A	lustvoll	empreint de plaisir
	R	unlustig	déplaisant
	S	unliebsam	désagréable
	S	unangenehm	désagréable

dépréciation		Herabwürdigung	
		Herabsetzung	1. *abaissement*
	S	Erniedrigung	*rabaissement*
	S	Verkleinerung	1. *diminution ;* amenuisement 2. dénigrement
	S	Entwertung	dévalorisation
	S	Geringschätzung	*dédain*
	S	Unterschätzung	sous-estimation
	S	Demütigung	humiliation
auto- —		Selbstherabwürdigung	
	S	Selbstherabsetzung	auto-abaissement
	S	Selbsterniedrigung	auto-rabaissement

Français		Allemand	Équivalents
dépréciation *(suete)*			
déprécier [se]		herabwürdigen [sich]	
		herabsetzen	1. abaisser
	s	entwerten	dévaloriser; dévaluer
	s	geringsschätzen	tenir en piètre estime; dédaigner
dépréciatif		herabsetzend	1. abaissant

Français		Allemand	Équivalents
dépression		Depression	
		Gedrücktheit	
— de l'humeur		Verstimmung	*(pfs)* humeur dépressive
	s	Mattigkeit	abattement; épuisement
dépressif		depressiv	
		manisch-depressiv	maniaco-dépressif
déprimé		deprimiert	
		gedrückt	
déprimant		deprimierend	

Français		Allemand	Équivalents
dérivation		Ableitung	2. *déduction*
	R	Ablenkung	*détournement; déviation*
dériver (faire)		ableiten	2. déduire
	R	ablenken	détourner; dévier

Français		Allemand	Équivalents
déroulement		Verlauf	
		Ablauf	1. *cours*
— de l'analyse		Verlauf der Analyse	
se dérouler		ablaufen	1. terminer son cours
		abspielen (sich)	1. se jouer

Français		Allemand	Équivalents
désaide* (le)		Hilflosigkeit	
— biologique		biologische —	
— matériel		materielle —	
— moteur		motorische —	
— psychique		psychische —	
	R	Hilfe	*aide*
	s	Ohnmacht	*impuissance*
	s	Schwäche	*faiblesse*
	s	Ratlosigkeit	désarroi
	L	Rat- und Hilflosigkeit	désarroi et désaide
en désaide		hilflos	*(n. techn)* démuni
organisme —		hilfloser Organismus	
	s	ratlos	dans le désarroi; désemparé

désagrégation		Zerfall	
		Zersetzung	1. *décomposition*
— du moi		Zerfall des Ichs	
— du complexe d'Œdipe		Zerfall des Ödipuskomplexes	
	s	Abbau	*déconstruction*
	s	Dissoziation	*dissociation*
	s	Zerstörung	*destruction*
	s	Verrenkung	dislocation
désagréger		zersetzen	décomposer
se désagréger		zerfallen	2. *(n. techn)* se dissocier; se diviser

---

description		Deskription	
		Beschreibung	
		Schilderung	
	s	Darstellung	*présentation*
décrire		beschreiben	
		schildern	dépeindre
	s	ausmalen	dépeindre

---

désillusion		Enttäuschung	2. déception
	A	Täuschung	*illusion ;* leurre

---

désir*		Begierde	
		Begehren	
		Begehrung	
— de savoir		Wißbegierde	
— sexuel		sexuelle Begierde	
		sexuelles Begehren	
		sexuelle Begehrung	
désir*		Lust	1. *plaisir*
— d'agression		Aggressionslust	
— de montrer		Zeigelust	
— de regarder		Schaulust	
— de toucher		Berührungslust	

désirs (les)		Gelüste (das, die)	
— érotiques		erotische Gelüste	
— libidinaux		libidinöse Gelüste	
— sexuels		sexuelles Gelüste	
		sexuelle Gelüste	
		Sexualgelüste	
	R	Begehrlichkeit	convoitise
	R	Gier	avidité
	R	Habgier	*cupidité*
	R	Lüsternheit	concupiscence
	S	Sehnsucht	*désirance*
	S	Neid	*envie*
	S	Verlangen	*demande*
	S	Wunsch	*souhait*
désirer		begehren	
	S	ersehnen	avoir (éprouver) de la désirance (pour); *(exc)* désirer
	S	sich sehnen (nach)	avoir (éprouver) de la désirance (pour); *(exc)* aspirer (à)
	S	wünschen	souhaiter
désirable		begehrenswert	
désiré		begehrt	
	*	ersehnt	
ardemment —		heißbegehrt	
depuis longtemps —	*	langersehnt	

désirance*	Sehnsucht	
	Sehnen (das)	
— d'amour	Liebessehnsucht	
— amoureuse	verliebte Sehnsucht	
— libidinale	libidinöse Sehnsucht	
— sexuée	geschlechtliche Sehnsucht	
— sexuelle	sexuelle Sehnsucht	
	Sexualsehnsucht	
angoisse- —	Sehnsucht-Angst	
angoisse de —	Sehnsuchtangst	
investissement en —	Sehnsuchtsbesetzung	
rêve de —	Sehnsuchttraum	
désirance (pour, de)	Sehnsucht (nach)	
— pour le père	Sehnsucht nach dem Vater	
	Vatersehnsucht	
avoir (éprouver) de la désirance	ersehnen	*(exc)* désirer
	sich sehnen (nach)	*(exc)* aspirer (à)
de (en) désirance	sehnsüchtig *(adj)*	plein (chargé) de désirance
	sehnsüchtig *(adv)*	avec désirance

destin		Schicksal	
— de pulsion		Triebschicksal	
contrainte de —		Schicksalszwang	
puissances du —		Schicksalsmächte	
destins		Schicksale	*(pfs)* destinées
— de pulsions		Triebschicksale	
destinée		Verhängnis	1. *fatalité*
destinées		Schicksale	
		Lebensschicksale	
	s	Wechselfälle	vicissitudes

destruction		Destruktion	
		Zerstörung	
— du complexe d'Œdipe		Zerstörung des Ödipuskomplexes	
auto- —		Selbstdestruktion	
		Selbstzerstörung	
pulsion de —		Destruktionstrieb	
		Zerstörungstrieb	
	s	Vernichtung	anéantissement
	s	Verwüstung	dévastation
	s	Zertrümmerung	mise en pièces
	s	Aufhebung	*suppression*
	s	Zerfall	*désagrégation*

détachement		Ablösung	
		Loslösung	
		Lösung	1. *solution*
— de la libido		Lösung der Libido	
		Libidoablösung	
se détacher (de)		sich ablösen (von)	
		sich lösen	1. se résoudre

détail		Detail	
		Einzelheit	2. *singularité*
de (en) détail		Detail-	
		Einzel-	1. pris un à un; pris isolément; 3. *(pfs)* individuel

détermination		Determinierung	
		Determination	
		Bestimmung	2. *définition*
	R	Überdeterminierung	
	R	Unbestimmtheit	indétermination; imprécision
déterminant		bestimmend	
		maßgebend	

détournement		Ablenkung	*déviation* 2. diversion
— quant au but		Zielablenkung	
se détourner (de)		sich ablenken (von)	
		Ablenkung (von)	fait de se détourner de

détresse		Not	1. *nécessité ;* Nécessité
— matérielle		materielle Not	
— psychique		psychische Not	
	s	Elend	misère

deuil		Trauer	
travail de —		Trauerarbeit	

développement		Entwicklung	*(pfs)* évolution
— d'affect		Affektentwicklung	
— d'angoisse		Angstentwicklung	
— de la culture		Kulturentwicklung	
— de la libido		Libidoentwicklung	— libidinal
— du moi		Ichentwicklung	
— précoce		Frühentwicklung	
— pulsionnel		Triebentwicklung	
— sexuel		Sexualentwicklung	
histoire de —		Entwicklungsgeschichte	
ligne de —		Entwicklungslinie	
parcours de —		Entwicklungsgang	
phase de —		Entwicklungsphase	
procès de —		Entwicklungsprozeß	
stade de —		Entwicklungsstufe	
	R	Fortentwicklung	poursuite du développement
	R	Weiterentwicklung	développement ultérieur
	s	Ausbildung	*conformation*

déviation		Ablenkung	*détournement* 2. diversion
déviation (par rapport à)		Abweichung (von)	2. écart (par rapport à)
dévier		ablenken	détourner
dévier (de)		abweichen (von)	s'écarter (de)

dévoilement		Enthüllung	
	A	Verhüllung	*voilement ;* (*pfs*) voile
	S	Entlarvung	démasquage
	S	Entdeckung	*découverte*
	S	Offenbarung	révélation
dévoiler		enthüllen	
	S	entlarven	démasquer
se dévoiler		sich enthüllen	
	S	sich erweisen	s'avérer; se montrer
	S	sich offenbaren	se révéler
	S	sich verraten	se trahir

---

devoir		Pflicht	
		Schuldigkeit	
sentiment du —		Pflichtgefühl	
	R	Verpflichtung	obligation; (*pfs*) devoir
	S	Nötigung	*obligation*
	S	Zwang	*contrainte*

---

dévoration		Fressen (das)	
		Auffressen (das)	
	S	Verzehrung	consommation
	S	Aufzehrung	1. *consomption* 2. (*pfs*) consommation
dévorer		fressen	
		auffressen	
	R	essen	manger
	S	verschlingen	avaler
	S	verzehren	consommer
	S	aufzehren	1. consumer 2. (*pfs*) consommer

Dieu		Gott	
Dieu le Père		Gottvater	
Dieu-Père		Gott-Vater	
dieu, dieux		Gott, Götter	
père-dieu (le)		Gottvater (der)	
dieu-père (le)		Vatergott (der)	
déesse-mère (la)		Muttergöttin (die)	
	R	Vergottung	divinisation
	R	Vergötterung	déification

divinité	Gottheit	
	Göttlichkeit	
— maternelle	mütterliche Gottheit	
— paternelle	väterliche Gottheit	
divinité-mère	Muttergottheit	
divinité-père	Vatergottheit	
différence	Differenz	
	Unterschied	
différenciation	Differenzierung	
	Unterscheidung	différence faite (établie)
	R verschieden *(adj)*	1. divers
		2. distinct
	R Verschiedenheit	1. *diversité;*
		2. distinction; caractère distinctif
	R Scheidung	1. démarcation; distinction
		2. séparation
	s Trennung	*séparation*
différencier	differenzieren	
	unterscheiden	faire (établir) la différence
digue	Damm	
	R eindämmen	endiguer
	R Eindämmung	endiguement
	s Stauung	*stase*
diminution	Verringerung	
	Verminderung	
	Verkleinerung	amenuisement
		2. dénigrement
	A Vermehrung	*augmentation*
	s Herabminderung	amoindrissement
	s Herabsetzung	*abaissement*
	s Erniedrigung	*rabaissement*
	s Herabsinken	réduction; baisse
	s Senkung	baisse
	s Lockerung	relâchement
	s Nachlaß	relâchement
direction	Führung	
	Richtung	orientation
	Leitung	conduite
		2. *(neur) conduction*
— de développement	Entwicklungsrichtung	
— pulsionnelle	Triebrichtung	

discours	Rede(n)	1. *parole(s)*
parties du —	Redeteile	
	s Wort(e)	*mot(s)*
disparition	Schwinden	
	Verschwinden	
	Untergang	
	Wegfall	*absence*
— du complexe d'Œdipe	Untergang des Ödipuskomplexes	
— des symptômes	Verschwinden der Symptome	
	R Weltuntergang	fin du monde
	R Niedergang	*déclin*
	s Aufhebung	*suppression*
disparaître	schwinden	
	verschwinden	
	untergehen	
	R zugrunde gehen (an)	périr (de, de par)
	s versinken	sombrer
disponibilité	Bereitschaft	1. *apprêtement*
		2. *(pfs)* propension
	Bereitwilligkeit	empressement; obligeance
— de sentiment	Gefühlsbereitschaft	
dispositif	Vorrichtung	
	Einrichtung	2. *(pfs) aménagement;*
		équipement
		3. *(exc) institution*
	s Veranstaltung	agencement
disposition	Disposition	
— héréditaire	erbliche Disposition	
— pulsionnelle	Triebdisposition	
lieu de —	Dispositionstelle	
	R Prädisposition	*prédisposition*
	s Anlage	prédisposition
	s Veranlagung	prédisposition
disposant	disponierend	
disposé	disponiert	
dispositionnel	dispositionell	
dispositionnel (le)	Dispositionelle (das)	
	A Akzidentelle (das)	accidentel (l')

dissimulation		Verstellung	
		Verheimlichung	
		Verhehlung	
		Verbergen (das)	
	R	Entstellung	déformation
	S	Verkleidung	*travestissement ;* déguisement
	S	Verhüllung	*voilement*
dissimuler		verheimlichen	
		verhehlen	
		verbergen	cacher
	S	verdecken	masquer
	S	verhüllen	voiler; *(pfs)* dissimuler
se dissimuler		sich verbergen	se cacher
	S	sich verstecken	se cacher
dissimulé		verborgen	caché
	S	versteckt	caché
	S	verhüllt	voilé
	S	verdeckt	masqué
dissociation		Dissoziation	
		Zerspaltung	
	S	Zerfall	*désagrégation*
dissolution		Auflösung	2. *résolution* 3. *(exc) analyse*
	R	Lösung	1. *solution* 2. résolution 3. *détachement;* dénouement
distance (maintien à)		Fernhaltung	
— des stimulus		Reizfernhaltung	
	R	Abhaltung	*écart (tenue à l')*
distance (tenir à)		fernhalten	
		ferne halten	
	R	abhalten	*écart (tenir à l')*
distorsion		Verzerrung	
	R	Zerrbild	image distordue
	S	Entstellung	*déformation*
	S	Veränderung	*modification*
distraction		Zerstreutheit	
	S	Unaufmerksamkeit	inattention
	S	Ablenkung	1. *détournement ;* déviation 2. diversion; *(exc)* distraction

diurne	täglich	2. *quotidien*
	Tag-	
rêve —	Tagtraum	
rêveur —	Tagträumer	
	A nächtlich	nocturne
	nächtlich *(adv)*	nuitamment
	R Tages-	de jour

---

diversité	Verschiedenheit	2. distinction; caractère distinctif
	Mannigfaltigkeit	*variété*
divers	verschieden	2. distinct
	R Unterschied	*différence*

---

docilité	Gefügigkeit	
	Fügsamkeit	
	A Unfügsamkeit	indocilité
docile	gefügig	
	fügsam	

---

doctrine	Lehre	
doctrines	Lehren (die)	2. *(pfs)* enseignements
— de l'âme	Seelenlehre	
— des névroses	Neurosenlehre	
— des pulsions	Trieblehre	
— du rêve	Traumlehre	
	R lehren	enseigner
	R lehrreich	instructif
	R lehrhaft	didactique
	R Lehranalyse	analyse didactique
	R Lehrsatz	dogme
	S Theorie	*théorie*

---

domestication	Domestikation	
	Zähmung	
— du feu	Zähmung des Feuers	
	R ungezähmt	non domestiqué
	S Bändigung	*domptage*
	S ungebändigt	indompté

---

domination (sur, exercée sur)		Beherrschung	*(pfs) maîtrise*
— sur la nature		Naturbeherrschung	
— sur les pulsions		Triebbeherrschung	
	R	Herrschaft	1. *règne* 2. *(pfs)* domination
	L	unter der Herrschaft	sous la domination
	R	Vorherrschaft	*prédominance*
	R	Oberherrschaft	suprématie
dominer		beherrschen	exercer sa domination
		herrschen	régner
dominant		dominierend	
		beherrschend	
		herrschend	régnant
dominé		beherrscht	
	A	unbeherrscht	non dominé

---

dommage		Schaden	
	R	schädigen	endommager 2. *(pfs)* léser
	R	schädigend	dommageable
	R	schadlos	sans dommage
	R	Schädigung	1. endommagement; dommage (infligé à) 2. *préjudice*
	R	Beschädigung	*endommagement*
	R	Entschädigung	dédommagement
	R	Schädlichkeit	*nuisance*

---

domptage		Bändigung	
	R	unbändig	indomptable
	R	Unbändigkeit	indomptabilité
	R	ungebändigt	indompté
	S	Bindung	*liaison*
	S	Zügelung	*(métaps) bridage*
	S	Zähmung	*domestication*

---

dormir		schlafen	
souhait de —		Schlafwunsch	
	R	Schlaf	*sommeil*
	R	Einschlafen	endormissement

---

double	Doppelgänger	
double *(adj)*	doppelt	
	Doppel-	
	zweifach	
	R Doppelung	doublement
	R Verdoppelung	dédoublement
	Ich-Verdoppelung	dédoublement du moi
	S Reduplikation	réduplication

douleur	Schmerz	
déplaisir de —	Schmerzunlust	
plaisir de —	Schmerzlust	
symptôme de —	Schmerzsymptom	
	S Leiden	*souffrance*
	S Qual	*tourment*
douloureux	schmerzhaft	
	schmerzlich	
	S peinlich	pénible

doute	Zweifel	
	R Anzweiflung	mise en doute
	S Bedenken	*scrupule*
	S Grübelei	*rumination*
	S Verdacht	*soupçon*

droit	Recht	
	Berechtigung	justification
— maternel	Mutterrecht	
— des peuples	Völkerrecht	
	R Unrecht	injustice; tort
	R Gerechtigkeit	justice; légitimité
	R Ungerechtigkeit	injustice
	R Rechtfertigung	justification

dualité	Dualität	
	Zweiheit	
	Zweizahl	
	R Mehrheit	*pluralité*
	R Mehrzahl	pluralité
dualisme	Dualismus	

durée		Dauer	
		Zeitdauer	laps de temps
	R	Ausdauer	endurance ; persistance
	R	Fortdauer	perpétuation ; persistance
	S	Konstanz	*constance*
	S	Permanenz	permanence
	S	Fortbestehen	persistance
	S	Fortbestand	persistance
	S	Beständigkeit	perpétuité ; stabilité
	S	Beharrung	*persévération*
	S	Beharrlichkeit	persévérance
durer		andauern	
	R	überdauern	perdurer
	S	fortbestehen	persister
	S	bestehen bleiben	subsister
	S	ausharren/beharren	persévérer
durable		dauernd	
		dauerhaft	
		Dauer-	
	R	Dauerhaftigkeit	durabilité ; caractère durable
	S	konstant	constant
	S	permanent	permanent
	S	anhaltend	persistant ; continu
	S	nachhaltig	tenace ; persistant
	S	stet/stetig	permanent ; constant incessant
	S	ständig/beständig	constant ; stable ; perpétuel

écart (mise à l')		Abdrängung	
		Abweisung	
	R	Verdrängung	*refoulement*
	R	Zurückdrängung	*repoussement*
	R	Zurückweisung	repoussement
écarter		abdrängen	
		abweisen	2. empêcher
	S	ablehnen	récuser
	S	verwerfen	rejeter

écart (tenue à l')		Abhaltung	2. *(n. techn) empêchement*
— des stimulus		Abhaltung von Reizen	
		Reizabhaltung	
	R	Fernhaltung	*distance (maintien à)*
écart (tenir à l')		abhalten	
	R	fernhalten/ferne halten	distance (tenir à)
	R	niederhalten	1. tenir dans les dessous; 2. tenir en soumission 3. réfréner

échange		Austausch	
		Umtausch	
	R	Vertauschung	*permutation*
échanger		tauschen/austauschen	
		umtauschen	
	R	vertauschen	permuter; échanger

échec		Scheitern	
		Mißlingen	
		Fehlschlagen	
— du refoulement		Mißlingen der Verdrängung	
	S	Mißglücken	*ratage*
	S	Mißerfolg	*insuccès*
	S	Versagen (das)	*défaillance*
échouer		scheitern	
		mißlingen	
		fehlschlagen	
	S	mißglücken	rater
	S	versagen *(v. intr)*	faire défaillance; être défaillant

éclaircissement	Aufklärung	élucidation
éclaircissements sexuels	sexuelle Aufklärung	
	R Klärung	clarification
	R Erklärung	*explication*
éclaircir	aufklären	élucider
	R klären	clarifier; éclairer
	R erklären	expliquer
	s beleuchten	éclairer
	s durchleuchten	éclairer
	s erhellen	éclairer

éconduction*	Abfuhr	
— de l'excitation	Abfuhr der Erregung	
— motrice	motorische Abfuhr	
— de stimulus	Reizabfuhr	
action d'—	Abfuhraktion	
réaction d'—	Abfuhrreaktion	
	s Entladung	*décharge*
	s Entleerung	1. *évacuation* 2. *vidage*
	s Entlastung	1. *soulagement* 2. *(exc) exonération*
	s Abfluß	*écoulement*
	s Abströmen	déversement
	s Abgabe	cession
éconduire	abführen	
	s entladen [sich]	décharger [se]
	s entleeren	évacuer
	s sich entleeren	se vider
	s entlasten	soulager

économie	Ökonomie	
	Haushalt	
	Wirtschaft	
— de la libido	Libidoökonomie	
	Libidohaushalt	
— psychique	psychische Ökonomie	

écoulement	Abfluß	
	Ablauf	1. *cours* 2. *déroulement*
mode d'— [de l'excitation]	Ablaufsart [der Erregung]	
	s Abströmen	déversement
	s Abfuhr	*éconduction*

écoute		Belauschung	fait d'écouter
fantaisie d'—		Belauschungsphantasie	
écoutes (être aux)		belauschen	
	R	lauschen	écouter; prêter l'oreille
écoutes (aux)		belauschend	
enfant —		belauschendes Kind	
	S	lauern	être aux aguets; guetter; être à l'affût
	S	spähen/erspähen	épier
	S	ausspähen	épier; espionner

écriture (méprise d')		Verschreiben (das)	méprise dans l'écriture
faire une —		sich verschreiben	se méprendre en écrivant 2. s'engager par écrit
	R	Verschreibung	engagement (par) écrit

édification* *(proces)*		Aufbau	édifice *(résult)* 2. construction; mode de construction
	S	Aufrichtung	*érection*
édifice		Gebäude	
		Aufbau	
		Bau	1. *construction*
— doctrinal		Lehrgebäude	
— psychique		psychisches Gebäude	
	S	Struktur	*structure*
édifier		aufbauen	
	R	bauen	construire
	S	aufrichten	ériger
	S	errichten	ériger

---

effectif		wirklich	
	A	unwirklich	ineffectif
	S	real	*réel*
	A	irreal	irréel
effectivité		Wirklichkeit	*réalité effective*

---

effet		Effekt	
		Wirkung	1. *action*
— après-coup		nachträgliche Wirkung	
		Nachwirkung	action après-coup; *(pfs)* contre-coup
— durable		Dauerwirkung	
— marginal		Nebenwirkung	
	R	Wirksamkeit	efficience; efficacité
efficient	R	wirksam	efficace; à l'œuvre

effondrement		Zusammenbrechung	
		Zusammenbruch	
s'effondrer		zusammenbrechen	

effort		Bemühung	
		Bemühen (das)	
efforts déployés		Bestrebung	1. *(techn) tendance*
		Bestreben (das)	1. *(techn)* tendance
	R	Mühe	peine
	R	sich bemühen	s'efforcer de
	R	sich bestreben	déployer ses efforts
	S	Anstrengung	contention
	S	Anspannung	tension; effort

effraction		Durchbruch	1. *percée*
— du pare-stimulus		— des Reizschutzes	

effroi		Schreck	
		Schrecken	
		Erschrecken	
— de castration		Kastrationsschreck	
	S	Entsetzen	épouvante
	S	Grauen/Grausen	*horreur*
	S	Angst	*angoisse*
effrayer		schrecken	
s'effrayer		erschrecken	
effrayant		schreckend	
		erschreckend	
		schreckhaft	
effrayant (l')		Schreckhafte (das)	
	S	Grauenhafte (das)	horrifiant (l')
effroyable		schrecklich	
	S	entsetzlich	épouvantable; terrible

égalité		Gleichheit	parité
	R	Abgleichung	égalisation
	R	Ausgleichung	1. égalisation; aplanissement 2. *compensation*
	R	Gleichung	équation
	R	Angleichung	assimilation
	R	Gleichgültigkeit	*indifférence*

égoïsme		Egoismus Eigensucht	
égoïste		egoistisch eigensüchtig	

élaboration		Bearbeitung Verarbeitung Aufarbeitung Ausarbeitung	
— consciente		bewußte Bearbeitung bewußte Verarbeitung	
— psychique		psychische Verarbeitung	
— secondaire		sekundäre Bearbeitung	
	R	Arbeit	*travail*
	R	Durcharbeitung	*perlaboration*
	R	Überarbeitung	1. surélaboration 2. *(n. techn)* surmenage
	R	Umarbeitung	*remaniement*

élément		Element	
— pulsionnel		Triebanteil	
— du rêve		Traumelement	
	s	Komponente	*composante*
	s	Teil	*partie*
	s	Anteil	*part*
élémentaire		elementär	

élévation		Erhöhung	rehaussement
			2. *(pfs)* exaltation
		Erhebung	2. enquête
		Hebung	1. levée
— de l'investissement		Erhöhung der Besetzung	
	A	Erniedrigung	*rabaissement*
	R	Aufhebung	*suppression*
	S	Vermehrung	*augmentation*
élever		erhöhen	rehausser
		erheben	relever
	R	heben	lever; relever; soulever
élevé		erhöht	rehaussé
			2. *(pfs)* exalté
		erhaben	éminent; sublime
	R	erhebend	exaltant

élimination		Beseitigung	
— du père		Beseitigung des Vaters	
— des symptômes		Beseitigung der Symptome	
	S	Erledigung	*liquidation*
	S	Aufhebung	*suppression*
	S	Ausrottung	extirpation

éloignement		Entfernung	2. *(techn)* ablation
		Entlegenheit	

émergence		Auftauchen	*(pfs)* surgissement
	R	Wiederauftauchen	réémergence
	S	Entstehung	*apparition*
émerger		auftauchen	*(pfs)* surgir

émotion		Emotion	
		Gemütsbewegung	
	S	Gefühl	*sentiment*
	S	Aufregung	émoi
émotif		emotiv	
émotionnel		emotionell	
	S	affektiv	affectif
	S	Gefühls-	de sentiment

empêchement		Verhinderung	
		Abhaltung	1. *écart (tenue à l')*
		Abhaltungen	réticences
	s	Hindernis	*obstacle;*
			(pfs) empêchement
empêcher		verhindern	
		behindern	
	s	abhalten	écart (tenir à l')
emprise		Bemächtigung	
appareil d'—		Bemächtigungsapparat	
pulsion d'—		Bemächtigungstrieb	
	R	Macht	*puissance*
s'emparer de		sich bemächtigen	
enchaînement		Verkettung	
		Fesselung	
— d'associations		Assoziationsverkettung	
— de pensées		Gedankenverkettung	
	R	Kette	*chaîne*
	R	Fessel	chaîne
	R	Entfesselung	*déchaînement*
enchantement		Zauberei	
		Zauber	1. *charme*
force d'—		Zauberkraft	
	s	Magie	*magie*
	s	Hexerei	sorcellerie
enclenchement		Einleitung	2. engagement
			3. *introduction*
enclencher		einleiten	mettre en branle
			2. engager
			3. introduire
	s	Auslösung	*déclenchement*
endommagement		Beschädigung	
		Schädigung	dommage (infligé à);
			2. *(pfs) préjudice*
— du moi		Schädigung des Ichs	
	R	Schaden	*dommage*
	R	Entschädigung	dédommagement
énergie		Energie	
— libre		freie Energie	
— liée		gebundene Energie	
— du moi		Ichenergie	
— quiescente		ruhende Energie	
— vitale		Lebensenergie	

Terme		Allemand	Traduction
enfance		Kindheit	
— précoce		frühe Kindheit	
	R	Kinderzeit	temps de l'enfance
	R	Kindesalter	âge d'enfant
enfance (d')		Kindheits-	de l'enfance
	R	Kinder-	d'enfant(s)
enfantin		kindlich	
		kindheitlich	
	R	frühkindlich	de l'enfance précoce
	S	infantil	*infantile*
	S	frühinfantil	infantile-précoce

Terme		Allemand	Traduction
engendrement		Erzeugung	2. *production*
	R	Zeugung	*procréation*
	R	Kinderzeugung	procréation

Terme		Allemand	Traduction
engouement		Schwärmerei	exaltation
— homosexuel		homosexuelle —	
s'engouer (pour)		sich schwärmen	se prendre d'engouement
	R	Schwärmer	exalté

Terme		Allemand	Traduction
énoncé		Aussage	déclaration ; dire
	R	Gegenaussage	énoncé contraire
	S	Äußerung	déclaration; propos; dire 1. *manifestation*
	S	Behauptung	*affirmation*
	S	Mitteilung	communication
	S	Satz	1. proposition; phrase 2. thèse
	S	Aufstellung	thèse 1. *mise en place*
	S	Ausdruck	expression
énonciation		Aussprechen (das)	

Terme		Allemand	Traduction
énoncé (littéral, verbal)		Wortlaut	libellé
	R	Wortsinn	sens littéral
	S	Gehalt	*teneur*

---

ensemble	Ensemble	
	Zusammenhang	1. *corrélation*
		2. contexte
	s Gefüge	*texture;*
		trame
entendement	Verstand	
	R Verständnis	*compréhension*
	s Vernunft	*raison*
entrée	Eingang	
— vaginale	Scheideneingang	
symptôme d'—	Eingangssymptom	
	R Ausgang	1. *issue*
		2. départ
	R Zugang (zu)	*accès (à)*
	s Öffnung	*orifice*
entrée (en scène)	Eintritt	arrivée
	Zutritt	accès
	R Antritt	avènement
	R Auftreten	*survenue*
	s Entstehung	*apparition*
entrée en maladie*	Erkrankung	2. *(pfs)* maladie contractée
		3. *affection*
— névrotique	neurotische Erkrankung	2. affection névrotique
	R erkranken	tomber malade
	R Krankheit	*maladie*
envie	Neid	
— du pénis	Penisneid	
	s Begierde	*désir*
envier	beneiden	
environnement	Umgebung	entourage
	s Umwelt	monde environnant
épargne	Ersparung	*(pfs)* économie
	Ersparnis	*(pfs)* économie
— de dépense	Aufwandersparung	
	Aufwandersparnis	
— de déplaisir	Unlustersparnis	
	R Sparsamkeit	parcimonie
épargner	sparen	économiser
	ersparen	faire l'économie de
	R aufsparen	réserver

époque	Epoche	
	Zeit	1. *temps*
— antérieure	Vorzeit	1. temps antérieur
		2. premiers âges
— reculée	Frühzeit	

épreuve	Probe	2. échantillon
action d'—	Probeaktion	
	Probehandlung	
investissement d'—	Probebesetzung	
traitement d'—	Probebehandlung	
	s Prüfung	*examen*
mettre à l'épreuve	erproben	éprouver
	auf die Probe stellen	

épuisement	Erschöpfung	2. tarissement
	Mattigkeit	abattement
épuisant	erschöpfend	2. exhaustif
	s Ermüdung	*fatigue*

équivocité	Zweideutigkeit	équivoque
— de mot(s)	Wortzweideutigkeit	
	A Eindeutigkeit	univocité
	R Mehrdeutigkeit	multivocité
	R Vieldeutigkeit	plurivocité
	s Doppelsinn	double sens
	s Überdeterminierung	surdétermination

érection	Erektion	
	Aufrichtung	
— de l'objet	Aufrichtung des Objekts	
— du sur-moi	Aufrichtung des Über-Ichs	
	s Aufbau	*édification*
	s Einsetzung	*instauration*
	s Aufstellung	*mise en place*
ériger	aufrichten	
	errichten	

érotisme	Erotik	
— anal	Analerotik	
— génital	genitale Erotik	
	Genitalerotik	
— oral	Oralerotik	
érotique	erotisch	

érotomanie	Erotomanie	
	s Liebeswahn	délire amoureux

éruption	Ausbruch	2. *(pfs)* éclatement; explosion
— d'affect	Affektausbruch	
— d'angoisse	Angstausbruch	
— de l'angoisse	Ausbruch der Angst	
— de l'affection	Ausbruch der Erkrankung	
— de la maladie	Ausbruch der Krankheit	
— de la névrose	Ausbruch der Neurose	
	R Einbruch	*irruption*
	R Durchbruch	*percée*
	s Krisis	crise

espèce	Spezies	
	Art	2. sorte; manière; façon; mode; nature
	Geschlecht	1. *sexe*
	Gattung	1. *genre*
— animale	Tierart	
— humaine	Menschenart	
— de pulsion	Triebart	
	R Unterart	sous-espèce
	R Abart	*variété*

esprit	Geist	
— humain	menschlicher Geist	
	Menschengeist	
activité de l'—	Geistestätigkeit	
maladie de l'—	Geisteskrankheit	
trouble de l'—	Geistesstörung	
vie de l'—	Geistesleben	
	R Geistigkeit	spiritualité
	A Sinnlichkeit	1. *sensorialité* 2. sensualité
	R Vergeistigung	spiritualisation
spirituel	geistlich	
	geistig	1. de l'esprit
	geistreich	plein d'esprit; ingénieux
	R vergeistigt	spiritualisé

essence	Wesen	2. *être*
		3. entité

estimation	Abschätzung	
	Einschätzung	
	Schätzung	estime; (*pfs*) appréciation; (*exc*) évaluation
auto- —	Selbsteinschätzung	
	R Hochschätzung	haute estimation; haute estime
	R Unterschätzung	sous-estimation
	R Überschätzung	surestimation
	s Würdigung	*appréciation;* prise en compte
	s Wertung	*évaluation*

étayage	Anlehnung	
type par —	Anlehnungstypus	
étayage (sur)	Anlehnung (an)	
	s Unterstützung	appui; soutien
	s Stütze	appui
s'étayer (sur)	sich anlehnen (an)	

éthique	Ethik	
éthique (*adj*)	ethisch	
	R Ethiker	théoricien (tenant) de l'éthique
	s Moral	*morale*

étiolement	Verkümmerung	1. *atrophie*
	s Niedergang	*déclin*

étiologie	Ätiologie	
— adjuvante	Hilfsätiologie	
— des névroses	Neurosenätiologie	
	s Verursachung	causation

étrangement*		Entfremdung	
	R	entfremden	rendre étranger à
	R	sich entfremden	devenir étranger à; s'étranger à
étranger		fremd	
— au moi		ichfremd	
corps —		Fremdkörper	
objet —		fremdes Objekt	
étrange		fremdartig	
		seltsam	
	s	unheimlich	*inquiétant*
	s	sonderbar	singulier ; bizarre
étrangeté		Fremdartigkeit	
	s	Sonderbarkeit	*singularité*
être		Wesen	1. *essence*
— animal		Tierwesen	
— humain		Menschenwesen	
		Mensch	*homme*
évacuation [d'un contenu]		Entleerung	2. *vidage* [d'un contenant]
— des excréments		Kotentleerung	
— des selles		Stuhlentleerung	
— d'urine		Harnentleerung	
	s	Abfuhr	*éconduction*
	s	Entladung	*décharge*
	s	Entlastung	1. *soulagement* 2. *exonération*
	s	Exkretion	*excrétion*
évaluation		Wertung	valorisation
	s	schätzung	*estimation*
	s	Würdigung	*appréciation*
éveil		Erwachen	
		Erwecken/Erweckung	*réveil* 2. *évocation*
	R	Wachen	*veille*
éveiller		wecken	
		erwecken	réveiller 2. évoquer
		wachrufen	réveiller 2. évoquer
	R	wiedererwecken	réveiller

événement	Begebenheit	
	Ereignis	
	Geschehnis	
	R Geschehen (das)	*advenir (l')*
	s Erlebnis	*expérience vécue*
	s Vorfall	1. *incident*
		2. *survenue*
	s Vorkommen	1. occurrence
		2. présence
	s Vorkommnis	1. occurrence
		2. incident
évitement	Vermeidung	
— de déplaisir	Vermeidung von Unlust	
	Unlustvermeidung	
	s Flucht	*fuite*
évolution	Evolution	
	Entwicklung	1. *développement*
examen	Examen	
	Prüfung	
	Nachprüfung	vérification
— de réalité	Realitätsprüfung	
— critique	kritische Prüfung	
	s Probe	*épreuve*
	s Untersuchung	*investigation ;* *(pfs)* examen
excès	Exzeß	
	Übermaß	démesure
	Ausschreitung	*transgression*
	R Maßlosigkeit	démesure
	R Unmäßigkeit	immodération; démesure
	s Übertreibung	exagération
excessif	exzessiv	
	übermäßig	démesuré
	übergroß	excessivement grand
	R unmäßig	immodéré; démesuré
	R übermächtig	surpuissant
	R überstark	1. surfort
		2. *(n. techn)* excessivement fort

excitation*		Erregung	
— pulsionnelle		Trieberregung	
— sensorielle		Sinneserregung	
— sexuelle		sexuelle Erregung	
		Sexualerregung	
		sexuelle *Aufregung	
	R	Regung	*motion*
	R	Anregung	*incitation*
	R	Aufregung	émoi
		sexuelle Aufregung	émoi sexuel
	R	Miterregung	coexcitation
	R	Erregtheit	état d'excitation
		sexuelle Erregtheit	état d'excitation sexuelle
	S	Reiz	*stimulus*
excitabilité		Erregbarkeit	
	A	Unerregbarkeit	inexcitabilité
	S	Reizbarkeit	*stimulabilité*
exciter		erregen	2. *(n. techn)* susciter
excitateur		Erreger	
— du rêve		Traumerreger	

---

exclusion		Ausschließung	
		Ausschluß	
	A	Einbeziehung	*inclusion*
	S	Ausstoßung	*expulsion*
exclure		ausschließen	
	A	einschließen	inclure

---

excrément(s)		Exkrement(e)	
		Kot	2. crotte
	R	Exkrete	excréta
	S	Fäzes	fèces
	S	Stuhl	selles
	S	Stuhlgang	selle
	S	Dreck	merde; ordure
excrémentiel		exkrementiell	
plaisir —		Exkrementallust	
excrétion		Exkretion	
		Ausscheidung	
— génitale		Genitalexkretion	
	S	Defäkation	défécation
	S	Entleerung	*évacuation*
	S	Entladung	*décharge*

---

exécution	Exekution	
	Durchführung	
	Ausführung	2. exposé
	s Erfüllung	*accomplissement*
	s Realisierung	*réalisation*
exécuter	ausführen	effectuer
		2. exposer
	durchführen	mettre à exécution; (*pfs*) réaliser
	s erfüllen	accomplir

exemple	Beispiel	
exemple-type	Musterbeispiel	
	s Muster	*modèle*
	s Vorbild	*prototype*

exercice	Ausübung	
— de l'analyse	Ausübung der Analyse	
	R Übung	*pratique*

exhibition	Exhibition	
	Schaustellung	
désir* d'—	Exhibitionslust	
	s Zeigen (das)	montrer (le)

exigence*	Anforderung	
	Forderung	
— d'amour	Liebesforderung	
— idéale	Idealforderung	
— pulsionnelle	Triebanforderung	
	Triebforderung	
— du réel	Realforderung	
— de la réalité	Realitätsforderung	
	R Aufforderung	sollicitation; requête
	s Anspruch	*revendication*

existence	Existenz	
	Dasein	
	Bestand/Bestehen	
	s Leben	vie; (*pfs*) existence
inapte à l'—	existenzunfähig	incapable d'existence

existence postérieure	Nachexistenz	
	s jenseitige Existenz/ jenseitiges Dasein	existence dans l'au-delà
	s künftiges Dasein	existence future
	s künftiges/zukünftiges Leben	vie future
	s Fortsetzung der Existenz (nach dem Tode)	continuation de l'existence (après la mort)
	s Fortdauer des Lebens	perpétuation de la vie
	s Überleben	*survie*

exonération	Entlastung	1. *soulagement*; délestage
— des substances sexuelles	Entlastung der Sexualstoffe	
	R Entladung	*décharge*
	R Entleerung	*évacuation*

expérience	Erfahrung	
	Experiment	expérimentation
	Versuch	1. *tentative*; essai
— de la vie	Lebenserfahrung	
expérimentation	Experimentieren (das)	

expérience vécue	Erlebnis	
expérience de vie	Erleben (das)	
	R Erlebte (das)	vécu (le)
	s Ereignis	*événement*

expiation	Sühne	
	Sühnung	
besoin d'—	Sühnebedürfnis	
	R Versöhnung	1. réconciliation 2. propitiation
	s Buße	*pénitence*
expiatoire	Sühne-	
	s Versöhnungs-	propitiatoire

explication		Erklärung	
	R	Aufklärung	*éclaircissement ;* élucidation
	s	Erläuterung	explicitation 2. *(plur)* commentaires
expliquer		erklären	2. déclarer
	s	aufklären	éclaircir; élucider
	s	erläutern	expliciter; illustrer; commenter

---

exposé		Vorführung	
		Ausführung	1. *exécution*
		Ausführungen (über)	développements (sur)
		Darlegung	exposition
		Referat	compte rendu
	s	Darstellung	*présentation*
	s	Bericht	rapport; récit; compte rendu
	s	Rechenschaft	compte rendu
	s	Mitteilung	communication
	s	Vortrag	conférence
	s	Vorlesung	leçon
exposer		darlegen	
		vorführen	
		auseinandersetzen	
		ausführen	1. exécuter
	s	darstellen	présenter

---

expulsion		Ausstoßung	
		Austreibung	
	A	Einbeziehung	*inclusion*
	R	Vertreibung	éviction
	s	Verbannung	bannissement
	s	Ausschluß	*exclusion*
	s	Ächtung	proscription
expulser		ausstoßen	
		austreiben	
		herausdrängen	
	R	verstoßen	répudier
	R	vertreiben	évincer
	s	(ver)bannen	bannir
	s	verjagen	chasser
	s	ächten	proscrire

---

extension		Ausdehnung	2. étendue
		Ausbildung	1. *conformation*
	S	Erweiterung	élargissement
	S	Ausbreitung	1. propagation 2. diffusion
étendu		ausgedehnt	
extérieur		äußerlich	
		äußer	externe
	A	innerlich	*intérieur*
	A	inner	interne; intérieur
extérieur (l')		Außen (das)	
	A	Innen (das)	intérieur (l')
à l'extérieur		außen	
		draußen	
	A	innen	à l'intérieur
extériorisation		Veräußerlichung	
	A	Verinnerlichung	intériorisation
	R	Äußerung	*manifestation*
extinction		Erlöschen	
		Löschung	
		Auslöschen	2. effacement
— d'une excitation		Erlöschen einer Erregung	
éteindre		löschen	
		auslöschen	2. effacer
s'éteindre		erlöschen	
	R	unauslöschlich	ineffaçable
	R	unverlöschbar	ineffaçable
	S	verwischen	effacer

fable		Fabel	
Fable (Sainte)		heilige Dichtung	
fabuler		fabulieren	
	R	konfabulieren	confabuler
	S	Fiktion	*fiction*
facteur		Faktor	
		Moment (das)	
— adjuvant		Hilfsmoment	
facteur occasionnant		Anlaß	2. *(n. techn)* *occasion*

faiblesse		Schwäche	
	A	Stärke	*force*
	R	Abschwächung	affaiblissement
	R	Schwächung	affaiblissement
faible		schwach	
	R	schwächlich	débile
		schwächliches Ich	moi débile
	R	schwächend	débilitant
		schwächendes Moment	facteur débilitant

---

fait		Faktum	
		Tatsache	
	R	Tatbestand	état de fait; état des faits
	S	Vorkommnis	occurrence
	L	Tat (in der)	de fait; en fait
factuel(le)		faktisch	
		tatsächlich	de fait
matériel —		tatsächliches Material	
réalité —		faktische Realität	
	R	sachlich	*concret*
factualité		Tatsächlichleit	caractère de fait

---

falsification	Fälschung	
— du souvenir	Erinnerungsfälschung	
falsifier	fälschen/verfälschen	fausser

---

familier	vertraut	intime
	traulich	intime
	vertraulich	confiant
familier (le)	Vertraute (das)	
	Vertraute (der)	familier (le); confident (le)
familiarité	Vertrautheit	
	Vertraulichkeit	privauté

---

fantaisie*		Phantasie	
— originaire		Urphantasie	
activité de la —		Phantasietätigkeit	
vie de la —		Phantasieleben	
fantasier		phantasieren	
	R	Phantasieren (das)	activité de fantaisie
	R	zurückphantasieren	*rétrofantasier*
	R	Zurückphantasieren (das)	rétrofantasier (le)
	R	Phantasma	fantasme
	R	Phantast (der)	fantaste (le)
	S	Imagination	*imagination*
	S	Einbildung	imagination
	S	Einbildungskraft	imagination
fantastique		phantastisch	2. *(exc)* fantaisiste
	S	imaginär	imaginaire
fatalité		Verhängnis	2. *(exc)* destinée
	R	verhängnisvoll	fatal; funeste
	S	Schicksal	*destin*
fatigue		Ermüdung	
		Müdigkeit	fatigabilité
		Mühe	peine
	R	Ermüdbarkeit	fatigabilité
	R	Ermüdigkeit	fatigabilité
faute		Fehler	2. *défaut*
		*Schuld	1. *coulpe; culpabilité*
— de langage		Sprachfehler	
— de pensée		Denkfehler	
	R	Verfehlung	manquement
féminité		Weiblichkeit	
récusation de la —		Ablehnung der Weiblichkeit	
féminin (le)		Feminine (das)	
		Weibliche (das)	
	A	Männliche (das)	masculin (le)
fiction		Fiktion	
		Dichtung	1. *poésie* 2. création littéraire
— délirante		Wahndichtung	
	S	Schöpfung	*création*
	S	Erfindung	invention
fictif		fiktiv	

figure		Figur	
		Gestalt	2. *forme*
		Gebilde	1. *formation*
figuré		figürlich	

---

fin		Zweck	2. *(exc)* finalité
	R	Zweckmäßigkeit	1. appropriation à une fin 2. *(exc)* finalité
	R	zweckmäßig	1. approprié à une fin; 2. *(n. techn)* approprié; opportun
	s	Ziel	*but*

---

fin		Ende	
— de l'analyse		Ende der Analyse	
	R	Beendigung	*terminaison*
	s	Schluß	*conclusion*
	s	Abschluß	1. *achèvement* 2. conclusion
final		End-	
		endlich	fini
fini		endlich	final
	A	unendlich	*infini*
	s	beendet	terminé

---

fixation		Fixierung	
— libidinale		Libidofixierung	
— à la mère		Mutterfixierung	
— au père		Vaterfixierung	
aptitude à la —		Fähigkeit zur Fixierung	
lieu de —		Fixierungsstelle	
perversion de —		Fixierungsperversion	
	R	Fixierbarkeit	fixabilité

---

floraison		Blüte	
— précoce		Frühblüte	

---

fluidité		Flüssigkeit	
	s	Beweglichkeit	mobilité
	A	Klebrigkeit	*viscosité*
foi		Glaube	*croyance*
		Glaübigkeit	croyance
communauté de —		Glaubensgemeinschaft	
folie		Irresein	
		Narrheit	
		Wahnsinn	
		Verrücktheit	
— délirante		Irrwahn	
— maniaco-dépressive		manisch-depressives Irresein	
— cyclique		zyklisches Irresein	
	s	Verschrobenheit	bizarrerie
	s	Tollheit	extravagance
fonction		Funktion	*(pfs)* fonctionnement
— sexuée		Geschlechsfunktion	
— sexuelle		Sexualfunktion	
trouble de (la) —		Funktionsstörung	
	s	Leistung	*opération*
fonctionnement		Funktionieren	
		Betrieb	
— énergétique		Energiebetrieb	
mode de —		Funktionsweise	
fondement		Fundament	
		Fundierung	
		Grundlage	
		Begründung	2. raison qui fonde
		Grund	base 2. *raison*
fondamental		fundamental	
		grundlegend	
		Grund-	
		gründlich	radical; approfondi
	R	Gründung	fondation
	s	Stiftung	fondation

force		Stärke	
— du moi		Ichstärke	
— des pulsions		Triebstärke	
	R	Überstärke	*surforce ;* *(n. techn)* force excessive
	R	Erstarkung	renforcement
	R	Verstärkung	renforcement
	S	Intensität	*intensité*
fort		stark	
	R	überstark	1. surfort 2. *(n. techn)* excessivement fort
force(s)		Kraft(¨e)	
— de l'âme		Seelenkraft	
— de l'esprit		Geisteskraft	
— de la nature		Naturkräfte	
— physiques		physikalische Kräfte	
— de pulsion		Triebkraft	
— pulsionnelle		triebhafte Kraft	
	S	Gewalt	1. *violence* 2. *(exc)* force
	S	Macht	*puissance*
	R	kräftigen	fortifier
	R	kräftig	vigoureux; énergique

---

formation		Formation	
		Bildung	2. *culture*
		Gebilde	1. *figure*
		Ausbildung	1. *conformation*
— de compromis		Kompromißbildung	
— de la névrose		Neurosenbildung	
— intellectuelle		intellektuelle Ausbildung	
— réactionnelle		Reaktionsbildung	
— du rêve		Traumbildung	
	R	Traumbildner	formateur du rêve
— de substitut		Ersatzbildung	
— de symptôme		Symptombildung	*(pfs)* formation du symptôme
	R	Neubildung	néo-formation
	R	Neugebilde	néo-formation
	R	Verbildung	malformation; *(pfs) déformation*
	R	Umbildung	*remodelage*
	S	Entstehung	*apparition*

forme		Form	
		Gestalt	1. *figure*
— de manifestation		Erscheinungsform	
— originaire		Urform	
	R	Umformung	changement de forme
	R	Gestaltung	*configuration*
forme (mettre en)		gestalten	1. configurer
forme (prendre)		sich gestalten	2. se configurer
former		formieren	
		bilden	
		ausbilden	1. conformer
fortuit(e)		zufällig	
		Zufalls-	
action —		Zufallshandlung	
incident —		Zufälligkeit	*(pfs)* hasard
	R	Zufall	*hasard*
foule		Menge	2. *quantité*
— humaine		Menschenmenge	
	S	Masse	*masse*
	S	Haufe	multitude
	S	Fülle	plénitude; profusion; abondance
fourvoiement		Entgleisung	
	R	Entgleiste (der)	fourvoyé (le)
fragment		Fragment	
		Bruchstück	
	R	Bruchteil	fraction
	R	Stück	*morceau*
fragmentaire		fragmentarisch	
	S	lückenhaft	lacunaire
frayage		Bahnung	
frayer		bahnen	
	L	den Zugang bahnen [sich]	[se] frayer l'accès
	L	den Weg bahnen [sich]	[se] frayer la voie
	R	Bahn	*voie ;* route

frère(s)		Bruder(¨er)	
alliance des —		Brüderbund	
bande des —		Brüderbande	
clan des —		Brüderklan	
communauté des —		Brüdergemeinde	
		Brüdergemeinschaft	
troupe des —		Brüderschar	
frères et sœurs		Geschwister	
		Geschwister-	de la fratrie
		Geschwisterkomplex	complexe de la fratrie

frontière		Grenze	2. *limite*
— de censure		Zensurgrenze	
— spatiale		Raumgrenze	
concept- —		Grenzbegriff	

frustrané*		frustran	
		frustrane Erregung	excitation frustranée

fugitivité		Flüchtigkeit	fugacité
	s	Vergänglichkeit	*passagèreté*
fugitif		flüchtig	fugace; rapide
	s	vergänglich	passager

fuite		Flucht	
— dans la maladie		Flucht in die Krankheit	
tentative de —		Fluchtversuch	
	s	Ausweichen (das)	esquive
	s	Vermeidung	*évitement*

fusion		Verschmelzung	
	s	Verlötung	soudure
	s	Vereinigung	*union*
	s	Vermischung	*mixtion*
fusionner [se]		verschmelzen [sich]	

fustigation (de)		Schlage-	
fantaisie de —		Schlagephantasie	
scène de —		Schlageszene	
	R	schlagen	*battre*

gain		Gewinn	2. *bénéfice*
— marginal		Nebengewinn	
— de plaisir		Lustgewinn	
	R	gewinnen	obtenir
	R	Gewinnung	*obtention*
généalogie		Genealogie	
généalogique (histoire)		Stammesgeschichte	
généralité		Allgemeinheit	universalité
généralités (sur)		Allgemeines (über)	
général		generell	
		allgemein	universel
genèse		Genese	
	S	Entstehung	1. *apparition;*
			2. *(pfs)* naissance
			3. *(exc)* genèse
	S	Wachstum	croissance
	S	Entwicklung	*développement*
génétique		genetisch	
génitalité		Genitalität	
génital(e)		genital	
		Genital-	
activité —		Genitaltätigkeit	
		Genitalbetätigung	
appareil —		Genitalapparat	
	S	Geschlechtsapparat	appareil sexué
érotisme —		Genitalerotik	
organisation —		Genitalorganisation	
pulsion —		Genitaltrieb	
	R	Genitale (das)	*organe génital*
	R	prägenital	prégénital
	S	geschlechtlich	*sexué*
genre		Gattung	*(pfs) espèce*
	S	Kategorie	catégorie
	S	Art	*espèce*
générique (concept)		Gattungsbegriff	
genre humain		Menschengeschlecht	
	S	Menschenart	espèce humaine
	S	Menschenstamm	souche humaine
geste		Geste	
		Bewegung	1. *mouvement*
gestes		Gebärden	
langage des —		Gebärdenssprache	

gouvernement		Regierung	
gouverner		regieren	régir
grandeur		Größe	*(pfs)* ampleur
— d'excitation		Erregungsgröße	
— de stimulus		Reizgröße	
	R	Vergrößerung	agrandissement
	S	Quantität	*quantité*
grandiose		großartig	imposant; prodigieux
grégarité		Herdenhaftigkeit	
grégaire		Herden-	
instinct —		Herdeninstinkt	
pulsion —		Herdentrieb	
	R	Herde	*troupeau*
grossesse		Schwangerschaft	
		Gravidität	*(techn)* gravidité
fantaisie de —		Schwangerschafts-phantasie	
groupe		Gruppe	
	R	Gruppierung	groupement
	R	Umgruppierung	regroupement
	S	Masse	*masse*
guérison		Heilung	
		Genesung	
rêve de —		Genesungstraum	
travail de —		Genesungsarbeit	
guérir		heilen	
	S	wiederherstellen/herstellen	rétablir
guérissable		heilbar	curable
	A	unheilbar	inguérissable; incurable

haine		Haß	
	R	Gehässigkeiten	haines
	S	Verabscheuung	exécration
haïr		hassen	
	S	verabscheuen	exécrer
haïr (le)		Hassen (das)	
	A	Lieben (das)	aimer (l')

hallucination		Halluzination	
— visuelle		Gesichtshalluzination	
hallucinose		Halluzinose	
halluciner		halluzinieren	
halluciner (l')		Halluzinieren (das)	
hallucinatoire		halluzinatorisch	

hasard		Zufall	2. incidence 3. *(exc) accident fortuit*
	R	zufällig	1. incident fortuit
	R	Zufälligkeit	2. *(pfs)* hasard

hérédité		Heredität	
		Erblichkeit	
		Vererbung	1. transmission héréditaire
— croisée		gekreuzte Vererbung	
héréditaire		hereditär	
		erblich	
		Erb-	
histoire —		Erbgeschichte	
péché —		Erbsünde	
trace —		Erbspur	
	R	Erbgut	patrimoine (héréditaire)

héritage		Erbe	
		Erbschaft	
— archaïque		archaisches Erbe	
		archaische Erbschaft	
	R	ererbt	hérité
	R	Ererbte (das)	hérité (l')

heureuse issue		Glücken	
	A	Mißglücken	*ratage*
	S	Gelingen	réussite
heureuse issue (avoir une)		glücken	
	R	glücklich	1. à l'heureuse issue 2. heureux

histoire		Historie	
		Geschichte	
écriture de l'—		Geschichtsschreibung	2. historiographie
	R	Prähistorie	*préhistoire*
	R	Vorgeschichte	préhistoire
	R	Frühgeschichte	histoire reculée
	R	Urgeschichte	histoire originaire
historien		Historiker	
	R	Geschichtsschreiber	1. écrivain de l'histoire 2. historiographe
historique		historisch	
		geschichtlich	

---

homme		Mensch	être humain
		Mann	
— de la culture		Kulturmensch	
— originaire		Urmensch	
— des premiers temps		Mensch der Vorzeit	
	R	Menschenwesen	être humain
	R	Nebenmensch	prochain
	R	Mitmensch	semblable
	R	Übermensch	surhomme
humanité		Menscheit	
— culturelle		Kulturmenscheit	
	R	Menschengeschlecht	*genre humain*

---

homosexualité		Homosexualität	
	S	Homoerotik	homo-érotisme
	A	Heterosexualität	hétérosexualité

---

honte		Schämen	
		Beschämung	
		Schande	ignominie
	R	Scham	*pudeur*
	R	Verschämtheit	gêne
	S	Verlegenheit	embarras
honteux		schamhaft	
		verschämt	
		schändlich	ignominieux

---

horde	Horde	
— humaine	menschliche Horde	
	Menschenhorde	
— originaire	Urhorde	
— primitive	primitive Horde	
— des frères	Brüderhorde	
— du père	Vaterhorde	
	s Bande	*bande*
	s Klan/Clan	clan
	s Gemeinde	*communauté*
	s Gemeinschaft	communauté
	s Schar	*troupe*
	s Herde	*troupeau*

---

horreur	Grauen/Grausen	
	s Schreck/Schrecken	*effroi*
	s Entsetzen	épouvante
	s Abstoßung	*répulsion*
horrifiant (l')	Grauenhafte (das)	
	s Schreckhafte (das)	effrayant (l')

---

hostilité	Feindseligkeit	
	Feindlichkeit	
	Anfeindung	
	Verfeindung	
	Feindschaft	inimitié
— à la culture	Kulturfeindseligkeit	
	Kulturfeindlichkeit	
	Kulturfeindschaft	
	R Feind	ennemi
hostile	feindselig	
	feindlich	

---

humeur	Stimmung	
changement d'—	Stimmungswandel	
	R Verstimmung	1. dépression de l'humeur; *(pfs)* humeur dépressive 2. *(cour)* humeur maussade
	R Hochstimmung	humeur exaltée
	R Mißstimmung	mauvaise humeur
	s Unmut	mauvaise humeur

---

hypnose		Hypnose	
auto- —		Autohypnose	
	L	versetzen in Hypnose	mettre en hypnose
	L	Versetzung in Hypnose	mise en hypnose
	R	Hypnotisierbarkeit	hypnotisabilité

hypothèse		Hypothese	
		Annahme	2. *(réel) admission*
— adjuvante		Hilfshypothese	
	S	Vermutung	*supposition*
hypothèse (faire l')		annehmen	2. *(réel/intell)* admettre

idéal		Ideal	
fonction d'—		Idealfunktion	
formation d'—		Idealbildung	
idéaux		Ideale	
— du moi		Ichideale	
idéal *(adj)*		ideal	
	R	ideell	idéel

idéal du moi		Ichideal	
	S	Idealich	moi idéal
	S	Ideal-Ich	moi-idéal

idée		Idee	
— d'angoisse		Angstidee	
— de contrainte		Zwangsidee	
— délirante		Wahnidee	
— fixe		fixe Idee	
	S	Gedanke	*pensée*
	S	Vorstellung	*représentation*

idée incidente*		Einfall	2. *(pfs)* idée qui vient; ce qui vient à l'idée
	S	Assoziation	*association*
venir à l'idée		einfallen	
	L	es fällt mir (ihm) ein	il me (lui) vient à l'idée

identifier*		*agnoszieren	
identification *(de qch)*		*Agnoszierung	
	s	Anerkennung	*reconnaissance*

---

identification (avec)		Identifizierung (mit)	
— du moi		Ichidentifizierung	
	s	Angleichung (an)	assimilation (à)
s'identifier (avec)		sich identifizieren (mit)	

---

identité		Identität	
— de pensée		Denkidentität	
— de perception		Wahrnehmungsidentität	

---

llusion		Illusion	
		Täuschung	leurre
	A	Enttäuschung	1. *désillusion*
			2. déception
	s	Betrug	tromperie
	s	Trug	imposture
	s	Wahn	*délire*
s'illusionner		sich täuschen	se leurrer

---

illusion du souvenir		Erinnerungstäuschung	
	s	Paramnesie	paramnésie

---

illustration		Illustration	
		Veranschaulichung	
	R	Anschauung	*vision*
	s	Verbildlichung	mise en images
illustrer		illustrieren	
		veranschaulichen	
		erläutern	1. expliciter
	R	anschaulich machen	visualiser

---

image	Bild	2. *tableau*
	Abbild	2. *reproduction*
— d'angoisse	Angstbild	
— mnésique	Erinnerungsbild	
— sensorielle	Sinnesbild	
	R Ebenbild	1. image propre 2. *(pfs)* image
	R Nachbild	1. image persistante 2. copie
	R Vorbild	*prototype*
	R Urbild	1. image originaire 2. original
	R Bildnis	portrait
	R Abbildung	*reproduction*
	R Nachbildung	reproduction
	R Verbildlichung	mise en images
	S Gleichnis	parabole
imagé	bildlich	
imagé (l')	Bildliche (das)	
	S figürlich	figuré
imago (imagines)	Imago (Imagines)	
— parentale	Elternimago	

imagination	Imagination	
	Einbildung	
	Einbildungskraft	
	S Phantasie	*fantaisie*
imaginer	imaginieren	
s'imaginer	sich einbilden	
	sich denken	
imaginaire	imaginär	
	S erfunden	inventé

imitation	Imitation	
	Nachahmung	
pulsion d'—	Nachahmungstrieb	
imiter	imitieren	
	nachahmen	

impact	Stoß	*choc*
force d'—	Stoßkraft	
	R Anstoß	1. coup d'envoi

impératif		Imperativ	
impératif *(adj)*		imperativ	
	S	gebieterisch	impérieux

impression(s)		Eindruck(¨e)	
— de la vie		Lebenseindrücke	
— sensorielle		Sinneseindruck	
trace d'—		Eindrucksspur	

impuissance		Impotenz	
		Ohnmacht	2. évanouissement
— psychique		psychische Impotenz	
— sexuelle		sexuelle Impotenz	
	A	Macht	*puissance*
	A	Potenz	puissance
	S	Hilflosigkeit	*désaide (le)*

impulsion		Impuls	
		Antrieb	
		Anstoß	1. coup d'envoi
	R	Trieb	*pulsion*
	S	Regung	*motion*
impulsif		impulsiv	

ncarnation		Verkörperung	
		Vertretung	1. *représentance*
	S	Einverleibung	*incorporation*

inceste		Inzest	
— avec la mère		Mutterinzest	
interdit de l'—		Inzestverbot	
tabou de l'—		Inzesttabu	
incestueux		inzestuös	
souhait —		Inzestwunsch	

incident		Vorfall	2. *survenue*
		Vorkommnis	1. occurrence
		Zwischenfall	
	S	Ereignis	*événement*
incident fortuit		Zufälligkeit	
	R	Zufall	1. *hasard*
			2. incidence
	R	Einfall	*idée incidente*
	R	Unfall	*accident*

incitation	Anregung	2. *(cour)* instigation
inciter	anregen	2. susciter
incitateur	Anreger	
— du rêve	Traumanreger	
	R Erregung	*excitation*
inclination	Hinneigung	
	Zuneigung	
	Geneigtheit	
	Neigung	*penchant*
	S Strebung	*tendance*
inclusion	Einbeziehung	
	A Ausschluß	*exclusion*
	A Ausstoßung	*expulsion*
inclure	einbeziehen	
	einschließen	
	A ausschließen	exclure
inconciliabilité	Unverträglichkeit	
inconciliable	unverträglich	2. *(cour)* intraitable
	A verträglich	conciliable
	R unerträglich	insupportable
	S unvereinbar	incompatible
inconscient	unbewußt	
inconscient (l')	Unbewußte (das)	
inconscience	Unbewußtsein	
	R Unbewußtheit	inconsciencialité
Ics	*Ubw*	
processus- —	*Ubw*-Vorgang	
système —	System *Ubw*	
incorporation	Einverleibung	
s'incorporer	sich einverleiben	
	R Leib	*corps*
indélébilité	Unvertilgbarkeit	
	S Unzerstörbarkeit	indestructibilité
indélébile	unvertilgbar	
	S unzerstörbar	indestructible
	S unauslöschlich	ineffaçable
	S unverlöschbar	ineffaçable
	S unausrottbar	inextirpable
	S unvergänglich	1. incapable de passer 2. impérissable

indication		Indikation	
		Angabe	
		Andeutung	2. *(pfs) indice*
		Anweisung	2. assignation
		Wink	2. invite
	R	Gegenindikation	contre-indication
	S	Anspielung	*allusion*
indice		Indizium	
		Anzeichen	
		Andeutung	1. *indication*
	S	Zeichen	*signe*
indifférence		Indifferenz	
		Gleichgültigkeit	
indifférence ou équivalence		Indifferenz oder Gleichgültigkeit	
indifférent		indifferent	
		gleichgültig	
individu		Individuum	
		Einzelner	
— sexué		Geschlechtsindividuum	
	R	Großindividuen (die) [der Menschheit]	grand-individus (les) [de l'humanité]
	R	Völkerindividuen (die)	individus-peuples (les)
individualité		Individualität	
	S	Person	*personne*
individuel(le)		individuell	
		Individual-	
		Einzel-	1. pris un à un; pris isolément 2. de (en) détail
être —		Einzelwesen	
psychologie —		Individualpsychologie	
vie —		Einzelleben	
induction		Induktion	
	S	Ansteckung	*contagion*
— de pensée		Gedankeninduktion	
	S	Gedankenübertragung	transfert de pensée
inertie		Trägheit	
— psychique		psychische Trägheit	
— de la libido		Trägheit der Libido	

infantile		infantil	
		Infantil-	
infantile (l')		Infantile (das)	
	R	frühinfantil	infantile-précoce
	S	kindlich	*enfantin*
infantilisme		Infantilismus	

---

infinité		Unendlichkeit	
		Unzahl	multitude
infini		unendlich	
	A	endlich	*fini*
	R	Ende	*fin*
	R	unbeendet	non terminé
	S	unvollendet	inachevé
	S	unabgeschloßen	inachevé
	S	unabschließbar	inachevable

---

influence		Einfluß	
	R	Beeinflussung	influence exercée sur
	R	Beeinflußbarkeit	influençabilité

---

inhibition		Inhibition	
		Hemmung	
— d'affect		Affekthemmung	
— de développement		Entwicklungshemmung	
— de pensée		Denkhemmung	
— des pulsions		Triebhemmung	
— de la sexualité		Sexualitätshemmung	
	R	Hemnis	entrave
	S	Verhinderung	*empêchement*
inhiber		inhibieren	
		hemmen	
inhibé		gehemmt	
— quant au but		zielgehemmt	
	A	ungehemmt	non inhibé

---

initial		anfänglich	du début
		anfänglichst *(superl)*	tout premier
	R	Anfang	*début*
	R	Anfangs-	du début
	S	erst	premier
	S	ursprünglich	originel
	S	Ur-	originaire

---

inné		angeboren	
		eingeboren	
		mitgeboren	
	A	erworben	*acquis*
	S	mitgebracht	*congénital*
innéité		Angeborensein	

---

innervation		Innervation	
— corporelle		körperliche Innervation	
		Körperinnervation	
	R	überinnerviert	surinnervé

---

innocence		Unschuld	
	A	Schuld	*culpabilité*
	R	Schuldlosigkeit	non-culpabilité
innocent		unschuldig	
	A	schuldig	coupable
	R	schuldlos	non coupable

---

inoffensif		harmlos	anodin
		unschädlich	
	R	Harmlosigkeit	caractère inoffensif
	S	ungefährlich	non dangereux

---

inquiétant*		unheimlich	
	S	fremdartig	*étrange*
	S	sonderbar	singulier
inquiétant (l')		Unheimliche (das)	
	S	Fremdartigkeit	*étrangeté*

---

inscription		Niederschrift	2. *(n. techn)* rédaction; écrit
		Inschrift	
	R	Überschrift	*transcription*
	R	Umschrift	retranscription

---

insignifiant		unscheinbar	peu apparent
		unbedeutend	non significatif
		bedeutungslos	dénué de signification
		nichtssagend	

insignifiant *(suite)*		
— et futile	unscheinbar und geringfügig	
	R Bedeutung	1. *signification* 2. *significativité*
	S unwichtig	sans importance
	S banal	banal
	S gering	minime; modeste
	S geringfügig	futile; minime; mineur
	S harmlos	inoffensif; anodin
	S kleinlich	futile; mesquin

insistance	Eindringlichkeit	
	Drängen	1. *poussée*
	R Dringlichkeit	urgence

instance(s)	Instanz(en)	
— parentale	Elterninstanz	
séquence d'—	Instanzenzug	
	S Bezirk	circonscription
	S Gebiet	domaine
	S Provinz	province
	S Region	région
	S Reich	*royaume*

instauration	Einsetzung	
	Ansatz	
	Herstellung	2. établissement 3. *production*
— en deux-fois	zweimaliger Ansatz	
— en-deux-temps	zweizeitiger Ansatz	
— du principe de réalité	Einsetzung des Realitätsprinzips	
— du sur-moi	Einsetzung des Über-Ichs	
	Über-Ich-Einsetzung	
	R Wiederherstellung	1. réinstauration; restauration 2. rétablissement
	S Konstituierung	*constitution*
	S Aufrichtung	*érection*
	S Aufstellung	*mise en place*

instinct		Instinkt	
	s	Trieb	*pulsion*
instinctif(ive)		instinktiv	*(pfs)* instinctuel
		Instinkt-	
vie —		Instinktleben	
instinctuel		instinktiv	instinctif
fonds —		instinktiver Besitz	
savoir —		instinktives Wissen	
institution		Institution	
		Einrichtung	1. *dispositif*
— du moi		Ichinstitution	
	s	Einsetzung	*instauration*
insuccès		Mißerfolg	
	A	Erfolg	*succès*
	R	Erfolglosigkeit	absence de succès
	s	Mißlingen	*échec*
	s	Mißglücken	*ratage*
intellect		Intellekt	
intellectuel		intellektuell	
travail —		intellektuelle Arbeit	
	s	geistig	de l'esprit
intellectualité		Intellektualität	
	s	Geistigkeit	spiritualité
intelligence		Intelligenz	
travail de l'—		Intelligenzarbeit	
intensité		Intensität	
	s	Stärke	*force*
intensif		intensiv	intense
intention		Intention	
		Absicht	1. visée
	s	Vorsatz	dessein; *projet*
avoir pour —		beabsichtigen	1. avoir pour visée; viser
intentionnel		absichtlich	
		beabsichtigt	
intercalation		Einschaltung	interpolation
			2. *mise en circuit*
intercaler [s']		einschalten [sich]	
		einschieben	

interdit		Verbot	interdiction
— de penser		Denkverbot	
	R	Gebot	*commandement*
	S	Vorschrift	*prescription*
	S	Tabu	*tabou*
interdit *(adj)*		verboten	
	S	unerlaubt	illicite
	S	verpönt	prohibé

---

intérêt(s)		Interesse(n)	
— du jour		Tagesinteresse(n)	
— du moi		Ichinteresse(n)	
— sexuel		sexuelles Interesse	
		Sexualinteresse	

---

intérieur		innerlich	
		inner	interne
	A	äußerlich	*extérieur*
	A	äußer	externe; extérieur
	S	intern	interne
intérieur (l')		Innen (das)	
	A	Außen (das)	extérieur (l')
intérieur (à l')		innen	
	A	außen	à l'extérieur
intériorisation		Verinnerlichung	
	A	Veräußerlichung	extériorisation
intériorité		Innigkeit	

---

interprétation		Interpretation	
		Deutung	
— fautive		Fehldeutung	
— du rêve		Traumdeutung	
— des rêves		Deutung von Träumen	
travail d'—		Deutungsarbeit	
	R	Deutbarkeit	interprétabilité
	R	Mißdeutung	mésinterprétation
	R	Umdeutung	réinterprétation
	R	Überdeutung	surinterprétation
interpréter		deuten	

---

interruption		Unterbrechung	
		Abbruch	1. rupture 2. *démantèlement*

---

intestin		Darm	
issue de l'—		Darmausgang	
intestinal(e)		Darm-	
contenu —		Darminhalt	
évacuation —		Darmentleerung	
mort —		Darmtod	
orifice —		Darmöffnung	

---

intimidation		Einschüchterung	
— sexuelle		Sexualeinschüchterung	

---

introduction		Einführung	2. *(pfs)* ingestion
		Einleitung	1. *enclenchement*
introductif		einleitend	2. liminaire
	s	Vorbereitung	*préparation*

---

introjection		Introjektion	
	A	Projektion	*projection*
	s	Verinnerlichung	intériorisation
introjecter [s']		introjizieren [sich]	

---

intuition		Intuition	
	s	Ahnung	*pressentiment*
	s	Einfühlung	empathie

---

inversion		Inversion	
— génitale		genitale Inversion	

---

inversion		Umkehrung	
— d'affect		Affektumkehrung	
	R	Verkehrung	*renversement*
inversé		umgekehrt	
complexe d'Œdipe —		umgekehrter Ödipuskomplex	

---

investigation		Untersuchung	*(pfs)* examen
	s	Erforschung	exploration; *(pfs)* investigation
	s	Forschung	*recherche*
	s	Prüfung	*examen*
	s	Studium	étude

---

investissement		Besetzung	
— d'affect		Affektbesetzung	
— en énergie		Energiebesetzung	
— d'épreuve		Probebesetzung	
— pulsionnel		Triebbesetzung	
	A	Unbesetzung	non-investissement
	R	Unbesetztheit	état de non-investissement
	R	Gegenbesetzung	contre-investissement
	R	Überbesetzung	surinvestissement
ironie		Ironie	
	S	Spott	moquerie
	S	Hohn	raillerie; dérision
irritabilité		Reizbarkeit	1. *stimulabilité*
		Ärgerlichkeit	
	S	Verletzbarkeit	1. vulnérabilité 2. *susceptibilité*
irritation		Ärger	
irriter		reizen	1. stimuler
		ärgern	
irritable		reizbar	1. stimulable
	R	Reiz	1. *stimulus*
irruption		Einbruch	
lieu d'—		Einbruchsstelle	
	R	Ausbruch	*éruption*
	R	Durchbruch	*percée*
isolation		Isolierung	isolement
action d'—		Isolierungsaktion	
travail d'—		Isolierungsarbeit	
	R	Isolieren (das)	isoler (l')
isolement		Isolierung	isolation
		Vereinsamung	
isolé		isoliert	
		vereinzelt	
	S	einzeln/Einzel-	1. pris un à un; pris isolément 2. de (en) détail 3. individuel
issue		Ausweg	
		Ausgang	départ
— de compromis		Kompromißausweg	
— de l'intestin		Darmausgang	

Français		Deutsch	
issue *(suite)*			
— du traitement		Ausgang der Behandlung	
	R	Eingang	*entrée*
	S	Öffnung	*orifice*
jeu		Spiel	
pulsion de —		Spieltrieb	
	R	Spielen (das)	activité de jeu
jouissance		Genuß	2. consommation
— du sexe		Geschlechtsgenuß	
— sexuelle		Sexualgenuß	
	S	Lust	*plaisir*
jour		Tag	
		Tages-	du jour
fantaisie du —		Tagesphantasie	
pensée du —		Tagesgedanke	
reste du —		Tagesrest	
vie du —		Tagesleben	
	R	täglich	1. *diurne* 2. *quotidien;* journalier
	R	Tag-	diurne
jugement		Urteil	
		Beurteilung	
— de rejet		Verwerfungsurteil	
fonction du —		Urteilsfunktion	
opération de —		Urteilsleistung	
	R	Urteilen (das)	juger (le)
	R	Verurteilung	1. jugement de condamnation 2. *condamnation*
lacune		Lücke	
— du souvenir		Erinnerungslücke	
lacunaire		lückenhaft	
	R	Lückenhaftigkeit	caractère lacunaire
langage		Sprache	*langue*
— d'images		Bildersprache	
— de pensée		Denksprache	
— de pensées		Gedankensprache	
trouble du —		Sprachstörung	
	R	sprachlich	langagier; *(pfs)* verbal
	R	Sprachwissenschaft	linguistique
	R	Sprachforscher	linguiste

langue		Zunge	
		Sprache	*langage*
sentiment de la —		Sprachgefühl	
usage de la —		Sprachgebrauch	*(pfs)* usage langagier; langage usuel
—	—	—	—
latence		Latenz	
période de —		Latenzperiode	
		Latenzzeit	
latent		latent	
	A	manifest	manifeste
—	—	—	—
lésion		Läsion	
		Verletzung	*(pfs)* blessure 2. violation
— d'organe		Organverletzung	
— organique		organische Läsion	
	S	Wunde	*blessure*
—	—	—	—
liaison* *(métaps)*		Bindung	
— de l'énergie		Bindung der Energie	
	A	Entbindung	*déliaison*
	S	Bewältigung	*maîtrise*
	S	Bändigung	*domptage*
lier		binden	
	A	entbinden	délier
	R	verbinden	relier
	S	bewältigen	maîtriser
	S	bändigen	dompter
—	—	—	—
liaison* *(interp)*		Bindung	
— à la mère		Bindung an die Mutter	
		Mutterbindung	
— à l'objet		Bindung an das Objekt	
		Objektbindung	
— de sentiment		Gefühlsbindung	
	R	Band	lien
	S	Beziehung	*relation*
	S	Anhänglichkeit	*attachement*
—	—	—	—
liaison* *(intell)*		Verbindung	
— de pensée		Denkverbindung	
— de pensées		Gedankenverbindung	
voie de —		Verbindungsweg	
	R	verbinden	relier
	S	Verknüpfung	*connexion*
	S	Zusammenhang	*corrélation*

libération		Befreiung	
		Freiwerden	
	s	Entfesselung	*déchaînement*
	s	Entbindung	*déliaison*
	s	Erlösung	1. *rédemption*
			2. délivrance
libido		Libido	
— du moi		Ichlibido	
— d'objet		Objektlibido	
— sexuée		geschlechtliche Libido	
libidinal		libidinös	
		Libido-	de (la) libido
lieu		Ort	
		Stätte	
		Stelle	1. endroit
— de l'angoisse		Angststätte	
— de disposition		Dispositionsstelle	
— de fixation		Fixierungsstelle	
	R	Örtlichkeit	*localité*
limitation		Beschränkung	
— morale		sittliche Beschränkung	
	R	Einschränkung	*restriction*
limite		Schranke	1. *barrière*
		Grenze	1. *frontière*
	R	Abgrenzung	délimitation
liquidation *(métaps)*		Erledigung	*(cour)* achèvement; exécution; règlement
— du conflit		Erledigung des Konflikts	
	s	Beseitigung	*élimination*
	s	Aufhebung	*suppression*
liquidé		erledigt	
	A	unerledigt	non liquidé
littérature		Literatur	
littéraire		literarisch	
		dichterisch	1. poétique
localité		Lokalität	
		Örtlichkeit	*(pfs)* lieu
— psychique		psychische Lokalität	
	R	Ort	*lieu*

loi	Gesetz	
— morale	Sittengesetz	
— de la nature	Naturgesetz	
— pénale	Strafgesetz	
	R Gesetzmäßigkeit	1. conformité à la loi 2. *(pfs)* régularité
	R Gesetzgebung	législation
	R Satzung	décret
	s Gebot	*commandement*
	s Vorschrift	*prescription*

---

magie	Magie	
	s Zauberei	*enchantement*
	s Hexerei	sorcellerie
magique	magisch	
action —	magische Handlung	

---

maillon	Glied	1. *membre*
— intermédiaire	Mittelglied	
	Zwischenglied	

---

maîtrise	Bewältigung	
	Beherrschung	1. *domination*
— des stimulus	Reizbewältigung	
	s Bindung	*liaison*
maîtriser	bewältigen	
	meistern/bemeistern	
	s binden	lier
	s überwinden	surmonter

---

mal (le)	Böse (das)	
	Schlechte (das)	
	Übel (das)	
	A Gute (das)	bien (le)
mauvais	böse	
	schlecht	
	übel	
	boshaft	méchant; malin
	R bösartig	malin
	R Bösartigkeit	malignité; malice
	R Böswilligkeit	malveillance
	R Übelwollen	malveillance
	S schlimm	méchant
	S Schlimmheit	méchanceté
maux	Beschwerden	*(pfs)* incommodités 2. doléances
	S Leid/Leiden	*souffrance*

maladie	Krankheit	
	Krankheits-	de (la) maladie
cas de —	Krankheitsfall	
tableau de la —	Krankheitsbild	
	R Kranksein	état de la maladie; *(pfs)* état du malade
	R krankhaft	morbide
	R kränklich	maladif
	R Kränklichkeit	état maladif
	R erkranken	tomber malade
	R Erkrankung	1. *entrée en maladie* 2. *(pfs)* maladie contractée 3. *affection*

manie	Manie	
maniaque	manisch	
	maniakalisch	
maniaco-dépressif	manisch-depressiv	
maniaquerie	Pedanterie	

manie (de)	Sucht	1. *addiction (à)*
— de destruction	Destruktionssucht	
	Zerstörungssucht	
— de doute	Zweifelsucht	
— des grandeurs	Größensucht	
— de plaire	Gefallsucht	
— de la rumination	Grübelsucht	
— de tourmenter	Quälsucht	

manifestation		Erscheinung	2. *phénomène*
			3. *apparition*
		Äußerung	2. déclaration
			propos
— d'affect		Affektäußerung	
— sexuelle		Sexualäußerung	
se manifester		sich äußern	

manque		Mangel	
— d'amour		Mangel an Liebe	
— de pénis		Penismangel	
	s	Fehlen	*défaut*
manquer		fehlen	
		verfehlen	
manquant		fehlend	
manqué(e)		verfehlt	
		Fehl-	
action —		Fehlhandlung	
opération —		Fehlleistung	
	s	mißglückt	raté

marche		Gang	démarche; cheminement; parcours
	L	in Gang sein	être en marche
	L	in Gang bringen	mettre en marche; mettre en branle
	R	gangbar	praticable
	R	Hergang	déroulement; succession (des événements)

marginal		Neben-	*(n. techn)* accessoire; adjacent annexe; subordonné
		Rand-	
	s	Seiten-	marginal
	s	sekundär	secondaire

marque		Merk	
	R	Merkmal	marque distinctive
	R	Merkzeichen	signe de marquage; signe marquant
	R	merken	marquer; noter; remarquer
	R	Bemerkung	remarque

masculinité		Männlichkeit	2. *(exc)* virilité
complexe de —		Männlichkeitskomplex	
	R	Mannheit	virilité
masculin		männlich	2. mâle
			(exc) viril
masochisme		Masochismus	
— moral		moralischer Masochismus	
masochiste		masochistisch	
masse(s)*		Masse(n)	
		Massen-	de (la) masse; des masses
âme des —		Massenseele	
formation de —		Massenbildung	
idéal de la —		Massenideal	
psyché des —		Massenpsyche	
	s	Menge	*foule*
	s	Gruppe	*groupe*
	s	Haufe	multitude
	s	kollektiv	collectif
masses (psychologie des)		Massenpsychologie	
	s	Kollektivpsychologie	psychologie collective
	s	Sozialpsychologie	psychologie sociale
	s	Völkerpsychologie	psychologie des peuples
masturbation		Masturbation	
	s	Onanie	*onanisme*
masturbatoire		masturbatorisch	
	s	onanistisch	onanique
		masturbieren	
se masturber		onanieren	
matériel		Material	
— brut		Rohmaterial	
— de pensées		Gedankenmaterial	
— psychique		psychisches Material	
— du rêve		Traummaterial	
	s	Stoff	*matériau*
matériel *(adj)*		materiell	
		material	
		stofflich	
contenu —		materialer Inhalt	
	L	im stofflichen Sinne	au sens matériel

matériau		Stoff	2. *matière* 3. *substance* 4. sujet; thème
— brut		Rohstoff	
	R	Rohmaterial	matériel brut
matière		Materie	
		Stoff	1. *matériau*
— inanimée		unbelebte Materie	
	S	Substanz	*substance*
maturité		Reife	
		Reifezeit	
		Gereiftheit	
— précoce		Frühreife	
— sexuelle précoce		sexuelle Frühreife	
	A	Unreife	immaturité
	R	Reifung	maturation
	R	Sexualreifung	maturation sexuelle
	R	Vorzeitigkeit	prématurité
mature		reif	
moi —		reifes Ich	
maturé		gereift	
moi —		gereiftes Ich	
méconnaissance		Verkennung	
	R	Anerkennung	*reconnaissance*
	S	Verblendung	aveuglement
méconnaître		verkennen	
	S	übersehen	omettre de voir; échapper au regard 1. prendre une vue d'ensemble
mélange		Vermengung	
		Gemenge	
	R	Beimengung	adjonction
	R	Einmengung	immixtion; *(pfs)* intervention
	S	Vermischung	*mixtion*
membre		Glied	2. *maillon*
— masculin		männliches Glied	
— sexué		Geschlechtsglied	
— sexuel		Sexualglied	
	R	Angliederung	*articulation*

membre(s)		Mitglied(er)	
	s	Teilnehmer	participant(s)
	s	Angehörigen (die)	ressortissants (les)
	s	Angehörigen (seine)	proches (ses)
	s	Genosse(n)	compagnon(s)

---

mémoire		Gedächtnis	
	s	Erinnerung	*souvenir*
mémoriel(le)		Gedächtnis-	
impression —		Gedächtniseindruck	
reste —		Gedächtnisrest	
trace —		Gedächtnisspur	
	s	Erinnerungs-	1. du souvenir 2. *mnésique*

---

menace		Drohung	
— de castration		Kastrationsdrohung	
	R	Androhung	menace proférée
menacer		bedrohen	
		drohen	
	R	androhen	proférer (brandir) la menace

---

mépris		Mißachtung	
		Verachtung	
	s	Verschmähung	*dédain*

---

méprise*		Mißgriff	
		Fehlgriff	
		Vergreifen (das)	2. méprise du geste
	s	Fehlhandlung	action manquée
	s	Fehlleistung	opération manquée
	s	Irrtum	erreur
— d'audition		Verhören (das)	méprise d'écoute
— d'écriture		Verschreiben (das)	méprise dans l'écriture
— d'élocution		Versprechen (das)	1. méprise dans l'élocution 2. *(cour)* promesse
— du geste		Vergreifen (das)	1. *(génér)* méprise

méprise *(suite)*		
— de lecture	Verlesen (das)	méprise dans la lecture
	R Vergessen (das)	1. l'oubli, cette méprise 2. *(cour) oubli*
	R Verlegen (das)	fait d'égarer par méprise
	R Verlieren (das)	fait de perdre par méprise
	R Vertauschung	1. permutation par méprise 2. *permutation*

---

se méprendre	sich vergreifen	2. faire une méprise du geste
— en écoutant	sich verhören	entendre par méprise
— en écrivant	sich verschreiben	faire une méprise d'écriture 2. s'engager par écrit
— en lisant	sich verlesen	faire une méprise de lecture
— en parlant	sich versprechen	faire une méprise d'élocution
	R verlegen	égarer par méprise 2. *(cour)* égarer; reporter; transporter; situer
	R vergessen	oublier par méprise 2. *(cour)* oublier
	R verlieren	perdre par méprise 2. *(cour)* perdre

---

mère	Mutter	
	R Mutterschaft	maternité
	R Mütterlichkeit	maternité
maternel	mütterlich Mutter-	

---

mesure		Maß	dose; taux
	R	Ausmaß	proportion; ampleur
	R	Mäßigkeit	modération
	R	Maßlosigkeit	démesure
	R	Unmäßigkeit	immodération
	R	Übermaß	*excès*
	S	Grad	*degré*
mesurer		messen	
mesurable		meßbar	
mesure		Maßnahme	
		Maßregel	
	S	Einrichtung	*dispositif*
métabolisme		Stoffwechsel	
— sexuel		Sexualstoffwechsel	
métaphore		Metapher	
	S	Gleichnis	parabole
	R	Vergleich	*comparaison*
	S	Allegorie	allégorie
méthode		Methode	
méthodologie		Methodologie	
		Methodik	
	S	Verfahren	*procédé*
meurtre		Mord	
		Mordtat	
		Ermordung	assassinat
— du père		Mord am Vater	
		Vatermord	
impulsion au —		Mordimpuls	
interdit du —		Mordverbot	
	R	morden *(v. intr)*	commettre un meurtre
		morden *(v. tr)*	assassiner; tuer
	R	Mordlust	désir* de meurtre; désir* de tuer
mise à mort		Tötung	
— du père		Tötung des Vaters	
		Vatertötung	
	R	töten	mettre à mort; tuer
	S	Mord	*meurtre*
	S	Überwältigung	*terrassement*

mise en place	Aufstellung	2. thèse
	Unterbringung	1. *placement*
— du sur-moi	Aufstellung des Über-Ichs	
	s Einsetzung	*instauration*
mettre en place	aufstellen	poser (l'existence de); établir

---

mixte	gemischt	
	Misch-	
cas —	Mischfall	
formation —	Mischbildung	
	Mischgebilde	
névrose —	gemischte Neurose	
personne —	Mischperson	
représentation —	Mischvorstellung	

---

mixtion*	Vermischung	
	Mischung	2. *(n. techn)* mixte; mélange
— pulsionnelle	Triebvermischung	— des pulsions
	Triebmischung	— des pulsions
— du rêve	Traummischung	
	A Entmischung	*démixtion*
	R Zumischung	adjonction
	s Vermengung	*mélange*
	s Vereinigung	*union; réunion*
	s Legierung	alliage
	s Verschmelzung	*fusion*
	s Verquickung	amalgame
	s Verwicklung	intrication
	s Verlötung	soudure

---

mnésique	Erinnerungs-	1. du souvenir
image —	Erinnerungsbild	
inscription —	Erinnerungs-niederschrift	
reste —	Erinnerungsrest	
trace —	Erinnerungsspur	
	R Erinnerung	1. *souvenir* 2. *remémoration*
	s Gedächtnis	*mémoire*
	s Gedächtnis-	mémoriel

---

mobilité		Beweglichkeit	
		Bewegtheit	
libre —		freie Beweglichkeit	
	A	Bewegungslosigkeit	immobilité
	A	Unbewegtheit	immobilité
	R	Bewegung	*mouvement*
	S	Flüssigkeit	*fluidité*

modèle		Modell	
		Muster	*(pfs)* spécimen
modèle-type		Mustervorbild	
	S	Beispiel	*exemple*
	S	Vorbild	1. *prototype*
			2. *(exc)* modèle
	S	Probe	échantillon
			1. *épreuve*

modification		Modifikation	
		Veränderung	
		Abänderung	*(pfs)* changement
— du caractère		Charakterveränderung	
— du moi		Veränderung des Ichs	
		Ichveränderung	
	R	Änderung	*changement*
	S	Alteration	altération
	S	Störung	*trouble;*
			perturbation
modifier		modifizieren	
		verändern	
		abändern	
	R	ändern	changer
	S	trüben	troubler;
			altérer
	S	stören	perturber;
			troubler

mœurs		Sitten	usages;
			us
— sociales		gesellschaftliche Sitten	
	R	Sittlichkeit	*moralité*

moi		Ich	
	A	Nicht-Ich	non-moi
moi-conscience		Ich-Bewußtsein	
moi-corps		Körper-Ich	
moi idéal		Idealich	
moi-idéal		Ideal-Ich	
moi-individu		Einzel-Ich	
moi-normal		Normal-Ich	

moi *(suite)*			
moi-plaisir		Lust-Ich	
moi propre		eigenes Ich	
moi-réel		Real-Ich	
		Ich-	du (au) moi
angoisse-du- —		Ich-Angst	
conforme au —		ichgerecht	
contraire au —		ichwidrig	
développement du —		Ichentwicklung	
énergie du —		Ichenergie	
fonction du —		Ichfunktion	
idéal du —		Ichideal	
libido-du- —		Ich-Libido	
pulsions-du- —		Ich-Triebe	
pulsions du —		Ichtriebe	
trouble du —		Ich-Störung	
momentané		momentan	2. instantané
	S	vorläufig	provisoire
	S	zeitweilig	temporaire
	S	vergänglich	*passager*
monde		Welt	*(pfs)* univers
— environnant		Umwelt	
		Welt der Umgebung	
— extérieur		Außenwelt	
— externe		äußere Welt	
— intérieur		Innenwelt	
— réel		reale Welt	
— du réel		Realwelt	
— sensible		Sinneswelt	
— souterrain		Unterwelt	
— vivant		Lebewelt	
	R	Welt-	1. du monde
			2. universel
	R	Weltall	univers
montant		Betrag	
— d'affect		Affektbetrag	
— d'énergie		Energiebetrag	
— de libido		Libidobetrag	
	S	Quantität	*quantité*
	S	Menge	quantité
	S	Quantum	*quantum*
	S	Summe	*somme*
montrer *(désir* de)*		Zeigelust	
	A	Schaulust	regarder *(désir* de)*
	S	Exhibition	*exhibition*

morale*	Moral	
— sexuelle	Sexualmoral	
	R Übermoral	surmorale
	S Ethik	*éthique*
moralité*	Moralität	
	Sittlichkeit	
	A Immoralität	immoralité
	A Unsittlichkeit	immoralité
	R Übermoralität	surmoralité
moral	moralisch	
	Moral-	
	sittlich	
	A amoralisch	amoral
	A unmoralisch	immoral
	A unsittlich	immoral
	R hypermoralisch	hypermoral
	R übermoralisch	surmoral
morceau	Stück	*(pfs)* pièce; portion; part
	R Stückchen	petit morceau; *(pfs)* parcelle
	S Partikel	particule
morcellement	Zerstückelung	mise en morceaux
	S Aufsplitterung	éclatement
	S Abbröckelung	effritement
	S Zerbröckelung	émiettement
	S Zersplitterung	éparpillement
	S Zerstrümmerung	mise en pièces
morcelé	zerstückelt	
	S dissoziert	dissocié
	S zersprengt	dispersé
mort	Tod	
	Sterben	
angoisse de —	Todesangst	
pulsion de —	Todestrieb	
souhait de —	Todeswunsch	
mort-propre (la)	eigene Tod (der)	
mot(s)*	Wort(e) (Wörter)	*(pfs) terme(s)*
investissement de —	Wortbesetzung	
représentation de —	Wortvorstellung	
	R Urwort	mot originaire
	S Rede(n)	*parole(s)*
	L Worte und Reden	mots et paroles
	R wörtlich	1. verbal 2. littéral
	S verbal	verbal

moteur	Motor	
moteur(trice)	motorisch	
	bewegend	
énergie —	motorische Energie	
force —	bewegende Kraft	
	s Bewegungs-	de mouvement
motif	Motiv	2. mobile
	s Ursache	*cause*
	s Absicht	*intention*
	s Veranlassung	*circonstance occasionnante*
	s Grund	*raison*
motivation	Motivierung	
motilité	Motilität	
motion	Regung	
— d'amour	Liebesregung	
— d'affect	Affektregung	
— précoce	Frühregung	
— pulsionnelle	Triebregung	
— de sentiment	Gefühlsregung	
— de souhait	Wunschregung	
	Aufregung	émoi
	R Erregung	*excitation*
	s Bewegung	*mouvement*
mouvement	Bewegung	2. *geste*
image- —	Bewegungsbild	
	R bewegend	*moteur*
	R Beweglichkeit	*mobilité*
multiplicité	Vielheit	
	Vielfältigkeit	
	s Mehrheit	*pluralité*
multiple	vielfältig	
	vielfach	
	mehrfach	
multiplication	Multiplikation	
	Vervielfältigung	
	Vermehrung	1. *augmentation*
multitude	Haufe	
	Unzahl	*infinité*
— humaine	Menschenhaufe	
	s Menge	*foule*
musculature	Muskulatur	
musculaire	Muskel-	
activité —	Muskeltätigkeit	
	Muskelbetätigung	

mutation	Umwandlung	*(pfs)* transformation
	R Verwandlung/Wandlung	*transformation*
	S Metamorphose	métamorphose
muer	umwandeln	commuer; *(pfs)* transformer
naissance	Geburt	
	Entstehung	1. *apparition*
angoisse de la —	Geburtsangst	
trauma de la —	Geburtstrauma	
théorie de la —	Geburtstheorie	
	R Wiedergeburt	1. *renaissance* 2. nouvelle naissance
	R gebären	mettre au monde; enfanter
	R Gebären (das)	mise au monde; enfantement
	S niederkommen	mettre bas; accoucher
	S Niederkunft	mise bas; accouchement
	S Entbindung	accouchement; délivrance 1. *déliaison*
narcissisme*	Narzißmus	
narcissique	narzißtisch	
nécessité*	Not	Nécessité 2. *pénurie* 3. *(pfs) détresse* 4. *(exc) besoin (pressant —)*
— de la vie	Not des Lebens	
	Lebensnot	
— extérieure	äußere Not	
— réelle	reale Not	
	S Ananke	Anankè
	S Dringlichkeit	urgence
	S Strenge	rigueur; *sévérité*
	S Zwang	*contrainte*

nécessité(s)	Notwendigkeit(en)	
	Notlage(n)	
	R nötig	nécessaire
	R notwendig	nécessaire
	R nötigen	obliger; astreindre
	R Nötigung	*obligation*
négation*	*Negation	
	Verneinung	
symbole de —	Verneinungssymbol	
	A Bejahung	*affirmation*
	R Negativismus	négativisme
	S Ableugnung	dénégation
	S Leugnung	dénégation
	S Verleugnung	*déni*
nier*	*negieren	
	verneinen	
	A bejahen	affirmer
nervosité	Nervosität	
nerveux(se)	nervös	
	Nerven-	
malade —	Nervenkranke	
souffrance —	nervöses Leiden	
système —	Nervensystem	
nerveux (le, les)	Nervöse(n) (der, die)	
netteté	Deutlichkeit	
	R Überdeutlichkeit	surnetteté
	S Klarheit	clarté
névropsychose*	Neuropsychose	
— -de-défense	Abwehr-Neuropsychose	
	R Abwehrneurose	névrose de défense
	R Abwehrpsychose	psychose de défense
	R Psychoneurose	*psychonévrose*
névrose	Neurose	
choix de la —	Neurosenwahl	
formation de la —	Neurosenbildung	
	R Neurotik (die)	névrotique (la)
névrosé (le)	Neurotiker (der)	
	Neurotische (der)	
névrotique *(adj)*	neurotisch	névrosé

névrose		Neurose	
— actuelle		aktuelle Neurose	
		Aktualneurose	
— d'angoisse		Angstneurose	
— de contrainte		Zwangsneurose	
— de défense		Abwehr-Neurose	
— d'effroi		Schreckneurose	
— d'enfance		Kindheitsneurose	
— d'enfant		Kinderneurose	
— enfantine		kindliche Neurose	
— infantile		infantile Neurose	
		Infantilneurose	
— narcissique		narzißtische Neurose	
— de transfert		Übertragungsneurose	
— traumatique		traumatische Neurose	

---

nouage		Knotung	
		Verknotung	
	R	Anknüpfung	1. attache; rattachement 2. point de départ
	R	Verknüpfung	*connexion*
nœud		Knoten	
	R	Knotenpunkt	point nodal

---

nourriture		Nahrung	
besoin de —		Nahrungsbedürfnis	
pulsion de —		Nahrungstrieb	
refus de la —		Nahrungsverweigerung	
		Ablehnung der Nahrung	
	R	Ernährung	*nutrition*
	R	Nahrungsmittel	*aliment*
	R	Nahrungsaufnahme	prise de nourriture; *(pfs)* alimentation
nourrir		nähren	
nourricier		nährend	
organe —		nährendes Organ	

---

noyau		Kern	
nucléaire		Kern-	
symptôme —		Kernsymptom	

---

nuisance*	Schädlichkeit	*(pfs)* nocivité
— sexuelle	sexuelle Schädlichkeit	
	R schädlich	nuisible; *(pfs)* nocif
	A unschädlich	inoffensif
	S Noxa(en)	noxa(ae)
	sexuelle Noxen	noxae sexuelles

nutrition	Ernährung	*alimentation*
activité de —	Ernährungstätigkeit	
besoin de —	Ernährungsbedürfnis	
pulsion de —	Ernährungstrieb	
	R Nahrung	*nourriture*
	S Eß-	alimentaire

obéissance	Gehorsam	
— aux pulsions	Triebgehorsam	
	S Einhaltung	*observance*
obéir (à)	gehorchen	
	S sich unterwerfen	se soumettre (à)

objection	Einwand	
	Einwendung	
	Einspruch	I. protestation
	Widerspruch	I. *contradiction*
	S Protest	*protestation*

objet* *	Gegenstand	
objet	Objekt	
— d'angoisse	Angstobjekt	
— sexuel	Sexualobjekt	
amour d'—	Objektliebe	
libido d'—	Objektlibido	
représentation d'—	Objektvorstellung	
pulsion d'—	Objekttrieb	

obligation	Nötigung	
	Verpflichtung	*(pfs)* devoir
	R Pflicht	*devoir*
	S Zwang	*contrainte*

obscurité		Dunkelheit	
		Dunkel	
		Unklarheit	
	s	Finsternis	ténèbres
	s	Undurchsichtigkeit	opacité
observance		Einhaltung	
		Befolgung	
		Beachtung	2. *attention ;* considération
		Beobachtung	1. *observation*
— des nombres		Zahlenbeobachtung	
	A	Nichteinhaltung	non-observance
		Nichtbeachtung	non-observance
	R	Achtung (vor)	respect (de)
	s	Gehorsam	*obéissance*
observation		Beobachtung	2. *observance*
— de coït		Koitusbeobachtung	
auto- —		Selbstbeobachtung	
délire d'—		Beobachtungswahn	
obsession		Obsession	
	s	Zwangsidee	idée de contrainte
	s	Zwangsvorstellung	représentation de contrainte
obséder		obsedieren	
obsédant		obsedierend	
obsédé		obsediert	
obstacle		Hindernis	*(pfs)* empêchement
	R	Verhinderung	*empêchement*
	s	Hemmnis	entrave
obstination		Hartnäckigkeit	opiniâtreté
	s	Eigensinn	entêtement
	s	Zähigkeit	ténacité
obtention		Gewinnung	
— de plaisir		Lustgewinnung	
	R	Gewinn	*gain*
	s	Erreichung	accession (à)
	s	Erwerbung	*acquisition*
occasionner		veranlassen	2. *(n. techn)* amener; inciter
occasionnant		veranlassend	
	R	Veranlassung	*circonstance occasionnante*
	R	Anlaß	1. *facteur occasionnant* 2. *(n. techn)* occasion
occasion		Gelegenheit	

Œdipe (complexe d')	Ödipus-Komplex	
	Ödipuskomplex	
œdipien(ne)	ödipal	
	Ödipus-	
phase —	ödipale Phase	
position —	Oedipuseinstellung	
	R präödipal	pré-œdipien

offense	Beleidigung	
	S Kränkung	1. *vexation*
		2. *atteinte*
	S Beschimpfung	insulte
offenser	beleidigen	
	S schädigen	léser
		1. endommager
offenseur (l')	Beleidiger (der)	
offensé (l')	Beleidigte (der)	

onanisme	Onanie	
— de l'enfant	Kinderonanie	
— du nourrisson	Säuglingsonanie	
— de pénurie	Notonanie	
— de la puberté	Pubertätsonanie	
	S Masturbation	*masturbation*
onaniste	Onanist	
onanique *(adj)*	onanistisch	
	Onanie-	d'onanisme
fantaisie —	Onaniephantasie	
	R onanieren	se masturber

opération	Operation	
	Leistung	2. *(n. techn)* performance; prestation; *production ;* rendement
— de l'âme	Seelenleistung	
— de pensée	Denkoperation	
	S Verwirklichung	*réalisation*
	R Leistungsfähigkeit	1. capacité d'activité; capacité d'agir 2. capacité opératoire

opération manquée	Fehlleistung	
	S Fehlhandlung	action manquée
	S Vergreifen (das)	*méprise*

opposé(s)		Gegensatz(¨e)	*opposition*
couple d'—		Gegensatzpaar	
	s	Gegenteil	*contraire*
opposé *(adj)*		gegensätzlich	
		entgegengesetzt	
	s	antithetisch	antithétique
	s	gegenteilig	contraire

---

opposition		Opposition	
		Gegensatz	*opposé*
	R	Gegensätzlichkeit	relation d'oppo-sition; oppositionnalité
	s	Polarität	polarité
opposition (mise en)		Gegenüberstellung	

---

opposition		Widerstreben	
		Widerspruch	I. *contradiction*
— interne		inneres Widerstreben	
	s	Widerstand	*résistance*
	s	Widerstreit	*antagonisme*
s'opposer		widerstreben	
		sich widersetzen	
		entgegenwirken	
	s	zuwiderlaufen	aller à l'encontre de

---

oppression		Bedrückung	
		Bedrängung	
oppression *(sens)*		Beklemmung	
	R	Druck	*pression*
	R	Unterdrückung	I. *répression* 2. *(exc)* oppression
	R	Bedrängnis	instante pression
oppresser		bedrücken	opprimer
oppressant		bedrückend	
		drückend	I. pressant
oppresseur		Bedrücker	
		Unterdrücker	
	A	Unterdrückte (der)	opprimé (l')

---

oral(e)		oral	
		Oral-	
		mündlich	
organisation —		Oralorganisation	
tradition —		mündliche Tradition	

---

ordre		Ordnung	
— social		soziale Ordnung	
		Gesellschaftsordnung	
	R	Anordnung	ordonnancement
	R	Umordnung	réordonnancement
	R	Verordnung	ordonnance
ordonné		ordentlich	
	A	unordentlich	désordonné
	R	Ordentlichkeit	fait d'être ordonné

---

ordre		Befehl	
		Geheiß	injonction
	s	Verordnung	ordonnance; décret
	s	Gebot	*commandement*

---

organe		Organ	
— de l'âme		Seenlenorgan	
— directeur		Leitorgan	
— masculin		männliches Organ	
— sensoriel		Sinnesorgan	— des sens
— sexué		Geschlechtsorgan	
		Organ-	d'organe
activité d'—		Organbetätigung	
langage d'—		Organsprache	
plaisir d'—		Organlust	
source d'—		Organquelle	
organique		organisch	
pulsion —		organischer Trieb	
vie —		organisches Leben	
	A	anorganisch	inorganique

---

organe génital		Genitale (das)	
organes génitaux		Genitalien (die)	
	s	Geschlechtsorgane	organes sexués
	s	Geschlechtsteile	parties sexuées
	s	Glied	*membre*

---

organisation		Organisation	
— génitale		Genitalorganisation	
— du moi		Ichorganisation	
— sociale		soziale Organisation	

---

orifice		Mündung	
		Öffnung	2. *(cour)* ouverture
— anal		Afteröffnung	
— corporel		Körperöffnung	— du corps
— sexué		Geschlechtsöffnung	
	s	Höhle	cavité
	s	Eingang	*entrée*
	s	Ausgang	*issue*
origine		Ursprung	
	s	Entstehung	*apparition*
	s	Genese	*genèse*
	s	Herkunft	*provenance ;* *(pfs)* origine
originaire		originär	
		Ur-	
originel		ursprünglich	
	s	archaisch	*archaïque*
	s	primitiv	*primitif*
oubli		Vergessen (das)	1. l'oubli, cette méprise
		Vergessenheit	
	s	Amnesie	amnésie
	s	Zerstreutheit	*distraction*
oublier		vergessen	1. oublier par méprise
	R	Vergreifen (das)	*méprise*
panique		Panik	
panique *(adj)*		panisch	
angoisse —		panische Angst	
	s	Schreck/Schrecken	*effroi*
pare-stimulus		Reizschutz	
	R	Schutz	*protection*
parole(s)		Rede(n)	2. *(pfs) discours*
intention de —		Redeabsicht	
	R	Redner	locuteur; orateur
	s	Wort(e)	*mot(s)*

part	Anteil	
— -plaisir	Lustanteil	
— -représentation	Vorstellungsanteil	
partie	Partie	
	Teil	
— du corps	Körperpartie	
	Körperteil	
	R Bestandteil	constituant; partie constitutive
	R Aufteilung	partage
	R Verteilung	répartition
	R Zweiteilung	bipartition
	S Element	*élément*
	S Komponente	*composante*
	S Stück	*morceau*
partiel(le)	partiell	
	Partial-	
moi- —	Partial-Ich	
plaisir —	Partiallust	
tendance —	Partialstrebung	
particularité	Besonderheit	
	Eigentümlichkeit	
	Eigenheit	singularité
— du caractère	Charaktereigenschaft	
	S Charakteristik	*caractéristique*
	S Eigenart	spécificité
	S Eigenschaft	1. propriété 2. *(pfs)* qualité
	S Sonderbarkeit	*singularité*
passagèreté	Vergänglichkeit	
passager(ère)	passager	
	vergänglich	
formation de symptôme —	passagere Symptombildung	
	S ephemer	éphémère
	S eintätig	d'un jour; éphémère
	S kurzlebig	à la vie brève; *(pfs)* éphémère
	S Kurzlebigkeit	brièveté de la vie
	S flüchtig	fugitif; *(pfs)* fugace; rapide
	S Flüchtigkeit	*fugitivité*
	S vorübergehend	transitoire; *(pfs)* passager
	S vorläufig	provisoire
	S zeitweilig	*temporaire*

passé		Vergangenheit	
passé *(adj)*		vergangen	*(pfs)* révolu
	R	vergehen	passer
	R	vergänglich	passager
	R	Vergänglichkeit	*passagèreté*
	R	Vergangene (das)	passé (le)
	S	Verschollene (das)	évanoui (l')
	S	Überwundene (das)	surmonté (le)

passion		Leidenschaft	
— amoureuse		verliebte Leidenschaft	
passionnel		leidenschaftlich	passionné
	R	Leidenschaftlichkeit	caractère passionnel
	R	leidenschaftlos	exempt de passion; impassible

pathogène		pathogen	
		krankmachend	qui rend malade
pathogénéité		Pathogeneität	
pathogenèse		Pathogenese	

pathologie		Pathologie	
pathologique		pathologisch	
	S	abnorm	anormal
	S	krankhaft	morbide

penchant		Neigung	*inclination*
— à l'agression		Aggressionsneigung	
— agressif		aggressive Neigung	
— amoureux		Liebesneigung	
— à l'inversion		Inversionsneigung	
— pulsionnel		Triebneigung	
— au refoulement		Verdrängungsneigung	
— au transfert		Neigung zur Übertragung	
		Übertragungsneigung	
	S	Strebung	*tendance*

pénétration		Durchdringen	
		Vordringen	
— jusqu'à la conscience		Durchdringen zum Bewußtsein	
	R	Eindringen	intrusion; *(pfs)* pénétration
	R	Durchbruch	1. *percée* 2. *effraction*
pénétrer		durchdringen	
		vordringen	
		eindringen	faire intrusion
	S	den Weg bahnen [sich]	frayer la voie [se]

pénible		peinlich	
	s	mühselig	laborieux
	s	schmerzhaft	douloureux
pénis		Penis	
envie du —		Penisneid	
manque de —		Penismangel	
pénitence		Buße	
	L	Buße tun	faire pénitence
	s	Sühne	*expiation*
pensée*		Gedanke	
		Denken (das)	1. penser (le)
— de contrainte		Zwangsgedanke	
— intermédiaire		Zwischengedanke	
— de transfert		Übertragungsgedanke	
— de transition		Übergangsgedanke	
activité de —		Denktätigkeit	
contrainte de —		Denkzwang	
travail de —		Denkarbeit	
penser		denken	
interdit de —		Denkverbot	
penser* (le)		Denken (das)	
— de veille		Wachdenken	
— vigile		waches Denken	
pénurie		Not	1. *nécessité ;* Nécessité
— d'objet		Objektnot	
onanisme de —		Notonanie	
	s	Mangel	*manque*
percée		Durchbruch	2. *effraction*
— vers la conscience		Durchbruch zum Bewußtsein	
	R	Durchdringen	*pénétration*
percée (faire sa)		sich durchsetzen	percer 2. s'imposer
perception		Wahrnehmung	
— de conscience		Bewußtseins-wahrnehmung	
— sensorielle		Sinneswahrnehmung	
appareil de —		Wahrnehmungsapparat	
système de —		Wahrnehmungssystem	
percevoir		wahrnehmen	
		vernehmen	

père		Vater	
— de la horde		Hordenvater	
— originaire		Urvater	
	R	Vaterschaft	paternité
paternel		väterlich	
		Vater-	
période		Periode	
		Zeit	1. *temps*
			2. *époque*
— de latence		Latenzperiode	
		Latenzzeit	
— reculée		Frühperiode	
		Frühzeit	
perlaborer*		durcharbeiten	
perlaborer (le)		Durcharbeiten (das)	
perlaboration		Durcharbeitung	
	R	sich durcharbeiten	se faire un chemin
	R	Arbeit	*travail*
	R	Bearbeitung	*élaboration*
permutation		Vertauschung	1. permutation par méprise
— d'affect		Affektvertauschung	
— du moi		Ichvertauschung	
	R	Austausch	*échange*
permuter		vertauschen	échanger
persécution		Verfolgung	2. *(cour)* poursuite
délire de —		Verfolgungswahn	
persécuter		verfolgen	2. *(cour)* poursuivre; s'attacher à
persécuteur (le)		Verfolger (der)	
persécuté (le)		Verfolgte (der)	
persévération		Perseveration	
		Beharrung	
	R	Beharrlichkeit	persévérance
	S	Fortdauer	perpétuation
personnalité		Persönlichkeit	
— individuelle		Einzelpersönlichkeit	
	S	Individualität	*individualité*
personne		Person	personnage
— propre (la)		eigene Person (die)	
	S	Individuum	*individu*

perte	Verlust	
	Einbuße	préjudice
— d'amour	Liebesverlust	
— de moi	Ichverlust	
— d'objet	Objektverlust	
— de réel	Realverlust	
— de réalité	Realitätsverlust	
perdre	verlieren	1. perdre par méprise
	einbüßen	
	R Verlieren (das)	1. fait de perdre par méprise

---

perturbation *(proces)*	Störung	2. *trouble (résult)*
perturber	stören	*(pfs)* troubler; déranger
	s trüben	troubler; altérer
perturbateur	Störer	
— du sommeil	Schlafstörer	
perturbant	störend	*(pfs)* dérangeant

---

pervers	pervers	
polymorphiquement —	polymorph pervers	
perversion	Perversion	
penchant à la —	Perversionsneigung	
perversité	Perversität	

---

peuple	Volk	
	Volkstum	
— de la nature	Naturvolk	
— de la culture	Kulturvolk	
	s Nation	nation
	s Rasse	race
	s Stamm	*tribu*
populaire	populär	
	Volks-	du peuple; des peuples 2. national
conscience —	Volksbewußtsein	
croyance —	Volksglaube	
fantaisie —	Volksphantasie	

---

peur		Furcht	
	R	Befürchtung	appréhension
	S	Scheu	*crainte*
	S	Angst	*angoisse*
avoir peur (de)		sich fürchten (vor)	
	R	fürchten	redouter; craindre
	R	befürchten	redouter; appréhender

phénomène		Phänomen	
		Erscheinung	1. *manifestation* 3. *apparition*

phobie	Phobie
— d'animal	Tierphobie
— d'enfant	Kinderphobie
— précoce	Frühphobie

phonie		Laut	*(pfs)* son
	R	Wohllaut	euphonie
	R	Gleichlaut	homophonie
	S	Klang	*son ;* sonorité
	S	Gleichklang	homophonie

piété	Frömmigkeit
— de contrainte	Zwangsfrömmigkeit

placement	Unterbringung	2. *mise en place*
— de la libido	Libidounterbringung	

plainte		Klage	
	R	Anklage	*accusation*
	S	Beschwerden	doléances 1. *maux*

plaisir*		Lust	2. désir*
		Vergnügen	1. agrément
— final		Endlust	
— préliminaire		Vorlust	
— de satisfaction		Befriedigungslust	
— sexuel		sexuelle Lust	
action-à- —		Lustaktion	
		Lusthandlung	
principe de —		Lustprinzip	
	A	Unlust	*déplaisir*
	R	Gelüste (das, die)	*désirs (les)*
	R	Lüsternheit	concupiscence
	S	Begierde	*désir*
	S	Genuß	*jouissance*
plaisir (empreint de)		lustvoll	
	A	unlustvoll	empreint de déplaisir
	R	lustspendend	dispensateur de plaisir
	R	lustbringend	pourvoyeur de plaisir
	S	angenehm	agréable

plaisir-déplaisir		Lust-Unlust	
instance —		Lust-Unlust-Instanz	
principe de —		Lust-Unlust-Prinzip	
série —		Lust-Unlust-Reihe	

pluralité		Mehrheit	
		Merhrzahl	majorité
	S	Verschiedenheit	*diversité*
	S	Vielheit	multiplicité
	S	Vielfältigkeit	multiplicité
	S	Mannigfaltigkeit	diversité; *variété*

poésie		Poesie	
		Dichtung	2. création littéraire 3. *fiction*
poète		Dichter	2. créateur littéraire 3. écrivain
poétique		poetisch	
		dichterisch	2. littéraire

position	Position	
	Stellung	
	Einstellung	*attitude*
— affective	Affekteinstellung	
— d'objet	Objekteinstellung	
— œdipienne	Ödipuseinstellung	

possession	Besitz	2. *propriété*
		3. *(exc)* fonds
— du pénis	Besitz des Penis	
	Penisbesitz	
	s Erbteil	patrimoine (héréditaire)
	s Gut	*bien*

possession	Besessenheit	
— hystérique	hysterische Besessenheit	
	s Extase	extase
	s Verzückung	ravissement

poussée	Drang	
	Drängen	2. *(cour) insistance*
	Andrängen	
— à l'emprise	Bemächtigungsdrang	
— au savoir	Wissensdrang	
	R Druck	*pression*
	s Vorstoß	avancée
	s Schub	*vague*
pousser	drängen	
	R vordringen (in)	faire sa poussée; *(pfs)* pénétrer
	R durchdringen	pénétrer; parvenir (à)

pouvoir	Können	
	Vermögen	faculté
		2. capacité
	Gewalt	1. *violence*
	s Fähigkeit	*capacité*
	s Macht	*puissance*; *(pfs)* pouvoir
	s Kraft	*force*

pratique		Praxis	
		Übung	
		Handeln	1. action
— analytique		analytische Praxis	
— médicale		ärztliches Handeln	
— religieuse		Religionsübung	
— thérapeutique		therapeutische Übung	
	R	Ausübung	*exercice*
pratique *(adj)*		praktisch	praticien

précaution		Vorsicht	prudence
mesure de —		Vorsichtsmaßregel	
	S	Versicherung	*assurance*

précipité		Niederschlag	
	S	Ablagerung	*sédiment*
	S	Schichtung	stratification

précocité		Frühzeitigkeit	
	R	Frühreife	maturité précoce
	S	Vorzeitigkeit	prématurité
précoce		frühzeitig	
		früh	
		Früh-	2. *(pfs)* reculé
précoce (plus)		früher	antérieur
précoce (le plus)		frühest	
	A	spät	tardif
	A	später	ultérieur
	R	frühinfantil	infantile-précoce
	R	frühkindlich	de l'enfance précoce
	S	vorzeitig	prématuré
	S	anfänglich	initial
	S	erst	premier

préconscient		vorbewußt	
préconscient (le)		Vorbewußte (das)	
Pcs		*Vbw*	

prédisposition		Prädisposition	
		Anlage	
		Veranlagung	
— à la maladie		Krankheitsveranlagung	
— d'organe		Organanlage	
— pulsionnelle		Triebanlage	
		Triebveranlagung	
	R	Disposition	*disposition*
prédisposé		veranlagt	
	S	disponiert	disposé

prédominance		Vorherrschen	
		Vorherrschung	
		Vorherrschaft	2. hégémonie
	R	Herrschaft	*règne*
	R	Beherrschung	*domination*
	R	Oberherrschaft	suprématie
	S	Überwiegen	prépondérance
	S	Übergewicht	prépondérance
	S	Vorwiegen	prépondérance
	S	Vorrang	prééminence
	S	Prävalenz	prévalence
prédominer		vorherrschen	
		vorwiegen	

---

préhistoire		Prähistorie	
		Vorgeschichte	
	R	Geschichte	*histoire*
	R	Urgeschichte	histoire originaire

---

préjudice		Beeinträchtigung	préjudice porté à
		Schädigung	1. *endommagement*
		Abbruch	1. *démantèlement*
préjudices sociaux		soziale Schädigungen	
préjudiciable		abträglich	

---

préliminaire *(adj)*		Vor-	
plaisir —		Vorlust	
stade —		Vorstufe	
rêve —		Vortraum	

---

préparation		Vorbereitung	
— par l'angoisse		Angstvorbereitung	
	S	Bereitschaft	*apprêtement*
préparatifs		Vorbereitungen	
préparatoire		vorbereitend	
		Vorbereitungs-	
acte —		vorbereitender Akt	
stade —		Vorbereitungsstufe	
	S	einleitend	liminaire; introductif

---

prescription	Vorschrift	*(pfs)* précepte
— de la culture	Kulturvorschrift	
— morale	Moralvorschrift	
— tabou	Tabuvorschrift	
	s Gesetz	*loi*
	s Regel	*règle*
	s Gebot	*commandement*
	s Befehl	*ordre*
	s Satzung	décret
	s Verordnung	ordonnance; décret
	s Geheiß	injonction; ordre
	s Einschärfung	injonction
prescrire	vorschreiben	
	s erlassen	édicter
	s einschärfen	enjoindre; inculquer
	s verordnen	ordonner; décréter

---

présence	Anwesenheit	
	Vorhandensein	
	Vorkommen	1. occurrence
	A Abwesenheit	*absence*

---

présentation	Darstellung	
mode de —	Darstellungsweise	
	R Darstellbarkeit	présentabilité
	R Vorstellung	*représentation*
	s Beschreibung	*description*
	s Vorführung	*exposé*
présenter	darstellen	2. constituer
	R sich vorstellen	se représenter
	s zeigen	montrer

---

pressentiment	Ahnung	
	Vorahnung	
	Vorgefühl	
	s Intuition	*intuition*
pressentir	ahnen	
	vorahnen	

pression	Druck	
procédé de —	Druckprozedur	
	R drücken	presser 2. *(pfs)* oppresser
	R drückend	1. pressant 2. *(pfs)* oppressant
	R Drücken (das)	faire-pression (le)
	R Gegendruck	contre-pression
	R Bedrückung	*oppression*
	R Unterdrückung	*répression*
	R Bedrängnis	instante pression
présupposition *(intell)*	Voraussetzung	présupposé *(réel)*
	S Postulat	postulat
	S Vermutung	*supposition*
pré-venance* *(techn)*	Entgegenkommen	2. *(n. techn)* prévenance
— somatique	somatisches Entgegenkommen	
— du hasard	Entgegenkommen des Zufalls	
	R entgegenkommen	aller à la rencontre de
	R entgegenkommend	prévenant
	R entgegengehen	aller au-devant
	S Gefälligkeit	*complaisance*
primat	Primat	
— génital	Genitalprimat	
— des organes génitaux	Primat der Genitalien	
prime	Prämie	
— d'amour	Liebesprämie	
— de plaisir	Lustprämie	
— de profit	Vorteilsprämie	
primitif	primitiv	
	A zivilisiert	civilisé
	S archaisch	*archaïque*
	S ursprunglich	*originel*
	S Ur-	*originaire*
primitif (le)	Primitive (der)	
	S Urmensch	homme originaire
	S Wilde (der)	sauvage (le)

privation		Entbehrung	
	s	Versagung	*refusement*
privé (être — de)		entbehren	se dispenser (de)
			se passer (de)
	R	unentbehrlich	indispensable
priver *(q de qch)*		vorenthalten *(j-m etw —)*	
	s	betrügen *(um etw —)*	frustrer *(q de qch)*
	s	versagen *(j-m etw —)*	refuser *(qch à q)*
procédé		Verfahren	
		Prozedur	1. procédure
— de guérison		Heilverfahren	
— de pression		Druckprozedur	
	s	Vorgehen	démarche
	s	Methode	*méthode*
	s	Prozedur	procédure
procès		Prozeß	
— de culture		Kulturprozeß	
— du refoulement		Prozeß der Verdrängung	
		Verdrängungsprozeß	
— du travail du rêve		Prozeß der Traumarbeit	
	s	Vorgang	*processus*
processus		Vorgang	
— d'affect		Affektvorgang	
— d'énergie		Energievorgang	
— d'excitation		Erregungsvorgang	
— primaire		Primärvorgang	
— secondaire		Sekundärvorgang	
procréation		Zeugung	
acte de —		Zeugungsakt	
	R	Erzeugung	1. *engendrement*
			2. *production*
	s	Schöpfung	*création*
	s	Fortpflanzung	*reproduction*
production		Produktion	
		Erzeugung	1. *engendrement*
		Herstellung	1. *instauration*
			2. établissement
		Leistung	1. *opération*
— de plaisir		Erzeugung von Lust	
		Lusterzeugung	
	s	Schöpfung	*création*
se produire		sich ereignen	
		erfolgen	s'effectuer;
			s'ensuivre

profane		Laie	
profane *(adj)*		laienhaft	
analyse —		Laienanalyse	
profondeur(s)		Tiefe(n)	
psychologie des —		Tiefenpsychologie	
	R	Vertiefung	approfondissement
	S	Ergründung	recherche approfondie
progrès		Fortschritt	*(pfs)* progression
progression		Fortschreiten (das)	
progressif		fortschreitend	
	S	Vorstoß	avancée
	S	Förderung	promotion
projet		Entwurf	2. ébauche
		Vorsatz	dessein
	R	entwerfen	ébaucher; esquisser
	S	Absicht	1. visée 2. *intention*
	S	Skizze	esquisse
projection		Projektion	
projeter		projizieren	
	R	hinausprojizieren	projeter au-dehors
	A	Introjektion	*introjection*
	A	introjizieren	introjecter
prolongation		Fortbildung	
	S	Fortsetzung	*continuation*
prolongement		Ausläufer	
	S	Abkömmling	*rejeton*
	S	Verzweigung	ramification
propre		eigen	
		eigentümlich	1. particulier
corps —		eigener Körper	
moi —		eigenes Ich	
personne —		eigene Person	
proprement dit		eigentlich	
refoulement —		eigentliche Verdrängung	

propriété		Eigentum	
		Besitz	1. *possession*
		Besitzung	
		Besitztum	
propriété		Eigenschaft	2. *(pfs)* qualité
			3. *(exc)* particularité
	R	Eigentümlichkeit	*particularité*
	S	Attribut	attribut

---

protection		Schutz	
action de —		Schutzhandlung	
dispositif de —		Schutzvorrichtung	
		Schutzeinrichtung	
formation de —		Schutzbildung	
mesure de —		Schutzmaßregel	
	R	Reizschutz	pare-stimulus
	S	Abwehr	défense (contre)
protéger [se] (contre)		schützen [sich] (gegen)	

---

protestation		Protest	
		Einspruch	2. objection
— masculine		männlicher Protest	
— de masculinité		Protest der Männlichkeit	
		Männlichkeitsprotest	
— du moi		Einspruch des Ichs	
— de la réalité		Einspruch der Realität	
	R	Anspruch	*revendication*
	S	Einwand/Einwendung	*objection*

---

prototype		Vorbild	2. *(exc)* modèle
— idéal		Idealvorbild	
— normal		Normalvorbild	
	L	zum Vorbild nehmen	prendre pour modèle
	S	Muster	*modèle*
	S	Paradigma	paradigme
prototypique		vorbildlich	
	R	Vorbildlichkeit	caractère prototypique

---

provenance		Herkunft	2. *(pfs)* origine
	R	Abkunft	2. extraction; ascendance
	S	Ursprung	*origine*
provenir (de)		herrühren (von)	
	S	ausgehen (von)	procéder (de); émaner (de); partir (de)
	S	hervorgehen (aus)	procéder (de); découler (de)
	S	stammen (aus)	être issu (de)
	S	entstammen	être issu (de)
provision		Vorrat	
— d'énergie		Vorrat von Energie	
		Energievorrat	
— de libido		Libidovorrat	
	S	Reservoir	*réservoir*
psychanalyse*		Psychoanalyse	
	A	Psychosynthese	psychosynthèse
psychoanalytisch		psychanalytique	
psycho-analytisch		psycho-analytique	
psyché		Psyche	
— individuelle		individuelle Psyche	
		Einzelpsyche	
	S	Seele	*âme*
psychique		psychisch	
psychique (le)		Psychische (das)	
	S	seelisch	animique
	S	Seelische (das)	animique (l')
psychologie		Psychologie	
— de la conscience		Bewußtseinspsychologie	
— collective		Kollektivpsychologie	
— de l'homme		Menschenpsychologie	
— individuelle		Individualpsychologie	
— de l'individu		Einzelpsychologie	
— des masses		Massenpsychologie	
— du moi		Ichpsychologie	
— normale		Normalpsychologie	
— des névroses		Neurosenpsychologie	
— des peuples		Völkerpsychologie	
— des profondeurs		Tiefenpsychologie	
— sociale		Sozialpsychologie	
	R	Metapsychologie	métapsychologie
	S	Seelenkunde	connaissance de l'âme

psychonévrose	Psychoneurose	
	A Aktualneurose	névrose actuelle
	R Neuropsychose	*névropsychose*
psychonévrosé (le)	Psychoneurotiker (der)	
psychonévrotique	psychoneurotisch	

---

psychose	Psychose	
— du rêve	Traumpsychose	
— de souhait	Wunschpsychose	

---

puberté	Pubertät	
temps de la —	Pubertätszeit	époque de la puberté
	R Vorpubertät	prépuberté

---

pudeur	Scham	*(pfs)* honte
	Schamhaftigkeit	
	R Schämen	*honte*
	R Beschämung	honte
	S Prüderie	pruderie

---

puissance	Macht	2. *(pfs) pouvoir*
	Potenz	
— parentale	elterliche Macht	
	Elternmacht	
aspiration à la —	Machtstreben	
exercice de la —	Machtbetätigung	
sentiment de —	Machtgefühl	
volonté de —	Wille zur Macht	
	Machtwille	
	A Ohnmacht	1. impuissance 2. évanouissement
	A Impotenz	*impuissance*
	R Allmacht	*toute-puissance*
	R Übermacht	*surpuissance*
	S Kraft	*force*
puissant	mächtig	
	potent	
	A ohnmächtig	impuissant
	A machtlos	impuissant
	A impotent	impuissant
	R allmächtig	tout-puissant
	R übermächtig	surpuissant

---

pulsion	Trieb	
— originaire	Urtrieb	
	R Auftrieb	pulsion vers le haut
	R Triebfeder	ressort
	s Instinkt	*instinct*
pulsionnel	triebhaft	2. mené par ses pulsions
	Trieb-	1. de(s) pulsion(s)
pulsionnel (le)	Triebhafte (das)	
	s instinktiv	instinctif

---

pulsion	Trieb	
— d'affirmation	Behauptungstrieb	
— d'agression	Aggressionstrieb	
— alimentaire	Eßtrieb	
— d'auto-conservation	Selbsterhaltungstrieb	
— de chercheur	Forschertrieb	
— de destruction	Destruktionstrieb	
	Zerstörungstrieb	
— d'emprise	Bemächtigungstrieb	
— du moi	Ichtrieb	
— de mort	Todestrieb	
— de nourriture	Nahrungstrieb	
— de nutrition	Ernährungstrieb	
— d'objet	Objekttrieb	
— partielle	Partialtrieb	
— sexuée	Geschlechtstrieb	
— sexuelle	sexueller Trieb	
	Sexualtrieb	
— de vie	Lebenstrieb	

---

punition	Bestrafung	
	Strafe	*(pfs)* peine
auto- —	Selbstbestrafung	
besoin de —	Strafbedürfnis	
rêve de —	Straftraum	
	s Züchtigung	*châtiment*
punir	strafen	
	bestrafen	
	s züchtigen	châtier

---

quantité	Quantität	
	Menge	I. *foule*
— d'énergie	Energiemenge	
— d'excitation	Erregungsquantität	
	Erregungsmenge	
— de stimulus	Reizquantität	
	Reizmenge	
	s Größe	*grandeur*

---

quantum	Quantum	
— de libido	Libidoquantum	
	s Betrag	*montant*
	s Summe	*somme*

---

quotidien	täglich	I. *diurne*
	alltäglich	
	Alltags-	
quotidienne (vie)	tägliches Leben	
	alltägliches Leben	
	Alltagsleben	
	R Tag	*jour*

---

rabaissement	Erniedrigung	
— de la libido	Erniedrigung der Libido	
— de l'objet sexuel	Erniedrigung des Sexualobjekts	
auto- —	Selbsterniedrigung	
	s Verminderung	*diminution*
	s Herabsetzung	*abaissement*
	s Herabwürdigung	*dépréciation*
rabaisser	erniedrigen	
	s herabsetzen	abaisser
	s herabwürdigen	déprécier
	s herabdrücken (zu)	ravaler (au rang de)
rabaissant	erniedrigend	

---

raison		Vernunft	
		Grund	1. *fondement;* base
	R	Begründung	1. fondement 2. raison qui fonde
	s	Verstand	*entendement*
	s	Intellekt	*intellect*
raisonnement		Gedankengang	1. cheminement (démarche) de pensée

---

rapport		Rapport	
		Verhältnis	2. *(pfs)* proportion; état de choses
		Verhältnisse *(plur)*	rapports; *circonstances ;* conditions; faits
— à l'objet		Verhältnis zum Objekt	
— amoureux		Liebesverhältnis	
— hypnotique		hypnotisches Rapport	
	s	Beziehung	*relation*
	s	Verkehr	*commerce*

---

rapport		Bericht	1. compte rendu; récit
— préliminaire		Vorbericht	

---

rassemblement		Zusammenfassung	*(pfs)* regroupement 2. résumé; récapitulation
— des pulsions partielles		— der Partialtriebe	
	R	Zusammenfügung	*assemblage*
	s	Umgruppierung	regroupement
	s	Synthese	*synthèse*
	s	Vereinheitlichung	*unification*

---

ratage		Mißglücken	
— du refoulement		— der Verdrängung	
	s	Mißlingen	*échec*
rater		mißglücken	

---

réaction		Reaktion	
— d'affect		Affektreaktion	
— d'angoisse		Angstreaktion	
réactionnel(le)		Reaktions-	
formation —		Reaktionsbildung	
symptôme —		Reaktionssymptom	
	R	reaktionär	réactionnaire
	R	reaktiv	réactif
réagir		reagieren	

réalisation		Realisierung	
		Verwirklichung	
	S	Erfüllung	*accomplissement*
réaliser (se)		realisieren [sich]	
		verwirklichen [sich]	
	S	erfüllen	accomplir

réalité*		Realität	
— de pensée		Denkrealität	
— extérieure		äußere Realität	
— factuelle		faktische Realität	
— matérielle		materielle Realität	
— psychique		psychische Realität	
		Realitäts-	de réalité; de la réalité
commandement de la —		Realitätsgebot	
croyance de —		Realitätsglaube	
examen de —		Realitätsprüfung	
principe de —		Realitätsprinzip	
réel		real	
	A	irreal	irréel
	S	wirklich	*effectif*
réel (le)		Reale (das)	
	A	Nichtreale (das)	non-réel (le)
		Real-	de (du) réel; dans le réel
angoisse de —		Realangst	
fonction du —		Realfunktion	
influence du —		Realeinfluß	
satisfaction dans le —		Realbefriedigung	

réalité effective*		Wirklichkeit	*(pfs) effectivité*
sentiment de —		Wirklichkeitsgefühl	
	R	wirklich	*effectif*
	L	in Wirklichkeit	en réalité

rébellion		Rebellion	
		Sträuben	
— du moi		Ich-Sträuben	
	s	Auflehnung	*révolte*
se rebeller (contre)		sich sträuben (gegen)	*(pfs)* se dresser; se cabrer; se raidir (contre)
	s	sich auflehnen (gegen)	se révolter (contre)
réception		Empfang	
		Aufnahme	2. adoption; accueil
— de stimulus		Reizaufnahme	
réceptivité		Empfänglichkeit	
		Aufnahmsfähigkeit	
recevoir		empfangen	recueillir 2. concevoir
		aufnehmen	2. accueillir; adopter
	R	auffangen	capter
récepteur		Empfänger	2. destinataire
récepteur *(adj)*		aufnehmend	
— de stimulus		reizaufnehmend	
réceptif		rezeptiv	
		empfänglich	
réceptif (à)		empfindlich (für)	
recherche		Forschung	
		Nachforschung	
		Suchen (das)	
— sexuelle		Sexualforschung	
recherche (activité de)		Forschen (das)	
	R	Forscher	*chercheur*
	R	Erforschung	exploration; investigation
	R	Untersuchung	*investigation*
	s	Erhebung	enquête
rechercher		forschen	faire des recherches
		nachforschen	faire des recherches
		aufsuchen	
		suchen	chercher
recherche (être à la —)		suchen nach	être en quête
récit		Erzählung	narration
		Bericht	rapport; compte rendu
	R	Erzähler	narrateur
	s	Märchen	conte

récompense		Belohnung	
		Lohn	
	S	Vergeltung	1. *rétribution*
			2. rétorsion
reconnaissance		Anerkennung	
	R	Verkennung	méconnaissance
	R	Kenntnis	*connaissance*
reconnaître		anerkennen	
		erkennen	
	R	verkennen	méconnaître
recouvrement		Überlagerung	
		Deckung	1. couverture
	R	Ablagerung	*sédiment*
	R	Auflagerung	sédimentation
récusation		Ablehnung	*(exc)* refus
— par angoisse		Angstablehnung	
— de la sexualité		Ablehnung der Sexualität	
— du sexuel		Sexualablehnung	
	S	Verweigerung	*refus*
	S	Verwerfung	*rejet*
	S	Verleugnung	*déni*
	S	Widerlegung	réfutation
	S	Versagung	*refusement*
récuser		ablehnen	
	S	versagen *(v. tr)*	refuser
	S	*verweigern	refuser
	S	verwerfen	rejeter
rédemption		Erlösung	2. délivrance
fantaisie de —		Erlösungsphantasie	
	S	Rettung	*sauvetage*
rédempteur		Erlöser	Rédempteur
rédimer		erlösen	2. délivrer
réflexe		Reflex	
appareil- —		Reflexapparat	
schéma- —		Reflexschema	
mouvement- —		Reflexbewegung	
réflexe *(adj)*		reflektorisch	
action —		reflektorische Aktion	
réflexion		Überlegung	
		Nachdenken	
	R	Denken (das)	*penser (le)*; *(pfs)* pensée

refoulement		Verdrängung	
— originaire		Urverdrängung	
— proprement dit		eigentliche Verdrängung	
— secondaire		sekundäre Verdrängung	
— sexuel		Sexualverdrängung	
dépense de —		Verdrängungsaufwand	
investissement de —		Verdrängungsbesetzung	
résistance de —		Verdrängungs-widerstand	
travail de —		Verdrängungsarbeit	
	R	Nachdrängen	post-foulement
	R	Abdrängung	*écart (mise à l')*
	R	Zurückdrängung	*repoussement*
refouler		verdrängen	
refoulé (le)		Verdrängte (das)	
— originaire		Urverdrängte (das)	
refoulant (le)		Verdrängende (das)	

---

refus		Verweigerung	
	S	Ablehnung	*récusation;* *(exc)* refus
refuser		versagen *(v. tr)*	
		*verweigern	
se refuser		sich weigern	
		sich verweigern	

---

refusement*		Versagung	
— externe		äußere Versagung	
		äußerliche Versagung	
— interne		innere Versagung	
— pulsionnel		Triebversagung	
	R	Versagen	*défaillance*
	S	Entbehrung	*privation*
	R	versagen *(v. intr)*	faire défaillance

---

regarder		schauen	
		anschauen	
désir* de —		Schaulust	
pulsion de —		Schautrieb	
regarder (le)		Schauen (das)	
	A	Beschautwerden (das)	être-regardé (l')
	R	durchschauen	percer à jour
	R	Zuschauer	spectateur
	S	Voyeur	voyeur
	S	Voyeurtum	voyeurisme

---

règle		Regel	
— fondamentale		Grundregel	
	R	Regelung	réglementation
	R	regelmäßig	régulier
	R	Regelmäßigkeit	régularité
	R	Unregelmäßigkeit	irrégularité
réguler		regulieren	
régulation		Regulierung	

---

règne		Herrschaft	2. *(pfs)* domination
	R	Beherrschung	*domination*
	R	Vorherrschaft	*prédominance*
	R	Oberherrschaft	suprématie

---

régression		Regression	
— à la chose		Sachregression	
	S	Introversion	introversion
	S	Rückwendung	1. *retournement* 2. rebroussement
	S	Rücktritt	recul
	S	Rückströmung	reflux
	S	Rückfluten	reflux
	S	Rückkehr	*retour*
	S	Rückgreifen	retour en arrière
	R	Rückversetzung	retour en arrière
	S	Rückbildung	*rétrogradation*
régrédient		regredient	
	A	progredient	progrédient
régresser		regredieren	
régressif		regressiv	

---

rejet		Verwerfung	
— par le jugement		Urteilsverwerfung	
	S	Ablehnung	*récusation*
	S	Abweisung	*mise à l'écart*
	S	Zurückweisung	*repoussement*
rejeter		verwerfen	
	R	werfen	jeter
	R	von sich werfen	jeter hors soi
	R	wegwerfen	jeter au loin
	R	abwerfen	jeter bas; se débarrasser
	R	rückwerfen	renvoyer
	S	ablehnen	récuser
	S	*verweigern	refuser
	S	abweisen	écarter
	S	zurückweisen	repousser
rejetable		verwerflich	2. réprouvable

---

rejeton	Abkömmling	
	Sprößling	
	s Nachkomme	descendant
relation	Relation	
	Beziehung	
— d'objet	Objektbeziehung	
— à l'objet	Beziehung zum Objekt	
	s Verhältnis	*rapport*
	s Verkehr	*commerce*
	s Bindung	*liaison*
	s Zusammenhang	*corrélation*
remaniement	Umarbeitung	
— du moi	Ichumarbeitung	
	R Bearbeitung	*élaboration*
	s Umbildung	*remodelage*
remémoration	Erinnerung	1. *souvenir*
travail de —	Erinnerungsarbeit	
	s Gedächtnis	*mémoire*
remémorer	erinnern	se remémorer
remémorer (le)	Erinnern (das)	2. *(pfs)* remémoration
	R sich erinnern	se souvenir
remodelage *(proces)*	Umbildung	
— pulsionnel	Triebumbildung	
remodèlement *(résult)*	Umbildung	
remodeler	ummodeln	
	umbilden	
remplacer*	ersetzen	
	*substituieren	
	s vikariieren	vicarier
remplacement	Ersetzung	
	Ersatz (durch)	
	*Substituierung	
	*Substitution (durch)	
— par le contraire	Ersetzung durch das Gegenteil	
	R Ersatz	*substitut*
	s *Substitution	substitution
	s Ablösung	relais
renaissance	Wiedergeburt	2. nouvelle naissance
fantaisie de —	Wiedergeburtsphantasie	
	R Geburt	*naissance*

renforcement	Erstarkung	
	Verstärkung	
— du moi	Erstarkung des Ichs	
— pulsionnel	Triebverstärkung	
	R Stärke	*force*
renforcer	erstarken	
	verstärken	
	R stärken	fortifier
renoncement	Verzicht	
— au plaisir	Lustverzicht	
— pulsionnel	Triebverzicht	
	S Aufgeben	*abandon*
renonciation	Entsagung	
	S Entbehrung	*privation*
renversement	Verkehrung	
— d'affect	Affektverkehrung	
— quant au contenu	inhaltliche Verkehrung	
— dans le contraire	Verkehrung ins Gegenteil	
	R Umkehrung	*inversion*
renverser	verkehren *(v. tr)*	
	R umkehren	inverser
réparation	Reparation	
tentative de —	Reparationsversuch	
	S Ausgleichung	*compensation*
repentir	Reue	
	S Gewissensbiß	remords de conscience
	S Bedauern	regret
	S Zerknirschung	*contrition*
répétition	Wiederholung	
contrainte de —	Wiederholungszwang	
répéter	wiederholen	
répéter (le)	Wiederholen (das)	
report	Verlegung	
	S Verschiebung	*déplacement*
reporter	verlegen	transporter; situer 1. égarer (par méprise)
	R zurückverlegen	reporter en arrière
reporter rétroactivement	zurückversetzen	

repoussement		Zurückdrängung	
		Zurückweisung	
	R	Abdrängung	*écart (mise à l')*
	R	Abweisung	*écart (mise à l')*
	R	Verdrängung	*refoulement*
	S	Verwerfung	*rejet*
repousser		zurückdrängen	
		zurückweisen	
	R	abdrängen	écarter
	R	abweisen	écarter
	R	verdrängen	refouler
	S	verwerfen	rejeter

---

représentance		Vertretung	2. *(pfs) incarnation*
— de substitut		Ersatzvertretung	
représentance*		Repräsentanz	
— de pulsion		Triebrepräsentanz	
— de représentation		Vorstellungs-repräsentanz	
représentant*		Repräsentant	
représentant		Vertreter	
	S	Mandatär	mandataire
représenter* ★		repräsentieren	
représenter		vertreten	2. *(cour)* soutenir; plaider

---

représentation		Vorstellung	
— adjuvante		Hilfsvorstellung	
— intermédiaire		Zwischenvorstellung	
— langagière		Sprachvorstellung	
— médiane		Mittelvorstellung	
— de substitut		Ersatzvorstellung	
vie de —		Vorstellungsleben	
	R	Vorstellen (das)	fait de se représenter; activité représentative
		Zwangsvorstellen	activité représentative de contrainte
	R	Darstellung	*présentation*
	S	Idee	*idée*
représenter* ★		repräsentieren	
représenter		vertreten	2. *(cour)* soutenir; plaider
se représenter		sich vorstellen	

---

répression		Unterdrückung	*(exc)* oppression
— d'affect		Affektunterdrückung	
— des pulsions		Triebunterdrückung	— pulsionnelle
réprimer		unterdrücken	*(exc)* opprimer
	R	Druck	*pression*
	R	Bedrückung	*oppression*

---

reproche		Vorwurf	
— de conscience		Gewissensvorwurf	
action à —		Vorwurfshandlung	
affect de —		Vorwurfsaffekt	
auto- —		Selbstvorwurf	
	s	Anklage	*accusation*
	s	Gewissensbiß	remords de conscience

---

reproduction		Fortpflanzung	
— sexuée		geschlechtliche Fortpflanzung	
fonction de —		Fortpflanzungsfunktion	
	s	Zeugung	*procréation*
se reproduire		sich fortpflanzen	se perpétuer

---

reproduction		Reproduktion	
		Nachbildung	
		Abbildung	
		Abbild	1. *image*
— du refoulé		Reproduktion des Verdrängten	
— des souvenirs		Reproduktion der Erinnerungen	
	R	Bild	*image*
	s	Kopie	copie
	s	Replik	réplique

---

répulsion		Abstoßung	
		Abscheu	*abomination*
	s	Abneigung	*aversion*
	s	Widerwille	répugnance
	s	Unwille	répugnance
	s	Ekel	*dégoût*
	s	Grauen/Grausen	*horreur*

---

réserve		Schonung	2. ménagement
réservoir		Reservoir	
— de (la) libido		Libidoreservoir	
	s	Vorrat	*provision*
réserve		Bedenken	*scrupule;* hésitation
		Zurückhaltung	1. *rétention;* retenue
résistance		*Resistenz	
		Widerstand	
— du moi		Ichwiderstand	
capacité de —		*Resistenzfähigkeit	
résister		widerstehen	
résolution		Auflösung	1. *dissolution*
		Lösung	1. *solution*
— de(s) symptôme(s)		Symptomlösung	
respect		Ehrfurcht	
	s	Verehrung	*vénération*
respect (de)		Respekt (vor)	
		Achtung (vor)	
	R	Selbstachtung	respect de soi
	R	Beachtung	*observance*
responsabilité		Verantwortung	
		Verantwortlichkeit	
responsabilité (de)		*Schuld (an)	1. *coulpe;* *culpabilité*
	L	die Schuld an *(etw)* tragen	porter la responsabilité de *(qch)*
responsable		verantwortlich	
responsable (de)		*schuld (an)	
	R	schuldig	coupable
reste		Rest	
— du jour		Tagesrest	
— mnésique		Erinnerungsrest	
— de perception		Wahrnehmungsrest	
	R	Überrest	vestige
	s	Relikt	vestige
	s	Residuum	résidu
	s	Rückstand	reliquat
	s	Reliquie	relique
	s	Überlebsel	*survivance*

restriction		Einschränkung	
— morale		Moraleinschränkung	
— du moi		Icheinschränkung	
	R	Beschränkung	*limitation*
résultat		Resultat	
		Ergebnis	
		Ausfall	1. *défaut ;* déficit
	s	Produkt	produit
	s	Erfolg	*succès*
	s	Ausgang	*issue*
rétablissement		Wiederherstellung	
		Herstellung	1. *instauration* 2. établissement
tentative de —		Herstellungsversuch	
retard		Verzögerung	atermoiement
retardement		Verspätung	retard subi
— sexuel		Sexualverspätung	
	A	Verfrühung	maturation précoce
	s	Aufschub	*ajournement*
	s	Verzug	délai
retarder		verspäten	
	s	aufschieben	ajourner; *(pfs)* différer
	s	verzögern	différer; retarder
retardé(e)		verspätet	
action —		verspätete Wirkung	
	A	verfrüht	avancé; anticipé
	s	vorzeitig	prématuré
rétention		Retention	
		Zurückhalten	
		Zurückhaltung	retenue 2. *réserve*
— sexuelle		sexuelle Zurückhaltung	
hystérie de —		Retentionshysterie	
	s	Enthaltsamkeit	*continence*
	s	Enthaltung	continence
	s	Abstinenz	*abstinence*
retenir		zurückhalten	2. tenir en réserve 3. réfréner

retour		Rückkehr	
		Wiederkehr	
— du refoulé		Wiederkehr/Rückkehr des Verdrängten	
	R	Rückgreifen	retour en arrière
	S	Regression	*régression*
retour (faire)		wiederkehren	
retournement		Wendung	1. tournant
		Rückwendung	2. rebroussement
		Umwendung	
— sur la personne propre		Wendung gegen die eigene Person	
	S	Umschlag	revirement
	S	Umschwung	revirement
retrait		Abziehung	
		Entziehung	
— de libido		Libidoentziehung	
	R	Einziehung	rentrée
	R	Zurückziehung	retirement
retirer [se]		abziehen [sich]	
		entziehen [sich]	soustraire [se]
retrait (mise en)		Zurücksetzung	2. disgrâce
rétribution		Vergeltung	2. rétorsion
— par la pareille		Vergeltung durch Gleiches	
	S	Belohnung	*récompense*
rétrogradation		Rückbildung	
	R	Rückgreifen	retour en arrière
	S	Involution	involution
	S	Regression	*régression*
rétrograde		rückläufig	
réunion		Beisammensein	*union*
		Vereinigung	union
	S	Zusammenkunft	rencontre
	S	Zusammentreffen	*conjonction*

rêve		Traum	
— diurne		Tagtraum	
— nocturne		Nachttraum	
		nächtlicher Traum	
— préliminaire		Vortraum	
contenu du —		Trauminhalt	
élément du —		Traumelement	
matériel du —		Traummaterial	
pensée du —		Traumgedanke	
travail du —		Traumarbeit	
vie du —		Traumleben	
rêver		träumen	
rêver (le)		Träumen (das)	
	R	Träumerei	rêverie

réveil		Erwachen	
		Erwecken/Erweckung	*éveil* 2. évocation
		Aufwachen	
		Wiedererwachen	
		Wiedererweckung	
— des souvenirs		Erwecken von Erinnerungen	
rêve de —		Wecktraum	
	R	Wachen	*veille*
réveiller		erwecken	éveiller 2. évoquer
		wachrufen	éveiller 2. évoquer
se réveiller		erwachen	2. évoquer

revendication		Anspruch	2. *(pfs)* prétention
— d'amour		Liebesanspruch	
— pulsionnelle		Triebanspruch	
	S	Forderung/Anforderung	*exigence*
revendiquer		in Anspruch nehmen	requérir

revivification		Wiederbelebung	
	R	Belebung	*vivification*
	R	Wiederaufleben	reviviscence
	S	Reaktivierung	réactivation
revivifier		wiederbeleben	2. *(cour)* ramener à la vie
	R	aufleben machen	faire revivre
	S	ins Leben zurückführen	ramener à la vie

révolte		Auflehnung	
		Empörung	2. indignation
	s	Sträuben	*rébellion*
	s	Aufstand	soulèvement
	s	Aufruhr	soulèvement
rigidité		Starre/Starrheit	
	R	Erstarrung	raidissement
		psychische Erstarrung	raidissement psychique
	A	Plastizität	plasticité
rigide		starr	
	s	unnachgiebig	inflexible
royaume		Reich	
— de l'inconscient		Reich des Unbewußten	
— intermédiaire		Zwischenreich	
	s	Instanz	*instance*
rumination		Grübelei	
		Grübeln	
contrainte de —		Grübelzwang	
	s	Zweifel	*doute*
ruminatoire		grüblerisch	

sacrifice	Opfer
	Opferung
	Aufopferung
— animal	Tieropfer
— humain	Menschenopfer
— de soi	Selbstaufopferung
auto- —	Selbstopferung
sacrificiel	Opfer-
sadisme	Sadismus
— originaire	Ursadismus
sadique	sadistisch
sadique-anal	sadistisch-anal
sadique-masochiste	sadistisch-masochistisch

saisie		Erfassung	
		Erfassen	appréhension
	R	Ergriffenheit	saisissement
	S	Verständnis	*compréhension*
saisir		erfassen	appréhender
		ergreifen	s'emparer

santé		Gesundheit	
	R	Gesunde (der)	bien-portant (le); homme sain (l')
	R	Gesunde (das)	sain (le)
	S	Normale (das)	normal (le)

satiété		Sättigung	*assouvissement*
	R	gesättigt	rassasié
	R	ungesättigt	inassouvi
	R	unersättlich	insatiable
	R	Unersättlichkeit	insatiabilité
se rassasier		sich sättigen	
		sich ersättigen	

satisfaction		Befriedigung	
		Zufriedenheit	1. *contentement*
auto- —		Selbstbefriedigung	
plaisir de —		Befriedigungslust	
— pulsionnelle		Triebbefriedigung	
— sexuelle		sexuelle Befriedigung	
		Sexualbefriedigung	
— substitutive		Ersatzbefriedigung	
	A	Nichtbefriedigung	non-satisfaction
	A	Unbefriedigung	insatisfaction; non-satisfaction
	A	Unzufriedenheit	1. mécontentement 2. insatisfaction

sauvetage		Rettung	
fantaisie de —		Rettungsphantasie	
	S	Erlösung	1. *rédemption* 2. délivrance
sauver		retten	

savoir		Wissen	
désir de —		Wißbegierde	
pulsion de —		Wißtrieb	
	A	Nichtwissen (das)	non-savoir (le)
	R	Unwissenheit	ignorance

scène		Szene	
		Bühne	
		Schauplatz	théâtre
— d'angoisse		Angstszene	
— infantile		infantile Szene	
		Infantilszene	
— originaire		Urszene	
— sexuelle		sexuelle Szene	
		Sexualszene	
scène (mettre en)		inszenieren	
		In Szene setzen	
scène (mise en)		Inszenierung	

schéma		Schema	schème
— -réflexe		Reflexschema	
schème		Schema	
— héréditaire		hereditäres Schema	

science		Wissenschaft	
— de l'esprit		Geisteswissenschaft	
— sexuelle		Sexualwissenschaft	

scrupule		Skrupel	
		Bedenken	*réserve ;* hésitation
	s	Zweifel	*doute*
scrupulosité		Skrupulosität	
		Bedenklichkeit	
		Gewissenhaftigkeit	1. conscience scrupuleuse
	R	Übergewissenhaftigkeit	surscrupulosité
scrupuleux		gewissenhaft	1. consciencieux

sédiment		Ablagerung	
sédimentation		Auflagerung	
	s	Niederschlag	*précipité*

séduction		Verführung	
fantaisie de —		Verführungsphantasie	
	s	Verleitung	dévoiement
séductrice (la)		Verführerin (die)	
	s	Verderberin (die)	corruptrice (la)

sein		Brust	
— maternel		mütterliche Brust	
		Mutterbrust	
	S	Mutterleib	*ventre maternel*

sens		Sinn	
— littéral		Wortsinn	
	R	Doppelsinn	double sens
	R	Gegensinn	sens opposé
	R	Unsinn	1. non-sens 2. *absurdité*
	R	Widersinn	1. contresens; non-sens 2. absurdité
	S	Bedeutung	1. *signification* 2. *significativité*
sensé		sinnvoll	qui a un sens
	R	sinnreich	riche de sens; *(pfs)* judicieux
	A	unsinnig	insensé; *(pfs)* absurde
	A	sinnlos	dénué de sens; *(pfs)* absurde

sens (le, les)		Sinn(e) (der, die)	
sensorialité		Sinnlichkeit	2. sensualité
	A	Geistigkeit	spiritualité
sensoriel		sensorisch	
		sinnlich	2. sensuel
		Sinnes-	1. des sens

sens		Empfinden (das)	1. *sensibilité*
— commun		gemeines Empfinden	

sensation		Sensation	
		Empfindung	2. *(exc) sensibilité*
— de plaisir		Empfindung von Lust Lustempfindung	
— de déplaisir		Empfindung von Unlust Unlustempfindung	
	S	Gefühl	*sentiment*

sensibilité		Sensibilität	
		Empfindlichkeit	2. *susceptibilité*
		Empfinden (das)	2. *(exc) sens*
		Empfindung	1. *sensation*
		Fühlen (das)	1. sentir (le)
— morale		sittliches Empfinden	
— religieuse		religiöses Empfinden	
— sexuelle		sexuelles Empfinden	
		Sexualempfinden	
— sociale		soziales Empfinden	
sensible		sensibel	
		empfindlich	
		fühlbar	
	R	empfinden	ressentir
	s	verspüren	éprouver; ressentir

sentiment		Gefühl	
— du moi		Ichgefühl	
— de soi		Selbstgefühl	
		Gefühls-	de sentiment; *(exc)* sentimental
conflit de —		Gefühlskonflikt	
motion de —		Gefühlsregung	
vie de —		Gefühlsleben	*(exc)* vie sentimentale
	s	affektiv	affectif
	s	emotionnell	émotionnel

séparation		Trennung	
		Abtrennung	
— d'avec la mère		Trennung von der Mutter	
— d'avec le contenu intestinal		Trennung/Abtrennung vom Darminhalt	
angoisse de —		Trennungsangst	
	s	Sonderung	1. mise à part; partition; partage 2. séparation
	s	Scheidung	1. démarcation; distinction 2. séparation
séparé		getrennt/abgetrennt	
		gesondert	1. à part
	s	vereinzelt	isolé
	s	einzeln	pris un à un; pris isolément 2. de (en) détail 3. *(pfs)* individuel

séquence		Zug	1. *trait*
— d'instances		Instanzenzug	
— de pensées		Gedankenzug	
	s	Folge	*suite*
série		Reihe	
— complémentaire		Ergänzungsreihe	
— de pensées		Gedankenreihe	
	R	Einreihung	insertion (dans une série)
	s	Kette	*chaîne*
	s	Aufeinanderfolge	*succession*
sévérité		Strenge	rigueur
	R	Überstrenge	sévérité excessive
	s	Härte	dureté
sévère		gestreng	
		streng	rigoureux ; strict
	R	überstreng	excessivement sévère ; d'une rigueur excessive
sevrage		Entwöhnung	
	R	Abgewöhnung	désaccoutumance
	R	Gewöhnung	*accoutumance*
sexe		Geschlecht	2. *(pfs) genre ; espèce ;* lignée
sexes		Geschlechter	
différence des —		Differenz der Geschlechter	
		Geschlechtsdifferenz	différence sexuée
		Geschlechtsunterschied	différence sexuée
sexué*		geschlechtlich	de (du) sexe
		Geschlechts-	de (du sexe) ; des (entre les) sexes
	s	sexuell	*sexuel*
	s	Sexual-	sexuel
sexué (le)		Geschlechtliche (das)	
	s	Sexuelle (das)	sexuel (le)
sexualisation		Sexualisierung	
		Sexualisieren (das)	
	A	Desexualisierung	désexualisation

sexualité		Sexualität	
— enfantine		kindliche Sexualität	
— infantile		infantile Sexualität	
	S	Geschlechtlichkeit	sexuation
sexuel* *(adj)*		sexuell	
		Sexual-	*(exc)* du sexuel
		*sexual	
	R	asexuell	asexuel
sexuel (le)		Sexuelle (das)	
		*Sexuale (das)	
	S	geschlechtlich	sexué
	S	Geschlechts-	sexué; de (du) sexe; des (entre les) sexes
	S	Geschlechtliche (das)	sexué (le)
signal		Signal	
— d'affect		Affektsignal	
— d'angoisse		Angstsignal	
angoisse- —		Signalangst	
signe		Zeichen	
— de réalité		Realitätszeichen	
	R	Abzeichen	insigne; signe distinctif
	R	Anzeichen	*indice*
	R	Kennzeichen	1. signe caractéristique; caractéristique; 2. *(pfs)* critère
	S	Andeutung	*indication*
	S	Kriterium	critère
signification*		Bedeutung	2. *significativité*
	R	Bedeutsamkeit	caractère significatif
	S	Sinn	*sens*
— -argent		Geldbedeutung	
— -cadeau		Geschenkbedeutung	
chargé (empreint) de signification		bedeutungsvoll	*(pfs)* significatif
	A	bedeutungslos	dénué de signification
	R	bedeutend	significatif; signifiant
	A	unbedeutend	non significatif; insignifiant
	S	sinnvoll	sensé; qui a du sens
signifier*		bedeuten	vouloir dire
	S	bezeichnen	désigner

significativité*		Bedeutung	1. *signification*
significatif (caractère)		Bedeutsamkeit	
	S	Wichtigkeit	importance
	S	Tragweite	portée
significatif		bedeutsam	
	A	unbedeutsam	non significatif
	S	wichtig	important

singularité		Sonderbarkeit	
		Einzelheit	1. détail
		Eigenheit	particularité
	R	Besonderheit	*particularité*
singulier		sonderbar	bizarre
		eigentümlich	particulier
	S	fremdartig	*étrange*
	S	unheimlich	*inquiétant*
	S	merkwürdig	curieux
	S	bemerkenswert	remarquable

société		Sozietät	
		Gesellschaft	
	R	Geselligkeit	sociabilité
	S	Gemeinschaft	*communauté*
social		sozial	
		gesellschaftlich	
		Gesellschafts-	
	A	asozial	asocial

soi (le)		Selbst (das)	
— propre		eigene Selbst (das)	
	S	Ich (das)	*moi (le)*

soins		Pflege	
— corporels		Körperpflege	
soins (donner des)		pflegen *(v. tr)*	prendre soin; soigner
	R	Pflegeperson	personne chargée du soin de l'enfant; personne qui prend soin de l'enfant

sollicitude		Fürsorge	
		Sorgfalt	soin
	R	Sorge	souci

solution		Lösung	2. *résolution*
			3. détachement; dénouement
	R	Auflösung	1. *dissolution*
			2. résolution
	R	lösen	1. résoudre
			2. détacher; dénouer
	R	sich lösen	1. se résoudre
			2. se détacher; se dénouer

---

soma		Soma	
somatique		somatisch	
somatique (le)		Somatische (das)	
	S	körperlich	corporel
	S	organisch	organique

---

sommation		Summation	
se sommer		sich summieren	*(cour)* s'additionner
	S	Anhäufung	*accumulation*

---

somme		Summe	
— d'excitation		Erregungssumme	
	S	Betrag	*montant*

---

sommeil		Schlaf	
		Schlafen (das)	dormir (fait de)
état de —		Zustand des Schlafes	
		Schlafzustand	
narcissisme du —		Schlafnarzißmus	
trouble du —		Schlafstörung	
vie de —		Schlafleben	
	A	Wachleben	vie de veille
	R	schlafen	*dormir*
	R	Schlaflosigkeit	insomnie

---

son		Klang	sonorité
— du mot		Wortklang	
image- —		Klangsbild	
	R	Anklang	*assonance*
	S	Laut	*phonie;* *(pfs)* son

---

souffrance		Leid/Leiden	
conflit de —		Leidenskonflikt	
symptôme de —		Leidenssymptom	
	s	Schmerz	*douleur*
	s	Qual	*tourment*
souffrance (empreint de)		leidvoll	
	s	schmerzhaft	douloureux
souffrir (de)		leiden (an)	

---

souhait*		Wunsch	
— de mort		Todeswunsch	
— pulsionnel		Triebwunsch	
		Wunsch-	de souhait
accomplissement de —		Wunscherfüllung	
fantaisie de —		Wunschphantasie	
motion de —		Wunschregung	
satisfaction de —		Wunschbefriedigung	
	s	Begierde	*désir*
souhaiter		wünschen	
	s	begehren	désirer

---

soulagement		Entlastung	délestage
			2. *exonération*
		Erleichterung	1. allégement; facilitation
	s	Entleerung	*évacuation*
soulager		entlasten	
soulager [se]		erleichtern [sich]	1. alléger [s']

---

soumission (à)		Unterwerfung (unter)	2. assujettissement
	R	Unterwürfigkeit	état de soumission
	s	Unterordnung (unter)	subordination (à)
	s	Hörigkeit	*sujétion*
soumettre (à)		unterziehen	
		unterliegen	2. succomber (à)
se soumettre (à)		sich unterwerfen	

---

soupçon		Verdacht	
		Vermutung	1. *supposition*
	R	Verdächtigung	suspicion
	s	Argwohn	défiance
	s	Mißtrauen	méfiance

---

source		Quelle	
— d'affect		Affektquelle	
— d'excitation		Erregungsquelle	
— de jouissance		Genußquelle	
— de plaisir		Lustquelle	

---

souvenir		Erinnerung	2. *remémoration*
— d'enfance		Kindheitserinnerung	
illusion du —		Erinnerungstäuschung	
trouble du —		Erinnerungsstörung	trouble mnésique
	R	Erinnerungs-	du souvenir; *mnésique*
	S	Reminiszenz	réminiscence
	S	Gedächtnis	*mémoire*
se souvenir		sich erinnern	
	R	erinnern	remémorer; se remémorer

---

spatialité		Räumlichkeit	
	S	Ausdehnung	1. extension 2. étendue
spatial		räumlich	

---

stade		Stadium	
		Stufe	2. *degré*
— de développement		Entwicklungsstadium Entwicklungsstufe	
— intermédiaire		Zwischenstufe	
— d'objet		Objektstufe	
— préliminaire		Vorstadium Vorstufe	
— préparatoire		Vorbereitungsstufe	
	S	Etappe	étape
	S	Station	station
	S	Phase	phase

---

stase		Stauung	
— de la libido		Libidostauung	
névrose de —		Stauungsneurose	
	R	Aufstauung	mise en stase
	S	Eindämmung	*endiguement*
stasé		gestaut	

---

stimulus* *(sing et plur)*	Reiz(e)	*(pfs)* stimulant 2. *attrait*
— de besoin	Bedürfnisreiz	
— corporel	Leibreiz	
— externe	äußerer Reiz Außenreiz	
— interne	innerer Reiz Innenreiz	
— d'organe	Organreiz	
— pulsionnel	Triebreiz	
	R Reizlosigkeit	absence de stimulus
stimulation	Reizung	
	S Erregung	*excitation*
stimulabilité	Reizbarkeit	susceptibilité aux stimulus 2. *irritabilité*
	S Erregbarkeit	excitabilité
stimuler	reizen	2. irriter

strate	Schicht	2. *couche*
— de l'âme	Seelenschicht	
stratification	Schichtung	*(exc)* strates
— sociale	soziale Schichtung	

structure	Struktur	
	S Unterbau	infrastructure
	S Oberbau/Überbau	superstructure
	S Bau	*construction*
	S Abbau	*édification;* édifice
	S Gefüge	*texture;* trame
structurel	strukturell	
rapport —	Strukturverhältnis	

subdivision	Gliederung	2. *articulation*
— de l'appareil psychique	— des psychischen Apparats	
	R Glied	*membre*

sublimation	Sublimierung	
sublimer	sublimieren	
sublime	sublim	
	erhaben	élevé; éminent
	S großartig	*grandiose*

substance		Substanz	
		Stoff	1. *matériau*
— sexuée		Geschlechtsstoff	
— sexuelle		Sexualstoff	
— vivante		lebende Substanz	
substitut		*Substitut	
		Ersatz	
		Ersatz-	de substitut; substitutif
formation de —		Ersatzbildung	
représentation de —		Ersatzvorstellung	
	R	ersetzen	*remplacer*
	R	Ersetzung	*remplacement*
	S	Surrogat	succédané
substitution		*Substitution	
substitutif (ve)		Ersatz-	
objet —		Ersatzobjekt	
satisfaction —		Ersatzbefriedigung	
succès*		Erfolg	
	A	Mißerfolg	*insuccès*
	R	erfolgreich *(adj)*	couronné de succès
		erfolgreich *(adv)*	avec succès
	R	erfolgen	se produire; s'effectuer; s'ensuivre
	R	Folge	1. *suite* 2. *conséquence*
	S	Ergebnis	*résultat*
	S	Gelingen	réussite
	S	Glücken	*heureuse issue*
succession		Sukzession	
		Aufeinanderfolge	
		Nachfolge	
		Reihenfolge	ordre [de succession]
successeur		Nachfolger	
suçotement		Ludeln (das)	
		Lutschen (das)	
	S	Saugen (das)	*tétée*
suçoter		ludeln	
		lutschen	

Français		Deutsch	Français
suggestion		Suggestion	
— verbale		verbale Suggestion	
auto- —		Autosuggestion	
contre- —		Gegensuggestion	
traitement par —		Suggestionsbehandlung	
suggestif		suggestiv	
traitement —		Suggestivbehandlung	
	R	suggestibel	suggestible
	R	Suggestibilität	suggestibilité
	R	suggerierbar	suggestionnable
	R	Suggerierbarkeit	suggestionnabilité

Français		Deutsch	Français
suite		Folge	2. *conséquence*
— de pensées		Gedankenfolge	
	R	Aufeinanderfolge	*succession*
	s	Kette	*chaîne*
	s	Reihe	*série*
	s	Zug	*séquence*

Français		Deutsch	Français
sujétion		Hörigkeit	
— amoureuse		verliebte Hörigkeit	
— sexuelle		sexuelle Hörigkeit	
	s	Abhängigkeit	*dépendance*
	s	Unterwerfung	*soumission*

Français		Deutsch	Français
supplément		Nachtrag	
	s	Ergänzung	*complément*
	s	Anhang	appendice
	s	Anhängsel	appendice

Français		Deutsch	Français
supposition		Vermutung	2. *soupçon*
	s	Annahme	*hypothèse*
supposer		supponieren	
		vermuten	présumer; soupçonner

Français		Deutsch	Français
suppression*		Aufhebung	
— du refoulement		Aufhebung der Verdrängung	
— des stimulus		Reizaufhebung	
— des symptômes		Aufhebung der Symptome	
	R	Hebung	1. levée 2. *élévation*
	s	Abschaffung	abolition
	s	Erledigung	*liquidation*

suppression *(suite)*			
supprimer		aufheben	
	R	heben	lever; relever; soulever
	R	erheben	élever; relever
	S	abschaffen	abolir
	S	erledigen	liquider
surestimation		Überschätzung	
— amoureuse		Liebesüberschätzung	
— de soi		Selbstüberschätzung	
	R	Einschätzung	*estimation*
surface		Oberfläche	
		Fläche	
— réceptrice		Aufnahmsfläche	
être de —		Oberflächenwesen	
système de —		Oberflächensystem	
surforce *(métaps)*		Überstärke	2. *(n. techn)* force excessive
	R	Stärke	*force*
	S	Übermacht	*surpuissance*
surfort *(métaps)*		überstark	2. *(n. techn)* excessivement fort
	S	übermächtig	surpuissant
sur-moi		Über-Ich	
— de la culture		Kultur-Über-Ich	
angoisse de —		Über-Ichangst	
angoisse devant le —		Angst vor dem Über-Ich	
surmontement*		Überwindung	
— de la résistance		Überwindung des Widerstandes	
travail de —		Überwindungsarbeit	
surmonter		überwinden	
	S	bewältigen	maîtriser
	S	übertreffen	surpasser
	S	besiegen	vaincre; triompher de
surmontable		überwindbar	
surmonté		überwunden	
surmonté (le)		Überwundene (das)	
	S	Verdrängte (das)	refoulé (le)

surpuissance		Übermacht	
	R	Macht	*puissance*
	S	Überstärke	*surforce*
surpuissant		übermächtig	
survenue		Auftreten	
		Zustandekommen	
		Vorfall	1. *incident*
	S	Vorkommen	1. occurrence
			2. *présence*
	S	Entstehung	1. *apparition ;*
			2. *(pfs) naissance*
survenir		auftreten	
		vorfallen	
		zu stande kommen	se produire
survie		Überleben	
	R	Fortleben	vie continuée
	S	Nachexistenz	*existence postérieure*
survivre		überleben	
	R	fortleben	continuer de vivre
	S	anhalten	persister
	S	bestehen bleiben	subsister
survivance		Überlebsel	
		Überbleibsel	
	S	Rest	*reste*
	S	Überrest	vestige
susceptibilité		Verletzbarkeit	1. vulnérabilité
		Empfindlichkeit	1. *sensibilité*
— aux stimulus		Reizbarkeit	1. *stimulabilité*
			2. *irritabilité*
suspens (en)		schwebend	
		in Schwebe	
en égal —		gleischschwebend	
en libre —		freischwebend	
	S	frei flottierend	librement flottant
suspension		Einstellung	1. *position ;* attitude
	S	Aufschub	*ajournement*
	S	Aufhalten/Aufhaltung	arrêt
	S	Aufhören	*cessation*

symbole		Symbol	
formation de —		Symptombildung	
	s	Sinnbild	emblème
	s	Allegorie	allégorie
symbolique (la)		Symbolik (die)	
— du rêve		Traumsymbolik	
symbolique *(adj)*		symbolisch	
		Symbol-	de (du) symbole
langage —		Symbolsprache	
présentation —		Symboldarstellung	
	R	Symbolisierung	symbolisation

symptomatologie		Symptomatologie	
symptomatique (la)		Symptomatik (die)	
	s	Erscheinungsform	forme de manifestation

symptôme		Symptom	
— de douleur		Schmerzsymptom	
— de maladie		Krankheitssymptom	
— morbide		krankhaftes Symptom	
— de souffrance		Leidenssymptom	
symptomatique *(adj)*		symptomatisch	
		Symptom-	de (du) symptôme
action —		Symptomhandlung	
complexe —		Symptomkomplex	
langage —		Symptomsprache	

synthèse		Synthese	
	s	Zusammenfassung	*rassemblement*
	s	Vereinheitlichung	*unification*

système		System	
— de perception		Wahrnehmungssystem	
— psychique		psychisches System	
	s	Instanz	*instance*

tableau		Bild	1. *image*
— clinique		klinisches Bild	
— de la maladie		Krankheitsbild	
— symptomatique		Symptombild	

tabou		Tabu	
— moral		Moraltabu	
	s	Verbot	*interdit*

---

tare		Belastung	1. poids; fardeau; *charge*
— héréditaire		hereditäre Belastung	
		erbliche Belastung	

---

temporalité		Zeitlichkeit	
	A	Zeitlosigkeit	*atemporalité*
temporel		zeitlich	
		weltlich	
	A	zeitlos	atemporel
temporaire		zeitweilig	
		zeitweise	
	A	dauerhaft	*durable*
	s	momentan	*momentané*
	s	vergänglich	*passager*

---

temps		Zeit	2. *époque*
			3. *période*
— antérieur		Vorzeit	2. époque antérieure
			3. premiers âges
— originaire		Urzeit	2. époque originaire
— originaires		Urzeiten	
— reculés		frühe Zeiten	
		Frühzeiten	

---

temps (en-deux-)		zweizeitig	
	R	Zweizeitigkeit	caractère en-deux-temps
	R	zweimalig	en-deux-fois

---

tendance		Tendenz	
		Strebung	
		Streben (das)	
		Bestrebung	2. *(n. techn)* efforts déployés
		Bestreben (das)	2. *(n. techn)* efforts déployés
— du moi		Ichtendenz	
— au plaisir		Luststreben	
		Lustbestreben	
— sexuelle		sexuelle Strebung	
		Sexualstrebung	
		Sexualbestrebung	
		sexuelles Streben	
		Sexualstreben	
tendance (à)		Streben (nach)	*(pfs)* aspiration (à)
	S	Neigung	*inclination ; penchant*
tendancieux		tendenziös	

tendresse		Zärtlichkeit	
motion de —		Zärtlichkeitsregung	
pulsion de —		Zärtlichkeitstrieb	
	R	Überzärtlichkeit	tendresse excessive; excès de tendresse

teneur		Gehalt	
— en vérité		Wahrheitsgehalt	
	R	Inhalt	*contenu*

tension		Spannung	
		Anspannung	*effort*
— de besoin		Bedürfnisspannung	
— de déplaisir		Unlustspannung	
— de stimulus		Reizspannung	
— sexuelle		sexuelle Spannung	
		Sexualspannung	
	A	Entspannung	relâchement de tension; détente

tentation		Versuchung	
angoisse de —		Versuchungsangst	

tentative		Versuch	*essai*
			2. *expérience*
— de fuite		Fluchtversuch	
— de guérison		Heilungsversuch	
— de reconstruction		Rekonstruktionsversuch	
— de restitution		Restitutionsversuch	

---

terme		Termin	échéance
	s	Ende	*fin*
terminaison		Beendigung	
	s	Abschluß	1. *achèvement*
			2. *conclusion*
terminé		beendet	
	A	unbeendet	non terminé
	s	endlich	*fini*

---

terme(s)		Terminus(i)	
		Wort(e)	1. *mot(s)*
— technique		Kunstwort	
	s	Benennung	*dénomination*
terminologie		Terminologie	
	s	Nomenklatur	nomenclature
	s	Kuntsprache	langage technique

---

terrassement* *(métaps et interp)*		Überwältigung	
— du père		Überwältigung des Vaters	
psychose par —		Überwältigungspsychose	
terrasser		überwältigen	
— le père		den Vater überwältigen	
terrassant		überwältigend	*(pfs)* subjuguant

---

tétée		Saugen (das)	fait de téter
téter		saugen (an)	
	R	säugen	donner la tétée; *(pfs)* allaiter
	R	Säugen (das)	fait de donner la tétée; *(pfs)* allaitement
	R	gesäugt werden	recevoir la tétée
	R	Gesäugtwerden (das)	fait de recevoir la tétée
	R	Säugling	nourrisson
	s	Ludeln (das)	*suçotement*

---

texture		Gefüge	trame
	s	Gewebe	tissu
	s	Struktur	*structure*

théorie		Theorie	
— des pulsions		Triebtheorie	
— sexuelle		Sexualtheorie	
	s	Lehre	*doctrine*

thérapie		Therapie	
thérapeutique *(adj)*		therapeutisch	

tolérance		Toleranz	
		Duldung	
	A	Intoleranz	intolérance
	A	Unduldsamkeit	intolérance
tolérer		dulden	
		vertragen	
	s	aushalten	endurer
	s	ertragen	supporter
tolérable	s	erträglich	supportable
	A	unerträglich	intolérable ; insupportable
	R	unverträglich	*inconciliable*

tonalité		Ton	
		Betonung	
		Tönung	
— affective		affektive Betonung	
		Affektton	
— de sentiment		Gefühlston	

totem		Totem	
totémisme		Totemismus	
totémique		totemistisch	
		Totem-	
animal —		Totemtier	
repas —		Totemmahlzeit	
système —		totemistisches System	

toucher (le)		Berührung	attouchement 2. contact
angoisse du —		Berührungsangst	
désir* de —		Berührungslust	
tabou du —		Tabu der Berührung	
	s	Kontakt	*contact*
	s	Ansteckung	*contagion ;* contamination
toucher		berühren	

tourment		Qual	
		Quälerei	*(pfs)* torture
		Pein	peine
auto- —		Selbstquälerei	
	s	Leid/Leiden	*souffrance*
tourmenter		quälen	*(pfs)* torture
manie de —		Qualsucht	
tourmenteur		quälerisch	*(pfs)* torturant

toute-puissance		Allmacht	
— des pensées		Allmacht der Gedanken	
sentiment de —		Allmachtsgefühl	
tout-puissant		allmächtig	
	R	Macht	*puissance*
	R	Machfülle	omnipotence

trace		Spur	
— d'affect		Affektspur	
— durable		dauernde Spur Dauerspur	
— d'impression		Eindrucksspur	
— mémorielle		Gedächtnisspur	
— mnésique		Erinnerungsspur	
— de représentation		Vorstellungsspur	
	R	aufspüren	suivre à la trace; dépister
	R	ausspüren	détecter
	R	nachspüren	dépister
	R	Aufspüren/Aufspürung	dépistage
	s	Prägung	empreinte

tradition		Tradition Überlieferung	
— orale		mündliche Tradition	

tragédie		Tragödie	
		Trauerspiel	
— de caractère		Charaktertragödie	
— de destin		Schicksalstragödie	
trait		Zug	2. *séquence*
— de caractère		Charakterzug	
trait d'esprit*		Witz	2. esprit
— de mot		Wortwitz	
— de pensée		Gedankenwitz	
traité		Abhandlung	
	S	Aufsatz	essai; article
traitement		Behandlung	
— d'âme		Seelenbehandlung	
— psychique		psychische Behandlung	
	R	mißhandeln	maltraiter
	R	Mißhandlung(en)	mauvais traitement(s); sévices
transcription		Transkription	
		Überschrift	
	R	Niederschrift	*inscription*
	R	Umschrift	retranscription
transfert		Übertragung	2. *(exc) transmission*
— d'amour		Liebesübertragung	
— de pensée		Gedankenübertragung	
amour de —		Übertragungsliebe	
capacité de —		Übertragungsfähigkeit	
penchant au —		Neigung zur Übertragung	
		Übertragungsneigung	
résistance de —		Übertragungswiderstand	
	R	Übertragbarkeit	transférabilité 2. *(exc)* transmissibilité
transférer		übertragen	2. *(exc)* transmettre
	L	im übertragenen Sinn	au sens figuré

transformation	Verwandlung	
	Wandlung	
	Umwandlung	1. *mutation*
— dans le contraire	Verwandlung ins Gegenteil	
	s Umformung	changement de forme
	s Metamorphose	métamorphose

---

transgression	Überschreitung	
	Ausschreitung	*excès*
	Übertretung	
— du tabou	Übertretung des Tabu	
	Tabuübertretung	
	s Bruch	infraction
	s Durchbrechung	infraction
	s Durchbruch	infraction 1. *percée* 2. *effraction*
	s Verletzung	violation 1. *blessure ; lésion*
transgresser	überschreiten	2. outrepasser; dépasser
	übertreten	
	s brechen	enfreindre
	s verletzen	violer 1. blesser; léser

---

transition	Überleitung	2. *translation*
	Übergang	1. passage

---

translation	Überführung	
	Überleitung	1. *transition*
	s Umsetzung	*transposition*
translater	überführen	faire passer

---

transmission	Übertragung	1. *transfert*
— héréditaire	erbliche Übertragung	
	Vererbung	2. *hérédité*
transmettre héréditairement	vererben	

---

transposition	Transposition	
	Transponierung	
	Umsetzung	
— pulsionnelle	Triebumsetzung	
	s Konversion	*conversion*
	s Überführung	*translation*
	s Verwandlung	*transformation*
	s Verschiebung	*déplacement*
trauma	Trauma	
— de la naissance	Geburtstrauma	
— psychique	psychisches Trauma	
— sexuel	Sexualtrauma	
traumatique	traumatisch	
travail*	Arbeit	
— de culture	Kulturarbeit	
— de deuil	Trauerarbeit	
— de pensée	Denkarbeit	
— de remémoration	Erinnerungsarbeit	
— du rêve	Traumarbeit	
	R Vorarbeit	travail pré-liminaire
	R Bearbeitung	*élaboration*
travestissement	Verkleidung	
	R Einkleidung	habillage
	s Verstellung	*dissimulation*
	s Verhüllung	*voilement*
tribu	Stamm	souche
	Volksstamm	
	s Volk	*peuple*
trouble *(résult)*	Störung	1. *perturbation (proces)*
	Trübung	
— d'âme	Seelenstörung	
— animique	seelische Störung	
— de la conscience	Bewußtseinstrübung	
— de l'esprit	Geistesstörung	
— de l'esprit ou de l'âme	Geistes- oder Seelenstörung	
— névrotique	neurotische Störung	
— psychique	psychische Störung	
— pulsionnel	Triebstörung	

troupe		Schar	*(pfs)* cohorte
— des frères		Brüderschar	
	s	Horde	*horde*
troupeau		Herde	
	R	Herdenhaftigkeit	*grégarité*
unification		Unifizierung	
		Einigung	
		Vereinheitlichung	
	s	Synthese	*synthèse*
unifier		einigen	
unificateur		einigend	
union		Vereinigung	*réunion*
		Beisammensein	réunion
— des organes génitaux		Vereinigung der Genitalien	
— parentale		Beisammensein der Eltern	
— sexuée		geschlechtliche Vereinigung	
	s	Vermischung	*mixtion*
unir		vereinigen	réunir
unité		Einheit	
		Einigkeit	
unitaire		einheitlich	homogène
	R	Einheitlichkeit	ensemble unitaire
urine		Harn	
évacuation d'—		Harnentleerung	
incontinence d'—		Harninkontinenz	
urinaire (érotisme)		Harnerotik	
	s	Urethralerotik	érotisme urétral
us		Sitten	I. *mœurs*
— et coutumes		Sitten und Gebräuche	

usage	Gebrauch	emploi
— de la langue	Sprachgebrauch	usage langagier; *(pfs)* langage usuel
	R Mißbrauch	1. mésusage; usage aberrant 2. *abus*
usuel	gebräuchlich	usité
	s geläufig	courant
	s gemein	*commun*
	s üblich	usité

---

usure	Usur Abnützung	

---

vacance	Auflassen Auflassung	
— du complexe d'Œdipe	Auflassen/Auflassung des Odipuskomplexes	
	R Verlassen	*abandon*
vacant (laisser)	auflassen	
vacant (laissé)	aufgelassen	
investissement —	aufgelassene Besetzung	

---

vague	Welle Schub	
— de développement	Entwicklungsschub	
— de passivité	Passivitätsschub	
— de refoulement	Verdrängungsschub	
	s Vorstoß	avancée
	s Drang	*poussée*

---

valeur		Wert	
		Geltung	validité 2. crédit
— de culture		Kulturwert	
— psychique		psychischer Wert	
	A	Unwert	non-valeur
	R	Wertung	évaluation; valorisation 2. *(exc)* valeur
	R	Entwertung	dévaluation; dévalorisation
	R	Umwertung	transvaluation
	R	Verwertung	1. mise en valeur 2. exploitation

---

variante		Variante	
variation		Variation	
	S	Schwankung	fluctuation

---

variété		Varietät	
		Mannigfaltigkeit	*diversité*
		Abart	
	R	Art	*espèce*

---

veille		Wachen	
conscience de —		Wachbewußtsein	
état de —		Wachzustand Wachsein	
penser de —		Wachdenken	
vie de —		Wachleben	
	L	im Wachen	dans la veille
	R	wach	éveillé; vigile
		waches Leben	vie éveillée
		waches Denken	penser vigile
		waches Vorstellen	activité de représentation vigile
	R	Wachsamkeit	vigilance

---

vénération		Verehrung	
	s	Anbetung	adoration
	s	Bewunderung	admiration
	s	Ehrfurcht	*respect*

---

vengeance		Rache	
soif de —		Rachedurst	
	R	Rachsucht	vindicte
	R	rachsüchtig	vindicatif
	s	Erbitterung	amertume; rancœur
	s	Groll	animosité; rancune
	s	Ressentiment	ressentiment

---

ventre		Leib	1. *corps*
— maternel		Mutterleib	
	s	Mutterschoß	giron maternel
	s	Mutterbrust	sein maternel

---

vérité		Wahrheit	
	R	Wahrhaftigkeit	véracité; véridicité
	R	Wahrscheinlichkeit	vraisemblance

---

vexation		Kränkung	2. *atteinte*
	s	Beleidigung	*offense*
	s	Demütigung	humiliation

---

vidage [du contenant]		Entleerung	1. *évacuation* [du contenu]
se vider		sich entleeren	

---

vie		Leben	2. *(pfs) existence*
pulsion de —		Lebenstrieb	
	R	Überleben	*survie*
vital(e)		Vital-	
		Lebens-	
différence —		Vitaldifferenz	
énergie —		Lebensenergie	
processus —		Lebensvorgang	
vivace		lebhaft	vif ; plein de vivacité
souvenir —		lebhafte Erinnerung	
	R	Lebhaftigkeit	caractère vivace
vivant (le)		Lebende (das)	
	A	Leblose (das)	non-vivant (le)
	R	belebt	*animé*
vivification		Belebung	
	R	Wiederbelebung	*revivification*
	R	Wiederaufleben	reviviscence

violence		Gewalt	2. *(exc) force*
		Heftigkeit	
acte de —		Gewaltakt	
activité de —		Gewalttätigkeit	
violent		gewalttätig	
		gewaltsam	
		heftig	

viscosité (de la libido)		Klebrigkeit (der Libido)	
	S	Haftbarkeit	*adhésivité*
	S	Fixierbarkeit	fixabilité
	S	Zähigkeit	ténacité
	S	Starrheit	*rigidité*

vision		Vision	
		Gesicht	vue
		Sehen (das)	vue
		Anschauung	visualisation 2. *(pfs)* vue; point de vue
trouble de la —		Sehstörung	
— du monde		Weltanschauung	
	R	Veranschaulichung	*illustration*
visuel(le)		visuell	
		Gesichts-	
		Seh-	de la vision
		anschaulich	visualisable
image —		visuelles Bild	
impression —		Gesichtseindruck	

voie	Weg	*chemin*
	Bahn	route
— de liaison	Verbindungsweg	
	R Umweg	voie détournée; détour

---

voile	Schleier	
— de l'amnésie	Schleier der Amnesie	
	R verschleiern	voiler; camoufler
	R Verschleierung	camouflage

---

voilement	Verhüllung	*(pfs)* voile
	A Enthüllung	*dévoilement*
	S Verstellung	*dissimulation*
	S Verkleidung	*travestissement*
voiler	verhüllen	couvrir d'un voile
		2. *(pfs)* envelopper
voilé	verhüllt	
	verhüllt *(adv)*	de (d'une) façon voilée
	A unverhüllt	non-voilé
	unverhüllt *(adv)*	sans voile
	S gedeckt	couvert
	S verborgen	caché; dissimulé
	S verkappt	déguisé
	S verkleidet	travesti
	S maskiert	masqué

---

volonté	Wille	vouloir
	R Gegenwille	contre-volonté
	R Willkür	*arbitraire*
volontaire	freiwillig	
	willkürlich	2. arbitraire
	Willens-	
acte —	Willensakt	
motilité —	willkürliche Motilität	

---

vue d'ensemble	Übersicht	
	R Ansicht (über)	vue (sur)
	R Aussicht	perspective
	R Einsicht	manière de voir
	R Gesichtspunkt	point de vue
	S Einblick (in)	aperçu (sur)
	S Überblick	aperçu
	S Überschau	aperçu
vue d'ensemble (prendre une)	übersehen	*(pfs)* survoler du regard 2. omettre de voir ; échapper au regard

zone	Zone
— anale	anale Zone / Analzone Afterzone
— buccale	Mundzone
— directrice	leitende Zone Leitzone
— érogène	erogene Zone
— génitale	Genitalzone
— hystérogène	hysterogene Zone
— labiale	Lippenzone

LISTE DES PRINCIPAUX TERMES N'AYANT PAS LEUR ENTRÉE PROPRE

Abolition (abolir). *V. suppression.*
Abstention (s'abstenir de). *V. abstinence.*
Acceptation (accepter). *V. admission.*
Accouchement. *V. déliaison ; naissance.*
Accueil (accueillir). *V. admission ; réception.*
Acoustique. *V. auditif.*
Addition (s'additionner). *V. apport ; sommation.*
Adjonction. *V. apport ; mélange ; mixtion.*
Adoption. *V. admission.*
Adoration. *V. vénération.*
Afflux. *V. apport.*
Agencement. *V. aménagement ; assemblage ; dispositif.*
Agrément. *V. contentement ; plaisir.*
Allégeance. *V. attachement.*
Allégorie. *V. métaphore.*
Alliage. *V. mixtion.*
Altération. *V. déformation ; modification.*
Amalgame. *V. mixtion.*
Amenuisement. *V. diminution.*
Amoindrissement. *V. diminution.*
Amorce. *V. début.*
Analogie. *V. comparaison.*
Anéantissement. *V. destruction.*
Appendice. *V. supplément.*
Appétit. *V. appétence alimentaire.*
Appréhension (appréhender). *V. angoisse ; peur ; saisie.*
Approbation. *V. assentiment.*
Appropriation (approprié) à une fin. *V. fin.*
Arbitre (libre —). *V. arbitraire.*
Arrêt. *V. suspension.*
Arrivée. *V. entrée (en scène).*
Assimilation. *V. égalité ; identification (avec).*

Aspiration. *V. tendance.*
Assujettissement. *V. sujétion.*
Attentat. *V. attaque.*
Attirance. *V. attraction.*
Attitude. *V. position.*
Auto-préservation. *V. auto-conservation.*
Avancée. *V. poussée ; vague.*
Avidité. *V. cupidité ; désir.*
Baisse. *V. diminution.*
Bannissement (bannir) ; *V. expulsion.*
Cacher (caché). *V. dissimulation ; voilement.*
Camouflage (camoufler). *V. voile.*
Causation. *V. cause ; étiologie.*
Cession. *V. débours.*
Châtiment (châtier). *V. punition.*
Clarification (clarifier). *V. éclaircissement.*
Clarté. *V. netteté.*
Cohésion. *V. cohérence.*
Compression. *V. condensation.*
Conclusion récurrente. *V. conclusion.*
Concupiscence. *V. désir ; plaisir.*
Confluence. *V. conjonction.*
Conscience scrupuleuse. *V. conscience morale ; scrupulosité.*
Consciencialité. *V. conscience.*
Consentement. *V. assentiment ; disponibilité.*
Consommation (consommer). *V. consomption ; dévoration ; jouissance.*
Constituant. *V. composante ; part.*
Contamination. *V. contagion.*
Contention. *V. effort.*
Contexte. *V. corrélation ; ensemble.*
Contrat. *V. alliance.*
Contrecoup. *V. après-coup.*
Contresens. *V. absurdité ; sens.*
Convoitise. *V. désir.*
Copie. *V. image ; reproduction.*
Correspondance. *V. concordance.*
Crédulité. *V. croyance.*

Croissance. *V. développement ; genèse.*
Débile (débilitant). *V. faible.*
Débridé. *V. bridage.*
Déchéance. *V. chute.*
Décret. *V. loi ; prescription.*
Décroissement (décroître). *V. accroissement.*
Dédommagement. *V. dommage ; endommagement.*
Dédoublement. *V. double.*
Défiance. *V. soupçon.*
Déficient. *V. défaut.*
Dégénération. *V. dégénérescence.*
Délaissement. *V. abandon.*
Délestage. *V. décharge ; exonération ; soulagement.*
Délivrance. *V. déliaison ; libération ; naissance ; rédemption.*
Démasquage. *V. dévoilement.*
Démesure. *V. excès ; mesure.*
Démonologique. *V. démonique.*
Dénégation. *V. déni ; négation.*
Dénigrement. *V. dépréciation ; diminution.*
Dénouement. *V. dissolution ; solution.*
Dépistage (dépister). *V. découverte ; trace.*
Dépravation. *V. dégénérescence.*
Désarroi. *V. déconcertement ; désaide.*
Dessein. *V. intention ; projet.*
Dette. *V. coulpe ; culpabilité.*
Dévalorisation (dévaloriser). *V. dépréciation ; valeur.*
Dévaluation (dévaluer). *V. dépréciation ; valeur.*
Dévastation. *V. destruction.*
Déversement. *V. éconduction ; écoulement.*
Dévouement. *V. abandon.*
Diabolique. *V. démonique.*
Didactique. *V. doctrine.*
Différer. *V. ajournement ; déplacement ; retardement.*
Diffusion. *V. contagion ; extension.*
Discordance. *V. concordance.*
Dislocation. *V. désagrégation.*
Dissection. *V. articulation ; décomposition.*

Dissension. *V. conflit.*
Distinct. *V. différence ; diversité.*
Distinctif. *V. caractéristique.*
Distinction. *V. différence ; diversité ; séparation.*
Diversion. *V. détournement ; déviation.*
Division. *V. ambivalence.*
Doléances. *V. maux ; plainte.*
Double sexuation. *V. bisexualité.*
Dureté. *V. sévérité.*
Ecart (par rapport à). *V. déviation.*
Echantillon. *V. épreuve ; modèle.*
Echéance. *V. terme.*
Effacement (effacer). *V. extinction.*
Efficience (efficient). *V. activité ; effet.*
Egalisation (égaliser). *V. compensation ; égalité.*
Egarement. *V. aberration.*
Elucidation (élucider). *V. éclaircissement.*
Emmagasinage. *V. accumulation.*
Emoi. *V. émotion ; excitation ; motion.*
Empathie. *V. intuition.*
Empreinte. *V. caractère ; trace.*
Endiguement (endiguer). *V. digue ; stase.*
Endormissement. *V. dormir.*
Endurance. *V. durée.*
Enfantement (enfanter). *V. naissance.*
Entourage. *V. environnement.*
Entrave. *V. inhibition ; obstacle.*
Epouvante (épouvantable). *V. effroi ; horreur.*
Equation. *V. égalité.*
Equipement. *V. dispositif.*
Erreur (errement). *V. aberration ; méprise.*
Esquisse. *V. projet.*
Esquive. *V. fuite.*
Essai. *V. expérience ; tentative ; traité.*
Etat de (des) choses. *V. chose ; rapport.*
Etendue. *V. extension.*
Eviction. *V. expulsion.*

Evocation (évoquer). *V. éveil, réveil.*
Exaltation (exalté). *V. élévation ; engouement.*
Exécration. *V. abomination ; aversion ; haine.*
Explicitation (expliciter). *V. explication.*
Exploration. *V. investigation ; recherche.*
Extirpation. *V. élimination.*
Fantasme. *V. fantaisie.*
Finalité. *V. fin.*
Fixabilité. *V. adhésivité ; fixation ; viscosité.*
Fraction. *V. fragment.*
Germe. *V. début.*
Habillage. *V. travestissement.*
Habitude. *V. accoutumance.*
Homophonie. *V. assonance ; phonie ; son.*
Humiliation. *V. dépréciation ; vexation.*
Illicite. *V. interdit.*
Immémorial. *V. ancien.*
Immoralité (immoral). *V. moralité.*
Inattention. *V. attention ; distraction.*
Incapacité. *V. capacité.*
Incidence. *V. accident ; hasard ; incident.*
Incident. *V. événement.*
Incohérence (incohérent). *V. cohérence.*
Incommodités. *V. maux.*
Inconsciencialité. *V. inconscient.*
Inconstance. *V. constance.*
Inconvenant. *V. choquant.*
Incrédulité. *V. croyance.*
Incrimination (incriminer). *V. accusation.*
Incroyance. *V. croyance.*
Inculpation (inculper). *V. accusation ; culpabilité.*
Indépendance. *V. autonomie ; dépendance.*
Indétermination. *V. détermination.*
Indomptabilité (indomptable). *V. domptage.*
Indompté. *V. domptage.*
Inférence (inférer). *V. conclusion.*
Infraction (enfreindre). *V. transgression.*

Ingestion. *V. introduction.*
Injonction. *V. prescription.*
Injustice. *V. droit.*
Intelligibilité (intelligible). *V. compréhension.*
Intensification. *V. augmentation.*
Interaction. *V. action.*
Intrication (intriqué). *V. confus ; mixtion.*
Invention (inventé). *V. création ; fiction ; imagination.*
Justice, *V. droit.*
Levée. *V. élévation ; suppression.*
Lien. *V. liaison.*
Lutte. *V. combat.*
Maintien. *V. conservation.*
Malformation. *V. déformation ; formation.*
Manquement. *V. faute.*
Méfiance. *V. soupçon.*
Mésusage (mésuser). *V. abus ; usage.*
Métabolisme. *V. changement.*
Métamorphose. *V. mutation ; transformation.*
Mise à découvert. *V. découverte.*
Mise à nu. *V. découverte.*
Mise au monde (mettre au monde). *V. naissance.*
Mise bas (mettre bas). *V. naissance.*
Mise en morceaux. *V. morcellement.*
Mise en pièces. *V. destruction ; morcellement.*
Mise hors circuit (mise hors jeu). *V. circuit (mise en —).*
Misère. *V. détresse.*
Mobilité. *V. fluidité.*
Modération (immodération). *V. excès ; mesure.*
Morbide. *V. pathologique.*
Multivocité. *V. équivocité.*
Nocivité. *V. nuisance.*
Non-sens. *V. absurdité ; sens.*
Normalité. *V. anomalie.*
Occurrence. *V. événement ; fait ; incident ; présence.*
Ouverture. *V. orifice.*
Pacte. *V. alliance.*

Parabole. *V. comparaison ; image ; métaphore.*
Paradigme. *V. prototype.*
Parcimonie. *V. épargne.*
Parité. *V. égalité.*
Partie constitutive. *V. composante ; part.*
Peine. *V. effort ; punition ; tourment.*
Performance (performant). *V. activité (capacité d') ; opération.*
Permanence. *V. durée.*
Perpétuation. *V. constance ; durée ; persévération.*
Persévérance. *V. continuation ; durée ; persévération.*
Persistance. *V. constance ; durée.*
Phase. *V. stade.*
Pitié. *V. compassion.*
Plurivocité. *V. équivocité.*
Post-foulement. *V. refoulement.*
Précurseur. *V. avant-coureur.*
Prédécesseur. *V. avant-coureur.*
Prématurité. *V. maturité ; précocité.*
Prémices. *V. début.*
Présentabilité. *V. présentation.*
Préservation (préserver). *V. conservation.*
Prohibé. *V. interdit.*
Propagation. *V. extension.*
Proscription (proscrire). *V. expulsion.*
Provisoire. *V. momentané.*
Pruderie. *V. pudeur.*
Raidissement. *V. rigidité.*
Réactivation. *V. revivification.*
Rebroussement. *V. régression ; retournement.*
Récapitulation. *V. abrégé ; rassemblement.*
Rechute. *V. chute.*
Réconciliation. *V. expiation.*
Recrudescence. *V. accroissement.*
Réduplication. *V. double.*
Reflux. *V. régression.*
Réfutation. *V. contradiction.*
Regret. *V. repentir.*

Regroupement. *V. groupe ; rassemblement.*
Régularité. *V. loi ; règle.*
Relâchement. *V. diminution.*
Reliquat. *V. reste.*
Remède. *V. aide.*
Remords de conscience. *V. repentir ; reproche.*
Remplissement (remplir; emplir). *V. accomplissement ; comblement.*
Renforcement. *V. force.*
Rentrée. *V. retrait.*
Répercussions. *V. action exercée par.*
Réplique. *V. reproduction.*
Répugnance. *V. aversion ; répulsion.*
Résonance. *V. assonance.*
Ressemblance. *V. analogie ; concordance.*
Résumé. *V. abrégé ; rassemblement.*
Retenue. *V. rétention.*
Retirement. *V. retrait.*
Retour en arrière. *V. régression.*
Rétrofantasier. *V. fantaisie.*
Révélation. *V. dévoilement.*
Revirement. *V. retournement.*
Reviviscence. *V. revivification ; vie.*
Rigueur. *V. nécessité ; sévérité.*
Rivalité. *V. antagonisme.*
Rudiment. *V. début.*
Rumination. *V. doute.*
Scission. *V. clivage.*
Secours (secourable). *V. aide.*
Sélection. *V. choix.*
Sensualité (sensuel). *V. sens (sensorialité).*
Sexuation. *V. sexualité.*
Signe caractéristique. *V. caractéristique ; signe.*
Similarité. *V. analogie.*
Similitude. *V. analogie ; concordance.*
Sorcellerie. *V. enchantement ; magie.*
Souche. *V. tribu.*
Soudure. *V. fusion ; mixtion.*

Soulèvement. *V. révolte.*
Soulignement. *V. accentuation.*
Spécimen. *V. modèle.*
Spiritualité (spiritualisation). *V. esprit ; sens (sensorialité).*
Stabilité (stable). *V. durée.*
Subordination. *V. sujétion.*
Succédané. *V. substitut.*
Suggestibilité (suggestible). *V. suggestion.*
Suggestionnabilité (suggestionnable). *V. suggestion.*
Superstition. *V. croyance.*
Surcharge. *V. charge.*
Surcroît. *V. accroissement ; apport.*
Surdétermination. *V. détermination.*
Surélaboration. *V. élaboration.*
Surgissement (surgir). *V. émergence.*
Surmorale (surmoralité). *V. morale ; moralité.*
Tardif. *V. précoce.*
Tournant. *V. retournement.*
Transvaluation. *V. valeur.*
Trouvaille. *V. découverte.*
Ultérieur. *V. précoce.*
Unilatéralité (unilatéral). *V. bilatéralité.*
Univocité. *V. équivocité.*
Urgence. *V. insistance ; nécessité.*
Vécu (le). *V. expérience vécue.*
Verbal. *V. langage ; mot.*
Vestige. *V. reste ; survivance.*
Vicarier. *V. remplacer.*
Vicissitudes. *V. destinées.*
Vindicte (vindicatif). *V. agression ; vengeance.*
Violation (violer). *V. blessure ; lésion.*
Virilité. *V. masculinité.*
Visée. *V. intention.*
Voie de fait. *V. acte.*
Voyeur (voyeurisme). *V. regarder.*

Index des personnes et des personnages

Abraham N., 46.
Adler A., 24.
Ahrendt H., 29.
Altounian J., 2, 27, 37, 64, 69, 71, 112.
Andreas-Salomé L., 31.
Anzieu D., 14, 39.
Aristote, 42.

Barthes R., 32.
Benjamin W., 42, 56, 70.
Berman Anne, 10, 11, 86.
Berman Antoine, 9, 10, 11, 12.
Bernfeld S., 28.
Bernheim H., 47.
Berteaux F., 68.
Bettelheim B., 78.
Birman H. A., 68.
Bloch E., 29.
Blumenberg H., 29.
Bonaparte M., 11, 22, 109.
Bosch C., 30.
Bourguignon A., 2, 5, 37, 64, 71, 112.
Bourguignon O., 5, 37, 71, 112.
Breton A., 65.
Brower R., 40.
Brücke E., 28.
Buffon G. L. L. de, 60, 124.

Camus A., 32.
Charcot J.-M., 24.
Chateaubriand F.-R. de, 10, 13.
Chouraqui A., 42.
Collardeau, 10.
Costes A., 148.
Cotet P., 2, 37, 40, 64, 68, 71, 112.

Darwin Ch. R., 42, 61.
Dayan M., 2, 67.
Delarbre J.-G., 116.
Descartes R., 77.
Dieu, 26.
Döblin A., 23, 29, 34.
Dora, 31.
Duden, 52, 67, 141, 146.

Einstein A., 23.
Emrich W., 30.

Fließ W., 23, 32, 40, 65, 85.
Fontane Th., 40.
Fourquet J., 39.
France A., 12.
Freud S., *passim.*

Gadamus H. G., 29.
George St., 30.
Gide A., 36, 61, 94.
Goethe J. W. von, 9, 10, 17, 29, 30, 31, 35, 105.
Goldschmidt G.-A., 34.
Grebe P., 52.
Green A., 138.
Grimm J. und W., 67, 126.
Gropius W., 30.
Grouscha, 26.
Grubrich-Simitis I., 65.

Habermas J., 29.
Halsmann Ph., 89.
Handke P., 34.
Hans (le petit), 24, 31, 79.

Hartmann D., 116.
Hegel G. W. F., 52, 53, 61, 92, 102, 117, 132, 146.
Heidegger M., 45, 61.
Heisenberg W., 29.
Heller H., 23.
Henry R., 78.
Herder J. G. von, 9.
Hesse H., 23.
Hoffer A., 7.
Hölderlin Fr., 9.
Holmes S., 25.
« Homme aux rats, L' », 31.
Hugo V., 49.
Humboldt W. von, 9, 12.
Hyppolite J., 53, 102, 117, 132, 147.

Itzig, 40.

Janet P., 24.
Jankélévitch S., 146.
Jaspers K., 11, 30.
Jens W., 23, 24.
Jésus-Christ, 26.
Jones E., 10.
Jung C. G., 24, 130.

Kafka Fr., 40.
Kant E., 33, 82, 105.
Kassner R., 24.
Kayser R., 23.
Keller G., 23.
Kolbe G., 30.
Kraus K., 24.
Kuhn R., 30.

Lacan J., 7, 11, 17, 18, 21, 42, 49, 61, 81, 82, 86, 88, 94, 120, 122, 133, 143, 144, 148, 150.
Lacoue-Labathe P., 104.
Laforgue R., 37.
Lagache D., 75, 105.
Laplanche J., 2, 43, 64, 66, 67, 68, 69, 71, 75, 105, 122, 133, 138, 151.
Larousse, 107.
Lasson, 52.
Le Bon G., 17, 112, 113.
Léonard de Vinci, 17, 23, 31.
Lepointe E., 68.
Lessing G. E., 24, 34.
Lévi-Strauss Cl., 23, 93.
Littré E., 67, 97, 106, 107, 148, 150.

Mac Dougall W., 17, 112, 113.
Malebranche N., 42.
Mann Th., 23, 24, 33.
Marcuse L., 23.
Marquard O., 29.
Marx K., 92.
Meerschen van der, 10.
Messier D., 2, 67.
Meyer C. F., 23.
Milton J., 10.
Minerve, 8.
Mirabeau (de Riqueti G.), 62, 92.
Mitschehrlich A., 23.
Moïse, 24.
Montaigne M. E. de, 16.
Muir E., 40.
Muir W., 40.
Muschg W., 24.

Nancy J.-L., 104.
Nania, 25.
Nietzsche Fr., 88, 89, 92.
Novalis (Friedrich von Hardenberg), 9.

Œdipe, 86, 147.

Pankejeff S. G. (« L'Homme aux loups »), 21, 25, 26, 31, 97.
Paquet A., 29, 30.
Pfitzner H., 30.
Pichon E., 14.
Planck M., 30.
Pontalis J.-B., 43, 64, 66, 75, 105, 122, 133, 151.
Prigent M., 5.
Pschyrembel, 107.

Rauzy A., 2, 37, 40, 64, 71, 112.
Richards A., 65.
Ricœur P., 91.
Rilke R. M., 34.
Robert Fr., 2, 64, 67, 68, 69, 121.
Robert M., 28, 34.
Robert P., 67, 78, 92, 93, 117.
Roger Ph., 32.
Roustang Fr., 38, 40, 41.

Sachs K., 68.
Sainte-Trinité (la), 26.
Schiller Fr., 25.
Schlegel A. W., 9.
Schleiermacher Fr., 9.
Schnitzler A., 31.
Schönau W., 31.
Schopenhauer A., 24, 33.
Schotte J., 24, 133.
Schreber D. G., président de cour d'appel, 31.

Schweitzer A., 30.
Staiger E., 29.
Starobinski J., 62.
Steckel W., 31.
Stein P., 30.
Stendhal (Henri Beyle), 24.
Strachey G. L., 6, 15, 20, 43, 61, 64, 70, 78, 107.
Sullivan P., 116.

Tchekhov A., 26.
Trenet Ch., 77.

Vichyn B., 2, 67, 131.
Villatte, 68.

Wahrig G., 67.
Weizsäcker C. von, 30.
Weizsäcker V. von, 23.
Wittels F., 31.
Wolf (précepteur), 19.

Ziegler L., 30.
Zweig St., 23, 62.

PRINCIPALES ABRÉVIATIONS

A	antonyme
L	locution
R	terme apparenté par le radical
S	terme apparenté par le sens
adj	adjectif
adv	adverbe
comp	comparatif
cour	sens courant
etw	*etwas* (quelque chose)
exc	exceptionnellement
fig	sens figuré
génér	sens générique
got	gothique
ie	indo-européen
intell	sens intellectuel
interp	sens interpersonnel
j-m	*jemandem* (à quelqu'un)
métaps	sens métapsychologique
mha	moyen haut allemand
n. techn	sens non technique
neur	sens neurologique
pfs	parfois
physiol	sens physiologique
plur	pluriel
proces	processus
q	quelqu'un
qch	quelque chose
réel	sens réel
résult	résultat
superl	superlatif
techn	sens technique
topique	sens topique
vha	vieux haut allemand
v. intr	verbe intransitif
v. tr	verbe transitif
GW, I à XVII	*Gesammelte Werke*, Frankfurt-am-Main, S. Fischer Verlag, à partir de 1960
NB	*Id.*, *Nachtragsband*, 1987
OCF.P	*Œuvres complètes de Freud/Psychanalyse*, Paris, Presses Universitaires de France, à partir de 1988 (21 vol.)

Imprimé en France
Imprimerie des Presses Universitaires de France
73, avenue Ronsard, 41100 Vendôme
Mars 1989 — N° 34 511

Œuvres complètes de Freud / Psychanalyse

Tome I	1886-1893	Premiers textes
Tome II	1893-1895	Etudes sur l'hystérie et textes annexes
Tome III	1894-1899	Textes psychanalytiques divers
Tome IV	1899-1900	L'interprétation du rêve et textes annexes
Tome V	1901	Du rêve - Psychopathologie de la vie quotidienne
Tome VI	1901-1905	Une analyse d'hystérie - Trois traités - Autres textes
Tome VII	1905	Le trait d'esprit
Tome VIII	1906-1908	« Gradiva » - Autres textes
Tome IX	1909	La phobie d'un petit garçon - Un cas de névrose de contrainte
Tome X	1909-1910	Léonard de Vinci - Un cas de paranoïa - Cinq leçons - Autres textes
Tome XI	1911-1913	Totem et tabou - Autres textes
Tome XII	1913-1914	Le Moïse de Michel-Ange - Histoire du mouvement psychanalytique - Autres textes
Tome XIII	1914-1915	Une névrose infantile - Sur la guerre et la mort - Métapsychologie - Autres textes
Tome XIV	1915-1917	Leçons d'introduction à la psychanalyse
Tome XV	1916-1920	Au-delà du principe de plaisir - Un cas d'homosexualité féminine - Autres textes
Tome XVI	1921-1923	Psychologie des masses - Le moi et le ça - Autres textes
Tome XVII	1924-1925	Freud présenté par lui-même - Inhibition, symptôme et angoisse - Autres textes
Tome XVIII	1926-1930	L'analyse profane - L'avenir d'une illusion - Le malaise dans la culture - Autres textes
Tome XIX	1931-1936	Nouvelle suite des leçons - Autres textes
Tome XX	1937-1939	L'Homme Moïse - Abrégé de psychanalyse - Autres textes
Tome XXI		Glossaire et index